Broer en z

Van Joanna Trollope zijn bij
Van Reemst Uitgeverij tevens verschenen:

Andermans kinderen
Onder vrienden
De vrouw van de predikant
De Spaanse minnaar
Vrouw des huizes
Mannen, minnaars & meiden
De minnares en de echtgenote
Vrouw uit het zuiden

Joanna Trollope

Broer en zus

VAN REEMST
UITGEVERIJ
HOUTEN

Oorspronkelijke titel: *Brother & Sister*
Oorspronkelijke uitgave: Bloomsbury

Van Reemst, Uitgeverij Unieboek bv,
Postbus 97, 3990 DB Houten

www.unieboek.nl
www.joannatrollope.com

Vertaling: Milly Clifford
Omslagontwerp: Andrea Scharroo
Omslagfoto: Fotostock bv.
Opmaak: ZetSpiegel, Best

ISBN 90 410 1462 4 / NUR 340

1

Vanaf zijn bureau kon Steve door de hele studio kijken. Hij kon ook de hele breedte zien, van de ene van pleisterwerk ontdane stenen muur tot de andere, en vervolgens helemaal omhoog tot het dak, waar de zeventiende-eeuwse balken – die op de een of andere manier nog steeds iets weg hadden van de kronkelige takken en boomstammen waarvan ze gemaakt waren – hun scheve en resolute patronen vormden. Hij had de verlichting zo ontworpen dat zelfs 's avonds, zelfs op de donkerste dagen, je blik naar boven werd getrokken, net als in kathedralen en koepels. Het was geruststellend om naar boven te kijken, geruststellend en bemoedigend. De afgelopen acht jaar, sinds de studio klaar was, had hij uren doorgebracht met omhoogkijken naar die balken en peinzen over de bomen die ze ooit waren geweest, de lucht die nog steeds te zien was door de lichtkoepels in het dak. Hij hield van de onbegrensdheid van die gedachten, en hij hield van deze naamloze, neutrale tijd aan het einde van elke werkdag, als de anderen naar huis waren en hij alles van de afgelopen hectische uren kon laten bezinken tot het vredig in een soort stille poel van niet bewust denken lag.
Het was een standaardgrap op kantoor dat Steve altijd de laatste wilde zijn die wegging. Ze staken ook de draak met het donkerblauwe naambord boven het raam van de benedenverdieping: STEVEN ROSS EN PARTNERS, ONTWERPERS, stond er.

'En wie mogen die partners wel zijn?' informeerde Titus. Titus werkte inmiddels drie jaar voor Steve. Hij was zevenentwintig, klein, breedgebouwd en energiek, met de hoffelijkheid die het resultaat was van een traditionele Engelse opvoeding. 'Want daar hoor *ík* blijkbaar niet bij.'

'Het is een naam,' zei Steve terwijl hij deed of hij papieren doornam. 'Gewoon een naam. Zo staat het bedrijf ingeschreven.'

'Niet míjn naam,' zei Justine. Ze kwam pas van de kunstacademie en draaide zelf haar sigaretten. Ze knipoogde naar Titus.

'Op een dag misschien wel,' zei Steve. 'Als ik denk dat je het waard bent.'

Dat soort opmerkingen beviel haar wel. Ze wilde niet rechtstreeks flirten, maar ze wilde dat Steve haar op de proef stelde, dat hij inzag dat ze gedreven en doelgericht was, al beet ze nog steeds op haar nagels. Toen ze op sollicitatiegesprek kwam, had hij stilzwijgend haar portfolio ingekeken en vervolgens gezegd: 'Mooi.' Het was haar zevende sollicitatiegesprek en alle anderen hadden alleen maar gezucht en gezegd dat ze eigenlijk toch geen vacature hadden. Ze teerde nog maanden op dat 'Mooi'.

Steve rekte zich langzaam uit, comfortabel recht op zijn kruk – Zweeds, ergonomisch ontwerp – en nam zijn kleine, tot voldoening stemmende rijk in ogenschouw. Hij keek naar de originele vloerdelen van iepenhout – zo breed, hoe dik moesten die stammen wel zijn geweest? – en de hoekige belijningen van de bureaus van Titus en Justine, en de serene, bijna klinische ruimte waar Meera met aangename ordelijkheid de boekhouding en administratie deed. Steve deed erg zijn best om niet te veel ordelijkheid te eisen, niet te zeuren over netheid. Hij probeerde niet te vergeten dat de precisie die hij zo prettig vond wel moest gelden voor het werk, maar voor de rest niet de overhand mocht krijgen.

Daar had Nathalie hem op gewezen. Jaren geleden, nog voor hij dit vervallen gebouw met al zijn mogelijkheden had gevonden, had hij haar willen overhalen om bij hem in te trekken.

Ze had twijfelend naar hem gekeken.

'Weet je wat het is,' had ze voorzichtig gezegd. 'Je bent een beetje... nou ja, een beetje precies.'

Hij was gekwetst.

'Je bedoelt een pietlut,' had hij gezegd. 'Analytisch.'

Ze zuchtte. Ze wreef met haar wijsvingers onder haar ogen alsof ze dacht dat haar mascara was uitgelopen.

'Nou...'

'Ik schenk niet alleen zorg aan dingen,' hield Steve vol. 'Maar ook aan mensen. Ik schenk aandacht aan ménsen.'

Nathalie sloot haar ogen. Steve boog zich naar haar toe.

Hij zei, heel onverstandig: 'Van iedereen die ik ooit heb ontmoet, ben jij degene die dat nodig heeft. Je hebt het nodig dat ik voor je zorg.'

Nathalies ogen vlogen open.

'Dat,' zei ze op scherpe toon, 'is volgens mij geen zorg. Dat is controle willen hebben!'

Hij was op zijn nummer gezet. Hij kon zich het gevoel nog steeds herinneren, de gezapige, arrogante eigendunk die uit hem wegstroomde als uit een ballon die leegliep. Hij had zich toen herinnerd dat zijn moeder steeds weer, vanaf dat hij klein was, zei als ze iets moest beslissen waar ze het volste recht toe had: 'Ik denk niet dat je vader dat zou willen.'

'Sorry,' had Steve tegen Nathalie gezegd, vol schaamte. 'Sorry.'

Aan de muur vlak naast Steves bureau hing een foto van Nathalie in een rechthoekig blok van perspex. Ze droeg een spijkerbloes en ze hield lachend met beide handen haar lange haren losjes boven op haar hoofd bijeen. Naast haar hing nog een perspex blok met een foto van Polly. Polly was vijf. Ze had Steves zachte krullende haar en Nathalies ogen met donkere wimpers. Op de foto keek ze ernstig en vastberaden recht in de lens vanonder de rand van een gebloemde zonnehoed. Ze zat net op school, onder de naam Polly Ross-Dexter omdat Nathalie haar eigen naam wilde houden en Steve niet wilde dat ze op school zouden denken dat hij Polly's vader niet was. Ze hadden geruzied over welke naam het eerst moest komen, en Nathalie had alleen toegegeven omdat het zo beter klonk. Het was geen overwinning, peinsde Steve, en hij was er dan ook niet blij mee geweest.

Hij liet zijn blik omhoogglijden, van de blijken van Meera's organisatietalent tot die van de lukrake constructie van de zeventiende-eeuwse bouwers. Hij had vaak geprobeerd achter de reden te komen waarom de balken zo waren geplaatst, of de bouwers dat zo hadden berekend of dat het meer was geweest van: laten we het zo eens proberen. Tenslotte was het geen woning van rijke mensen geweest, misschien het huis van een van de wevers, hugenoten die uit Frankrijk naar Engeland waren gevlucht en in plaats van met zijde voortaan met wol gingen weven, de reden waardoor Westerham welvarend was geworden in de dagen voordat het bronwater werd ontdekt en de stad welvarende mensen trok vanwege de geneeskrachtige baden. Toen Steve het huis vond – hij was toen zevenentwintig en vol plannen – stond het vervallen tussen de elegantere vroeg-negentiende-eeuwse buren in, en werd het gebruikt als een overdekte opslagplaats voor spullen die uit oude panden waren gesloopt. Overal lagen oude deuren en schoorsteenmantels en vloerplanken. Voor de verbouwing had hij een lening bij de bank moeten sluiten die hij nog steeds aan het afbetalen was. Toen hij de lening sloot, had hij tegen Nathalie willen zeggen: 'Vind je dit soms ook getuigen van pietluttigheid?' Maar hij had het niet gedurfd, hij had haar niet de kans willen geven – die ze misschien zou hebben aangegrepen – om te zeggen: 'En voor wie doe je eigenlijk zo achteloos?'

Natuurlijk voor hemzelf. Hij kon zeggen wat hij wilde over alle voordelen voor hen beiden, voor kinderen die ze misschien zouden krijgen, maar hij zou altijd diep vanbinnen hebben geweten dat het niet waar was. Tenslotte was hij degene die leefde in de huid van de jongen die was opgegroeid in een achterslaapkamer van de Royal Oak-pub op Oxford Road, wiens vader zo kwaad was geweest dat hij naar de kunstacademie wilde dat ze elkaar langer dan twee jaar niet hadden gesproken. Zijn moeder had geprobeerd de boel te sussen. Ze bracht vaak eten naar de zitslaapkamer die hij via de universiteit had weten te bemachtigen, en zorgde er altijd voor dat ze terug was voor de pub openging.

Hij had gedacht dat hij fotograaf zou worden, want dat wilde hij graag. In zijn fantasie ging hij terug naar de Royal Oak en smeet een landelijk tijdschrift, of de bijlage van een zondagskrant, vol prachtige zwartwitfoto's van niemand anders dan Steve Ross op de bar onder de neus van zijn vader. Maar dat plan werd in de kiem gesmoord tijdens dat eerste jaar op de academie, toen iedereen dingen bouwde van spiegeltegels en muurschilderingen maakte met twijgen. Hij had één ochtend doorgebracht in een ontwerpstudio en beseft dat hij thuis was gekomen. Hij was meteen verkocht. Hij had het nut ingezien van precisie en creativiteit, hij had het grote psychologische effect begrepen van een kleine verandering in proportie of plaatsing van iets. Het was zuiver, puur, doordacht, het was hém, ten voeten uit. Toen hij op de ochtend van zijn negentiende verjaardag naar college fietste, had hij zich voorgenomen om ontwerper te worden met een eigen studio. Hij zou zichzelf bewijzen. Hij zou het zijn vader bewijzen.

Nu stond hij op van zijn kruk en tilde zijn prullenbak op. Dat deed hij elke dag als laatste, een rondje maken langs de prullenbakken om de inhoud in de papierversnipperaar te gooien, weer tot groot vermaak van Titus en Justine.

'Kan Kim dat niet doen?' had Titus gezegd terwijl hij op zijn gemak tegen Steves bureau leunde.

Kim kwam drie avonden per week om negen uur de boel schoonmaken.

'Nee,' zei Steve.

'Vertrouwelijk?'

'Mm,' zei Steve.

'Of,' zei Titus terwijl hij zijn armen over elkaar sloeg, 'omdat Kim waarschijnlijk net zo geïnteresseerd is in de inhoud van onze prullenbakken als in een uitdraai van de Hang Seng-index, is ze eigenlijk gewoon niet te vertrouwen met onze papierversnipperaar!'

'Ga weg,' zei Steve.

Hij leegde de inhoud van zijn prullenbak in het apparaat. Alleen papier. De inhoud van Meera's prullenbak zou ook alleen uit papier bestaan. Maar in die van Titus en Justine zaten waarschijnlijk ook bananenschillen en kauwgompapiertjes en oude pleisters. Af en toe gooide Titus er ook een lege condoomverpakking in, om te zien of Steve het zou merken. Titus leek een druk seksleven te hebben, meestal met meisjes die aanzienlijk langer waren dan hij. Af en toe vroeg Steve zich af of Justine daar ook geen deel van wilde uitmaken.

Hij zette de prullenbak terug onder zijn bureau en kwam overeind. De foto van Polly hing recht voor hem, haar je-hoeft-mij-niets-wijs-te-maken-ogen op dezelfde hoogte als die van hem. Ze leek het leuk te vinden op school en zich door niets te laten storen. Eigenlijk liet ze zich door te weinig storen, had Nathalie gezegd, want haar onderwijzeres had voorzichtig geopperd dat Polly wat moeite leek te hebben met zich concentreren, en misschien moesten ze haar oren eens laten nakijken. Steve raakte onwillekeurig een van zijn oren aan. Met zijn gehoor was niets mis, nooit geweest ook.

Beneden, in de ontvangstruimte, viel de deur met een klap dicht.

'Ik ben het maar!' riep Titus.

Steve liep naar de trap die van de studio naar beneden voerde.

'Iets vergeten?'

'Ik heb iemand bij me!' riep Titus.

Voetstappen klonken door de receptieruimte en kwamen de trap op.

Een vrouwenstem zei: 'Dit is zo cool!'

'Dat zal Steve leuk vinden,' zei Titus. 'Nietwaar, Steve? Je bent toch blij dat Sasha het hier zo cool vindt?'

Titus kwam de studio in, met rode wangen van de kou buiten. Hij droeg een dikke das om zijn hals, opgetrokken tot aan zijn oren, net als een student.

'Sorry dat ik weer terug ben,' grinnikte Titus. 'Ik weet dat je graag hebt dat we wegblijven als we eenmaal weg zijn.'

Een vrouw verscheen achter Titus boven aan de trap. Ze was uiteraard veel langer dan hij, en ouder, waarschijnlijk halverwege de dertig, met dik, heel kortgeknipt blond haar. Ze stak haar hand uit naar Steve.

'Ik ben Sasha.'

'Hallo,' zei Steve.

Titus stak zijn handen in zijn zakken.

'We zijn gekomen met een soort missie,' zei hij. 'We kregen een opwelling...'

'Ik,' zei Sasha met een glimlach naar Steve. 'Ik kreeg een opwelling.'

'Heb je een paar minuten voor ons?' vroeg Titus.

Steve zei: 'Ik wilde net naar huis gaan om Polly voor te lezen.'

'Polly?'

'Mijn dochter,' zei Steve. Hij wees naar de foto. 'Ze is vijf.'

Sasha keek.

'Schattig. Vijf. Dus het is allemaal barbiepoppen en Angelina Ballerina.'

Steve glimlachte naar haar.

'Alles wat roze is.'

'Ik ben dol op roze,' zei Titus stoer. Hij deed zijn das af en liet die op de hoek van Justines bureau vallen. 'Leg het hem eens uit, Sash.'

Ze aarzelde.

'Het is nogal brutaal...'

'Titus ís brutaal,' zei Steve.

'Alleen gaat het niet om Titus, maar om mij.'

'Wat is het dan?'

'Ik ben bezig met een project,' zei Sasha. 'Ik volg een cursus hulpverlening en ik werk aan een scriptie over identiteit, persoonlijke identiteit, waar we vandaan komen, hoe we onszelf omschrijven, dat soort dingen.'

Steve moest even aan de Royal Oak denken. Hij keek naar Sasha's handen. Ze waren lang en soepel en aan elke duim droeg ze een gladde, zilveren ring.

'Waar het om gaat...' vervolgde Sasha, en toen zweeg ze. Ze keek naar Titus.

'Je project,' zei hij luchtig.

'Titus heeft me verteld over je vrouw.'

'Partner,' zei Steve.

Sasha keek even naar Polly's foto.'

'Sorry...'

'Wat is er met Nathalie?'

'Dat ze geadopteerd is,' zei Sasha.

Steve keek naar Titus.

'Heb ík dat aan jou verteld?'

'Ja.'

'Ik vraag me af waarom,' zei Steve. 'Dat is niet mijn gewoonte. Ik denk er nooit over na.'

'Nee?' vroeg Sasha.

Hij keek naar haar. Ze was heel aantrekkelijk, met haar slanke gestalte, vrijmoedige optreden en dat lichte haar als de pels van een zeehond. Hij glimlachte vriendelijk.

'Nee,' zei hij gemoedelijk. 'Dat hoef ik niet. Zíj hoeft het niet. Het is geen punt.'

'Maar...'

'Sorry,' zei Steve, 'maar Nathalie heeft er geen trauma aan overgehouden. Ze heeft altijd gezegd dat ze blij is dat ze geadopteerd is, dat ze de keus heeft gekregen om te zijn wie ze wilde zijn.'

'Zo heb ik me nooit gevoeld,' zei Titus. Hij stak zijn handen weer in zijn zakken. 'Ik weet precies waar ik vandaan kom en bijna niets daarvan is wat ik zou hebben gekozen.'

Sasha boog zich naar voren.

'Het was niet mijn bedoeling om ergens inbreuk op te maken.'

'Dat heb je niet gedaan.'

'Maar het is fascinerend,' vervolgde Sasha, 'dat ze het niet erg vindt.'

'Ze plaagde me altijd,' zei Steve, 'over wat ze mijn ruzies met mijn bio-ouders noemde. Die heeft zij nooit gehad. Ruzies, bedoel ik.'

Sasha keek weer naar Polly's foto.

'We zullen je niet ophouden.'

'Nee.'

'Maar... denk je dat ze met mij zou willen praten?'

'Wat?' zei Steve. 'Of Nathalie met je over adoptie wil praten?'

'Het zou zo interessant zijn. Het zou zo'n contrast vormen, zie je, zo'n heel andere benadering van de geaccepteerde mening, zo'n verfrissende verandering...'

'Van wat?'

'Van het erkende geweld van de oerwond.'

'De wát?'

'Breng haar alsjeblieft niet op dreef,' zei Titus.

Sasha zei duidelijk, alsof ze het citeerde: 'Iedereen die is geadopteerd draagt zijn hele leven de in de steek gelaten baby met zich mee.'

Steve glimlachte.

'Nathalie niet.'

'Wat fascinerend,' zei Sasha weer. Ze dacht even na en toen vroeg ze: 'Denk je dat ze met mij zou willen praten?'

Steve liep in de richting van het paneel op de muur waarmee de verlichting werd geregeld.

'Ik kan het haar vragen.'

'Ga je het ook doen?'

'Oké,' zei Steve. 'Misschien vindt ze het te persoonlijk, maar ik weet dat ze het geen geheim vindt, dus ik kan het proberen.' Hij legde een hand op de knoppen en keek over zijn schouder naar Sasha. 'Moet ik zeggen dat je Titus' vriendin bent?'

'Als je dat wilt,' zei Titus. Hij pakte zijn das en wikkelde die weer om zijn hals.

Sasha keek op hem neer.

'Als ík dat wil,' zei ze.

'Gaan jullie vast naar beneden?' zei Steve. 'Ik sluit de boel af.'

Titus liep langs hem heen en liep vlug met geoefende tred de trap af. Sasha bleef even staan voor ze hem volgde. Ze was bijna net zo lang als Steve, ongeveer een meter tachtig.

'Bedankt,' zei ze.

Hij drukte de knoppen omlaag en de studio verdween stil in het donker.

'Ik kan niets beloven.'

'Nee, maar bedankt dat je het wilt proberen.'

Hij keek even naar haar en gebaarde dat ze voor moest gaan op de trap.

'Ik laat het Titus wel weten,' zei hij.

Steve fietste naar huis. Hij had altijd al een fiets gehad, van wat tot zijn ellende een kinderfietsje werd genoemd – dat een goedwillende klant van zijn vader hem had gegeven – om mee over het achtererf te rijden toen hij vier was, tot deze mountainbike met achtentwintig versnellingen die hij achter een bioscoop had gevonden, zonder zadel. Op de bagagedrager was een kinderstoeltje gemonteerd voor Polly, en daar zat ze altijd in met een lichtblauwe fietshelm met figuurtjes uit Winnie de Poeh op haar hoofd. Ze gingen samen op de fiets naar het zwembad, schroeven en bouten kopen om klusjes te doen in de weekends, en om thee te gaan drinken bij Polly's grootouders in de Royal Oak. Soms vroeg Steve zich af of ze zich die ritjes zou herinneren als ze groot was, de geruststellende rug van haar vader, zijn absurde fietshelm. Als ze achterop zat, vertelde Nathalie hem, keek ze zowel gewichtig als onaangedaan, als een pasja op een draagstoel.

De straat waar ze woonden lag net als de studio aan de rand van een van Westerhams betere wijken. Het was een straat met strakke huizen, gebouwd van het lichte kalksteen waar de streek zo bekend om was, met een trapje dat rechtstreeks van de voordeur naar het trottoir liep. Steve en Nathalie hadden hun flat vijf maanden voor de geboorte van Polly gevonden, een langgerekte flat op de benedenverdieping met aan de achterkant een smalle tuin met een pruimenboom en een schuur.

'Mannen zijn toch dol op schuurtjes?' zei Nathalie. Zij had de flat veel liever gewild dan Steve, vanwege de tuin en omdat ze zwanger was. 'Ik dacht dat de schuur wel de doorslag zou geven voor je.'

Steve had iets anders in gedachten gehad. Hij had zich een flat op een eerste verdieping voorgesteld, met hoge ramen en kroonlijsten, zo ver mogelijk weg van de donkere, lage kamers van de Royal Oak.

'Ik kan een waslijn spannen,' zei Nathalie met een hand op haar buik en de andere tegen de pruimenboom. 'De baby kan hier buiten slapen.'

'Ja,' zei Steve.

'De keuken ziet er goed uit,' zei Nathalie. 'En we hebben een eigen voordeur.'

Steve keek naar haar. Hij dacht aan de studio en aan zijn ambities. Toen dacht hij aan hoe die zouden lijken zonder Nathalie.

'Kunnen we een compromis sluiten? Vijf jaar hier, en dan kijken of we iets anders willen?'

Nu waren de vijf jaar voorbij. Polly was vijf jaar en een maand, en haar kleertjes hadden inderdaad aan een waslijn te drogen gehangen die tussen de schutting en de pruimenboom was gespannen. Nathalie had de flat heel... gezellig gemaakt, dat was het woord dat Steve zou kiezen, leuk en comfortabel ingericht. Al die interessante, onbedreigende kwaliteiten die ze op de kunstacademie tentoon had gespreid – uiteindelijk had ze zich gespecialiseerd in textiele werkvormen – kwamen nu tot uiting in het thuis dat ze voor Steve en Polly had gemaakt. En het was een thuis, dat was zeker. Als je onder een 'thuis' verstond dat daar je huiselijke leven compleet was met alle emotionele en praktische bijkomstigheden, dan was Nathalie daar helemaal in geslaagd.

Toen hij de straat in fietste, zag hij de saffraankleurige rechthoek van het verlichte raam aan de voorkant, het raam van de woonkeuken waar Polly al had gegeten en misschien een tekening voor hem had gemaakt aan de grenenhouten keukentafel. Waarschijnlijk had ze zichzelf heel groot getekend en haar ouders iets kleiner, en vervolgens in paars of roze – haar favoriete kleuren – de hond die ze zo graag wilde. Ze was altijd dol geweest op honden, zelfs nadat ze, toen ze twee was, door een enthousiaste herdershond omver werd gelopen en van een paar treden viel.

'Ik vind het maar raar,' zei Nathalie. 'Ik hou niet van honden.'

Hij stapte van zijn fiets en zette die weg in de donkere, overdekte gang tussen hun huis en het huis dat eraan grensde. Ooit was hij van plan geweest om die doorgang op te schilderen met lichte verf en latwerk tegen de muren aan te brengen, en die plannen waren, zoals zovele andere, gestrand door de studio, het gezinsleven, de meedogenloze uren, dagen en weken die voorbijgingen. Soms dacht hij aan alle tijd die hij als kind had gehad, al die uren die zich voor hem uitstrekten zonder dat hij er iets in kon doen, zodat hij af en toe niet eens wist hoe hij ze moest zien te vullen. En nu... Nu leek de tijd hem vooruit te schoppen, als iemand die ongeduldig steeds maar tegen een voetbal loopt te trappen.

Hij ging de donkere tuin in. Een lamp aan de buitenmuur scheen op Polly's barbiefiets die op de tegels lag, en op een keurige rij bloempotten onder plastic, waarin Nathalie primula's probeerde te kweken. Hij stak de sleutel in het slot en ging de slaapkamer in, die alleen werd verlicht door het licht uit de gang erachter.

'Ik ben thuis!' riep hij.

Er klonk gebons van voeten. Polly kwam door de gang rennen en bleef, zoals altijd, op ongeveer een meter van hem vandaan staan.

'Ik ging al bijna slapen,' zei ze.

'Je klinkt niet erg slaperig...'

'Ik wou het licht al uit doen. Al bijna.'

Hij bukte zich en gaf haar een kus. Ze rook naar shampoo en marmite.

'Maar je hebt het niet gedaan,' zei hij. 'En nu ben ik er.'

Ze draaide zich om en liep terug door de gang. Haar pyjama was te groot voor haar en ze leek er net een kleine rapper in. Nathalie verscheen in de deuropening van Polly's slaapkamer.

'Hij is er,' zei Polly berustend.
'Sorry,' zei Steve. 'Ik werd opgehouden door een of ander plannetje van Titus.'
Nathalie vond Titus aardig. Af en toe kwam hij eten en dan tekende hij honden voor Polly.
'Het geeft niet.'
Steve boog zich voorover en gaf een kus op Nathalies wang.
'Ik wil Miffy,' zei Polly.
'Moet dat echt?'
'Ja,' zei Polly.
Nathalie liep langs Steve naar de keuken.
In het voorbijgaan zei ze: 'We zijn bij de oorarts geweest.'
'Wat?' vroeg Steve. Hij keek haar geërgerd na. Daar had ze een handje van, om weg te lopen terwijl ze iets zei dat hij moest horen.
Hij volgde haar.
'Wat?'
Nathalie draaide zich niet om.
'We zijn bij de oorarts geweest, Polly en ik. Je wist toch dat we zouden gaan?'
'O ja?'
'Ja,' zei Nathalie. 'Daar hebben we het nog over gehad.'
'Nee, dat is niet waar.'
'Eigenlijk heb je gelijk,' zei Nathalie. 'Nee, we hebben het er niet over gehad. Ik vertelde het en jij luisterde niet.'
Steve haalde diep adem en keek waar Polly was. Toen haalde hij nogmaals diep adem en zei op opzettelijk kalme toon: 'En wat zei hij?'
'Er is iets mis in het middenoor.'
Steve zei iets luider: 'Is er iets mis in Polly's oren?'
'Hij wilde die van mij onderzoeken. Om te zien of er in een van mijn oren ook iets dergelijks zit. Hij zei dat het erfelijk was, een soort afwijking, net als een kromme vinger of de manier waarop iemands haar groeit.'
'En heeft hij iets gevonden?'
Nathalie schudde haar hoofd.
'Nee.'
Polly kwam de keuken in met haar Miffy-boek.

'Miffy!' zei ze gebiedend tegen haar vader.

Steve keek naar omlaag.

'Ben je niet een beetje te groot voor Miffy, lieverd?' Hij liep om de tafel heen om Nathalies gezicht te kunnen zien. Ze keek naar de tafel, haar haren hingen voor haar gezicht.

'Nat, is het ernstig?'

Ze antwoordde: 'Hij zei dat het een eenvoudige operatie is. Er wordt alleen wat kraakbeen weggehaald. Maar de nazorg is belangrijk, omdat oren zo ingewikkeld zijn.'

'Is het pijnlijk?'

Nathalie knikte. Hij boog zich naar voren en raakte haar arm aan over de tafel heen.

Hij zei troostend: 'Dat lossen ze wel op. Ze zullen wel zorgen dat ze er geen pijn aan heeft. Tegenwoordig zijn ze heel goed in pijnbestrijding.'

'Miffy!' riep Polly.

'Dadelijk, schat,' zei Steve. 'Nat?'

'Daar gaat het niet om,' zei Nathalie. Ze kruiste haar armen over haar borst alsof ze het koud had. 'Het is een eenvoudige operatie, dat weet ik wel.'

'Nou dan. Is het haar gehoor? Is haar gehoor aangetast?'

'Dat is het nú,' zei Nathalie.

'Ja. Ja, dat weet ik. Maar zal dat verbeteren door de operatie? Daar gaat het toch om, het komt toch door die verstopping...'

'Ik heb me de hele middag gewoon ziek gevoeld,' zei Nathalie.

Steve wachtte. Polly kwam naast hem staan en hield haar boek op.

'Nog heel eventjes, Poll...'

'Niet eventjes,' zei Polly. 'Nú!'

Steve bukte zich en tilde haar op. Ze hield het boek met beide handen op een paar centimeter voor zijn gezicht.

'Miffy.'

'Ja, Miffy. Ik zie het.'

'Ik heb me nog nooit zo gevoeld,' zei Nathalie. 'Ik heb het nog nooit zo bekeken. Ik bedoel, het is gewoon een kleine verstopping in Polly's oor, geen erge, angstaanjagende ziekte waar veel ouders mee te maken krijgen, gewoon iets onbelangrijks, iets wat zo te herstellen is. Maar... nou ja, vandaag op dat spreekuur voelde ik me vreselijk, verloren. Ik dacht... ik dacht, wat is er nog meer dat ik niet weet?'

Zachtjes duwde Steve het boek met een hand naar beneden zodat hij over de tafel kon kijken.

'Wat bedoel je?'

Nathalie hief haar hoofd op.

'Wat weet ik nog meer niet over waar Polly vandaan komt?'

Steve keek naar Polly. Hij glimlachte breed naar haar.

'Natuurlijk weten we waar Polly vandaan komt. Hè, Poll? Je komt uit mama en papa.'

Polly zwaaide met haar boek.

Ze zei dreigend: 'Ik word boos, hoor.'

'Het gaat over daarvóór,' zei Nathalie. 'Over veel vroeger. Ik had opeens het gevoel dat ik me in een vacuüm bevond.'

Steve verschoof zijn dochter in zijn armen.

'Zo heb je nog nooit gepraat.'

'Zo heb ik me ook nooit eerder gevoeld.'

'Je bedoelt toch niet,' zei Steve, 'dat je opeens al je zelfvertrouwen kwijt bent omdat we te maken hebben gekregen met een probleempje met Polly's oor dat blijkbaar makkelijk kan worden opgelost?'

Nathalie keek hem aan.

'Waarom niet?'

'Omdat... nou ja, omdat het niet redelijk is.'

'Dit heeft niets met redelijkheid te maken.'

Ze wendde zich af. Ze zei iets met gesmoorde stem.

'Wat?'

'Ik zei dat het niets met redelijkheid te maken heeft, maar met gevoelens. En gevoelens... gevoelens hebben herinneringen!'

Steve slikte. Hij keek naar Polly. Haar blik was onverstoorbaar op zijn gezicht gericht, om aan te geven dat ze hem zou dwingen om haar voor te lezen uit een boek waarvan ze allebei wisten dat het voor kinderen van drie was bedoeld. Steve glimlachte naar Polly. Terwijl hij glimlachte, vroeg hij zich af of hij haar niet op een schandalige manier zoet probeerde te houden.

'Weet je wat,' zei Steve. Hij keek naar Nathalie. 'Polly en ik gaan Miffy lezen en bel jij dan je moeder op.'

'Daar heb ik aan gedacht...'
'Nou, doe het dan.'
'Maar ik denk dat ik liever David wil bellen.'
'Wat heeft het voor zin,' zei Steve, terwijl aan zijn stem te horen was dat hij zich probeerde in te houden, 'om je broer te bellen?'
'Omdat hij het zal begrijpen.'
'Los,' zei Polly. 'Laat me lós.'
Steve liet haar op de vloer zakken en bleef naast haar gehurkt zitten, zijn armen nog losjes om haar heen.
'Maar, Nat, hij is niet je echte broer. Ik bedoel, hij heeft niet jouw oren, of die van Polly. Hij is alleen de broer met wie je bent opgegroeid...'
Nathalie draaide zich om. Steve keek Polly aan. Haar ogen waren maar een centimeter of dertig van de zijne vandaan.
'Welk oor is het, Poll?'
Ze raakte er een aan. Toen het andere, en toen haalde ze haar schouders op.
'Miffy,' zei ze op een babytoontje. 'Nu, nu, nú!'
'Goed!'
'Twee verhaaltjes,' zei Polly, die de overwinning rook.
'Goed...'
'Twee verhaaltjes en dat liedje over de treinfluit.'
'Goed...'
Steve kwam overeind. Polly greep zijn hand stevig beet. Hij wierp een blik op Nathalie.
'Ga je echt David bellen?'
'Ja.'
Steve wist zich met veel moeite te beheersen.
'Doe hem mijn groeten,' zei hij.

2

Nathalie was vier toen David kwam. Ze had een baby verwacht, geen zwijgende peuter met een groot hoofd en grote, zachte handen die hij op alles wilde leggen wat van haar was. Uit de manier waarop iedereen David behandelde, bleek extra medeleven en bezorgdheid, waardoor zijn stilzwijgen werd toegestaan en zelfs bewonderd werd, en ook het feit dat hij het ene moment volkomen vastberaden was en het andere helemaal teruggetrokken.

'Niet boos op hem zijn, Nathalie,' zeiden Lynne en Ralph dan. 'Hij is nog maar klein. Hij kan er niets aan doen.'

In stilte vond Nathalie dat zíj er wel wat aan hadden kunnen doen, namelijk door David niet in huis te halen. Haar leventje was prima geweest zonder David, het was nergens voor nodig om David te laten komen. Het sloeg gewoon nergens op om David bij hen in het huis aan Ashmore Road te laten wonen. Een baby was leuk geweest, een baby in een wieg of een wandelwagen. Een baby had niet het leven in beslag willen nemen dat Nathalie, Ralph en Lynne samen hadden opgebouwd. Zelfs met haar vier jaar voelde Nathalie aan dat ze een baby had kunnen accepteren.

Ze hield haar slaapkamerdeur dicht voor David. Ze legde haar speelgoed op plekken waar David, ook al leerde hij al klimmen, niet bij kon komen. Ze at zonder naar hem te kijken en als hij zich misdroeg tijdens het eten, wat hij vaak deed door zijn bord op de grond te gooien en eten uit zijn mond te laten lopen langs zijn kleren, richtte ze haar aandacht op iets heel anders en bleef daar strak naar staren tot haar ogen begonnen te tranen. Als Lynne begon te huilen van frustratie door David, zette Nathalie het ook op een schreeuwen om Lynne te laten blijken dat ze een goede reden had om te huilen. Ze stribbelde tegen als Ralph haar wilde aankleden om naar de kleuterschool te gaan, en toen hij haar berispte, verdween alle uitdrukking van haar gezicht en zei ze niets meer, net als David.

Ze wist dat ze hem haatte. Ze wist ook dat ze niet alleen niet mocht zeggen dat ze hem haatte, maar dat het ten strengste verboden was. Niemand had haar dat ooit gezegd, maar iets in het bijna eerbiedige medelijden voor David deed haar beseffen dat het menselijk gedrag op sommige terreinen zo afgebakend was door woede, dat als je daar probeerde door te dringen, je een straf zou krijgen die je hele leven zou duren. Ze voelde aan dat als ze ooit zou zeggen dat ze David haatte, er nooit meer een weg terug was. Ze kon zeggen dat ze een hekel had aan zijn grote hoofd en zijn kwijlen en zijn vuile luiers en zijn hardnekkigheid, maar ze kon niet zeggen dat ze hém haatte. En alles werd nog veel erger gemaakt door het feit dat hij dol op haar was. Vanaf het moment dat hij in huis kwam, hield hij van haar. Als hij teruggetrokken was en stilzwijgend bleef zitten zonder op iets te reageren, kon alleen Nathalie hem weer tot leven brengen. Niet dat zij het wilde – van haar mocht hij voorgoed zo als een grote klont blijven zitten – maar hij wilde op háár reageren. Als ze in zijn buurt kwam, lichtten zijn ogen op en stak hij zijn handen uit. Ze haatte zijn handen. Die waren altijd plakkerig.

Het kostte hem jaren om haar voor zich te winnen. Lynne vertelde aan vriendinnen hoe erg ze het vond om te zien hoe David Nathalies aandacht probeerde te krijgen, laat staan haar goedkeuring. Natuurlijk kon je niet van een klein meisje verwachten dat ze begreep wat David allemaal verloren had – eerst zijn biologische moeder die hem ter adoptie had afgestaan, en vervolgens zijn adoptiefouders tijdens een busongeluk in Frankrijk – maar het leek wel of Nathalie zonder enig nadenken, zonder zelfs maar naar hem te kijken, vanaf het begin niets van hem moest hebben.

'En hij is dol op haar,' zei Lynne dan, terwijl de tranen haar in de ogen sprongen bij de gedachte aan Davids onbeantwoorde kinderlijke liefde. 'Je ziet het aan zijn gezichtje. Hij houdt gewoon van haar.'

Zelfs toen al wantrouwde Nathalie de uitdrukking 'houden van'. Lynne gebruikte die vaak. Lynne zei dat ze van Nathalie hield, en dat zei Ralph ook, en ze hielden vooral van haar omdat ze ervoor hadden gekozen dat zij hun dochtertje werd. En als je bent gekozen, zei Lynne, dan ben je heel bijzonder. Maar Nathalie wantrouwde dat bijzonder zijn al net zo als het houden van. Als ze in haar pyjama (lichtgeel, bedrukt met konijntjes) op Lynnes schoot zat en Lynne het had over liefde en bijzonder zijn, leek het net of ze er iets voor terug wilde hebben. Ze wilde dat Nathalie dat allemaal aannam en het, met nog iets erbij, teruggaf aan Lynne, als een cadeau, een cadeau waardoor Lynne zich om de een of andere onbegrijpelijke reden beter zou voelen. En Lynne had het altijd nodig om zich beter te voelen. Iets in haar magere, vriendelijke, gekwelde gezicht deed je beseffen dat ze altijd een soort pijn meedroeg, en dat ze dacht dat je, als je op haar schoot zat in je gele pyjama, die pijn kon wegnemen en haar troosten.

Maar Nathalie kon het niet. Ze vond Lynne lief, en Ralph ook. Ze vond haar leventje in het huis in Ashmore Road prettig, en haar slaapkamer, en meestal het eten, en school. Maar meer kon ze niet opbrengen. Ze kon zich niet op Ralph en Lynne storten, deels omdat ze de behoefte niet voelde, en deels omdat ze Lynne niet kon geven wat die wilde, want stel dat Lynne steeds meer en meer wilde tot ze Nathalie compleet had opgezogen, net als pluizen in de stofzuiger?

'Ik heb altijd gedroomd van zo'n meisje als jij,' zei Lynne vaak. 'En toen mocht ik jou uitkiezen!'

Uiteindelijk was David degene die Nathalie te hulp kwam. Hij begon eten te weigeren tot zij hem voerde, en ze weigerde hem te voeren als hij het uitspuugde. Dan keek ze strak naar hem met een lepel wortelpuree in de aanslag.

'Niet kwijlen,' zei ze.

Hij keek kwijlend naar haar. Dan legde ze de lepel neer. Hij deed zijn uiterste best, probeerde het eten binnen te houden en veegde met beide handen zijn kin af. Dan pakte ze de lepel weer op en stopte die zonder iets te zeggen in zijn mond. Lynne was helemaal verrukt. De kinderen schonken geen aandacht aan haar.

'Zo lief,' zei ze tegen Ralph. 'Hij doet alles voor haar.'

Behalve iets vragen, dacht Nathalie. Toen zij zes was en David drie, drong tot haar door dat hij nooit om iets vroeg. Hij eiste wel met geluiden dat ze hem eten gaf, of dat hij naast haar wilde zitten, of hij ging vlak voor haar zitten om haar aandacht te trekken, maar het was haar volkomen duidelijk dat hij niets terug wilde van haar, dat hij niets anders wilde dan in haar nabijheid zijn. En omdat hij niet praatte – niet kon? vroeg Lynne zich verontrust af, of niet wilde? – sprak hij geen enkele wens uit dat hij iets van haar wilde. Hij wilde alleen dat Nathalie er was. Net als zij was hij weliswaar gekozen, maar had hij zelf geen keus gehad. Net als zij was hem iets gegeven waarvoor hij dankbaar hoorde te zijn, had hij zomaar een lot uit de loterij gekregen en werd hem verteld dat hij maar bofte. Maar in tegenstelling tot Nathalie had hij besloten dat uit alles wat hem ongevraagd ten deel was gevallen, hij zelf zou kiezen wat hij leuk vond, het enige waarvoor hij niet dankbaar hoefde te zijn. En dat was Nathalie.

En toen werd hij mooi. Tot Lynnes verbijstering en verrukking groeide deze dikke, bijna kale kleuter met verkeerde proporties uit tot een mooie kleine jongen, die zelfs indruk maakte op onverschillige bankmedewerkers en caissières van supermarkten. Als je David nu meenam, deed je dat met trots en niet met een soort verdedigende, verontschuldigende houding, en het werd bijna een strijd tussen Lynne en Ralph. Ralph nam David zelfs mee naar zijn schaakclub, waar hij op de knie van de beste speler zat – een schaakmeester die een succesvol boek had geschreven over de strategieën van het eindspel – en een koning en een koningin mocht vasthouden. Ralph kwam vol trots naar huis. Hij zette David op de grond alsof hij een kostbaar beeld was.

'Dat kind zou de grootste schoft nog weten te vertederen,' zei Ralph.

Davids charme lag in zijn knappe uiterlijk en zijn passiviteit. De afgestomptheid die hij als peuter tentoonspreidde, kon nu beschouwd worden als meegaandheid en leek acceptabeler. Hij kon uren achtereen met dezelfde twee autootjes spelen op het kleed, waarbij hij de strepen als wegen gebruikte. Hij kon zelfs in zijn eentje helemaal geconcentreerd zitten hobbelen op het hobbelpaard dat Ralph voor hem had gemaakt. Lynne vond alleen maar dat hij braaf was. Heel braaf zelfs, vergeleken bij Nathalie. Met de jaren leek Nathalie zich steeds meer 'aan te stellen' zoals Lynnes vriendin

Sadie het noemde. Ze begon te provoceren en ze werd humeurig en onberekenbaar. Soms hing ze aan Lynne en dan weer wilde ze zich niet laten knuffelen. Ze sloot innige vriendschappen op school om die zonder aanleiding weer te verbreken, waarna ze hevige huilbuien kreeg omdat ze haar vriendinnetjes kwijt was.

'Het staat me niet aan,' zei Lynne. 'Ik heb moeite met de persoon die ze aan het worden is.'

Ralph was een stuk speelgoed aan het repareren dat David, geheel tegen zijn gewoonte in, kapot had gemaakt. Hij keek niet op.

Hij zei langzaam: 'Waar je moeite mee hebt, schat, is dat je ook met een pijn leeft die niet te genezen is.'

Lynne verstrakte. Ze keek naar Ralphs gebogen hoofd en naar zijn handige vingers tussen de stukken felgekleurd plastic. Toen ging ze naar binnen en bleef bij de wasmachine staan met haar vuisten gebald onder haar kin, en toen gaf ze toe aan een woede die kort maar intens was. Hoe kon hij? Hoe dúrfde hij? Hoe durfde hij haar herinneren aan haar blijvende teleurstelling – háár teleurstelling – omdat hij geen kind kon verwekken?

Later die avond ging ze tegen Nathalie tekeer. Het ging om iets heel onbenulligs, ze had haar tanden niet gepoetst of haar haar niet geborsteld, en ze schrok van zichzelf. In haar wanhoop wachtte ze tot Nathalie ook zou schrikken, in tranen zou uitbarsten, zodat ze het vervolgens weer goed konden maken. Maar er kwamen geen tranen. Nathalie keek haar aan met een blik van zowel triomf als opluchting, en toen draaide ze zich om, liep naar Davids kamer en kroop bij hem in bed. Lynne zag dat David zich verbaasd en blij naar haar omdraaide. Toen begreep ze dat ze niet langer moest blijven kijken maar hen alleen laten terwijl ze zwijgend naast elkaar lagen.

'In elk geval,' zei ze later tegen Ralph, uitgeput van emotie en door het gevoel dat ze iedereen, zichzelf inbegrepen, had teleurgesteld, 'in elk geval hebben ze elkaar.'

Dat zei Lynne nog steeds. Nathalie ergerde zich als ze dat deed, want dan leek het nog steeds of Lynne gerustgesteld of zelfs bedankt wilde worden, en al hield Nathalie van Lynne, al erkende ze dat Lynne altijd een grote steun voor haar was geweest en altijd achter haar had gestaan, ze had nog steeds het vervelende idee dat Lynne vond dat Nathalie haar iets verschuldigd was.

Het probleem met Polly's oor was precies zo'n geval. Polly was Lynnes kleindochter en Lynne zou natuurlijk willen, en verwachten, dat ze bij elk groot of klein probleem met haar kleinkind betrokken zou worden. Het zou een bewijs zijn van de hechte band tussen Nathalie en Lynne – een teken dat er geen enkel verschil bestond tussen hun relatie en die van een biologische moeder en dochter – als Nathalie Lynne in vertrouwen nam over alle zaken waar moeders mee te maken kregen, alles wat te maken had met de band die Nathalie nu met Polly had.

Maar David had Nathalie stilzwijgend anders geleerd. Terwijl ze hem van kind tot jongen en tot puber had zien groeien, had ze gemerkt dat hij rustig om dingen heen manoeuvreerde. Hij stortte zich nergens halsoverkop in en maakte geen brokken. Hij maakte duidelijk dat, als Nathalie zo nodig brokken wilde maken, hij bereid was om ook de schuld op zich te nemen en te helpen om alles weer te lijmen, maar dat ze niet op die manier te werk hoefde te gaan om haar zin te krijgen. Mettertijd, gesust omdat hij nooit eisen stelde, liet ze wat van haar assertiviteit jegens hem varen en begon zelfs zijn gezelschap te zoeken om net zoveel troost te vinden in zijn stilzwijgende aanwezigheid als haar aanwezigheid hem voorheen altijd had getroost. Nu ze tegen de keukenmuur leunde, op het punt om Davids nummer te draaien, schoot haar opeens een herinnering te binnen: ze zat op de overloop ineengedoken buiten de gesloten badkamerdeur in Ashmore Road. David was binnen aan het zingen. Hij was een jaar of vijftien en vast van plan om blueszanger te worden. Hij had het over *bayou* en meerval en onvervulde verlangens en hij spaarde voor een bottleneckgitaar. Nathalie, gehurkt op de grijze vloerbedekking, hoorde hem 'This Train' zingen, en ze wist dat hij in bad lag, helemaal onder water behalve zijn neus en mond.

Ze moest glimlachen bij de herinnering. Ze herinnerde zich dat hij liedjes schreef met titels als 'Ain't No Way Out', voor hij Marnie leerde kennen en zakenman werd, en vader van drie kinderen. Ze glimlachte nog steeds toen ze de hoorn pakte en zijn nummer draaide.

'Wat klink je opgewekt,' zei Marnie.

'O,' zei Nathalie. 'Ik moest alleen om iets lachen toen ik jullie nummer draaide.'

'Polly?' zei Marnie. In Marnies gelijkmatige, praktische, comfortabele leventje vond je meestal voldoening en humor bij je kinderen.

'Nee,' zei Nathalie. Ze begon haar haren in elkaar te draaien op haar achterhoofd, wat ze altijd deed als ze gespannen was. 'Nee, deze keer niet. Ik herinnerde me iets over Dave toen we nog klein waren. Is hij er?'

'Nee,' zei Marnie.

'Zal ik eens raden?'

'Woensdagavond, Nat...'

'De schaakclub. Natuurlijk. Ik had het kunnen weten. Wat hebben mannen toch met schaken?'

'Alleen sommige mannen.'

'Mijn vader,' zei Nathalie. 'Dave...'

'Hij wil dat Daniel het ook leert,' zei Marnie. 'Maar die wil het niet.'

'Waarom niet?'

'Hij zegt dat hij er niets aan vindt.'

'Misschien is dat ook zo.'

'Precies wat ik zeg. Met zijn tien jaar weet hij heus wel wat hij leuk vind. Omdat hij het vertikt wil Ellen natuurlijk wel spelen en David leert het haar, maar je kunt merken dat het niet van harte gaat. Ze is geen jongen.'

Nathalie stelde zich voor hoe Marnie in de gang stond en naar zichzelf keek in de spiegel naast de telefoon. Ze zou naar zichzelf kijken met de tolerantie waarmee ze de meeste dingen bekeek, en spelen met de dikke, blonde vlecht die ze over een van haar stevige schouders droeg. Soms probeerde Nathalie zich voor te stellen hoe die vlecht eruit zou zien als Marnie op leeftijd was, ineengedraaid in een dikke knot, net als op een illustratie uit *Heidi*. Toen David Marnie had leren kennen – ze was het hoofd van een kleine particuliere peuterspeelzaal – had ze soms haar haar los gedragen, een dik, maïskleurig gordijn, met krullen van het vele vlechten.

'Kan ik je ergens mee helpen?' vroeg Marnie.

'Eh...' zei Nathalie. Ze aarzelde even en loog toen: 'Het gaat over onze moeder.'

Marnie zei niets. Volgens haar mochten David en Nathalie van geluk spreken dat ze Lynne hadden, dat ze een moeder hadden die in de buurt woonde en een enthousiaste en uitstekende grootmoeder was. Marnies eigen moeder woonde in Winnipeg, waar Marnie was opgegroeid, en ze gaf colleges in bedrijfsrecht aan de universiteit. Elke zomer – met of zonder David – stapte Marnie met haar drie kinderen op het vliegtuig en nam hen voor een maand mee naar Winnipeg. En elke zomer als de kinderen terugkwamen, zeiden ze hardop dat ze veel en veel liever in Canada wilden wonen. Hun oma nam hen mee uit kamperen bij haar huisje aan een meer, en elke maaltijd bestond uit een barbecue.

'Dat kan iedereen een maand opbrengen,' zei Marnie dan tegen Lynne. 'Het gaat om de dagelijkse gang van zaken. En daar hecht ík waarde aan.'

'We willen allemaal liever dat we elkaars moeder hadden,' zei Nathalie.

'O, maar ik wil die van mij wel,' zei Marnie. 'Ik vind het alleen vervelend dat ze helemaal in Winnipeg zit.'

Nathalie liet haar haren los. Ze vond Marnie aardig, hield zelfs van haar omdat ze David zo'n gevestigd, regelmatig leven had gegeven, maar steeds liep ze weer op tegen iets wat onvermijdelijk op zelfvoldaanheid begon te lijken, iets wat stilletjes van tolerantie in bekrompenheid was veranderd, en daardoor steeds vol kritiek leek.

'Het was niet belangrijk,' zei Nathalie. 'Ik had gewoon zin om even te klagen.'

'Klaag dan tegen mij! Ik heb de tijd. De kinderen eten pas laat vanavond. Ellen heeft repetitie.'

'Omdat,' zei Nathalie, geïrriteerd door het beeld van huiselijke beslommeringen en ordelijkheid dat door Marnies laatste woorden werd opgeroepen, 'je maakt dat ik me slecht voel omdat ik over haar wil klagen.'

'Ze is een goed mens,' zei Marnie. 'En een goede moeder.'

'Zie je wel!' riep Nathalie uit. 'Moet je jezelf horen! Ieder normaal mens zou hebben gezegd: "Nee, dat meen je toch niet? Wat vreselijk, dat was niet mijn bedoeling, zal ik je eens zeggen wat mij ergert aan míjn moeder?"'

Marnie zei kalm: 'Zo denk ik niet.'

'Nee. Precies.'
'Ik zal David zeggen dat je hebt gebeld. Moet hij je vanavond terugbellen?'
'Nee,' zei Nathalie terneergeslagen. 'Het moment is al voorbij. Het is niet meer nodig.'
'Ik ben blij dat ik kon helpen...'
'Het was menens, Marnie!'
'David zal je morgen wel bellen van zijn werk.'
Nathalie deed haar ogen dicht.
'Doe de groeten aan de kinderen.'
'Zal ik doen,' zei Marnie, koel, kalm, en heel Canadees.
'Dag.'
Nathalie legde de hoorn op de haak. Ze leunde tegen de muur. Uit Polly's kamer klonk Steves stem in het sierlijke, humorvolle ritme van Beatrix Potter. Hij had blijkbaar gezegevierd wat Miffy betrof, maar toen Polly eenmaal haar macht over hem had hervonden, had ze hem zijn triomf gegund. Zelf vond ze Beatrix Potter ook veel leuker, ze genoot als de dieren hun kleren uittrokken als ze zich weer als dieren gingen gedragen, ze vond de taal prachtig. Ze las nu met Steve mee, luidkeels om te voorkomen dat Steve ook maar een lettergreep oversloeg.
'"Ik ben belédigd,"' riep Polly. '"Ik ben belédigd, zei mevrouw Sabina Snorresnor."'
Nathalie kwam overeind en ging op de dichtstbijzijnde keukenstoel zitten. Op het oppervlak van de tafel zag ze kruimels liggen en enkele vegen van melk of yoghurt, restanten van Polly's avondeten. Ze drukte een wijsvinger in de kruimels.
'Dit is echt,' dacht ze. 'Écht. Dit is nú. En Polly. En Steve. Ze zijn net zo echt als gisteren en zoals ze morgen zullen zijn. Er is niets veranderd. Niets gaat veranderen.'
De telefoon ging. Nathalie draaide zich om in haar stoel en strekte haar arm uit om de hoorn van de haak te nemen.
'Stoor ik soms met eten?' zei Lynne.
Ze zei altijd iets dergelijks. 'Ik wil alleen heel even iets vragen' of 'Komt het gelegen?'
'Ik ben er nog niet aan begonnen,' zei Nathalie. 'Ik heb er zelfs nog niet eens aan gedacht.'

Lynne lachte. Dat bewonderde ze in Nathalie, die moderne achteloosheid waardoor ze zich niet druk maakte of ze haar man nu wel of niet op regelmatige tijden een maaltijd voorzette. Ralph was nooit veeleisend geweest, maar toch vond Lynne het haar plicht om de tafel te dekken om zeven uur 's ochtends en zeven uur 's avonds, tja eigenlijk waren het gaven... gaven van genegenheid en plichtsgetrouwheid. En om hem in een goed humeur te brengen. Hoe Lynne het ook probeerde, ze kon zich een relatie niet voorstellen zonder dat je je best deed om de ander goedgehumeurd te laten zijn.

'Ik belde om te vragen hoe het met Polly is,' zei Lynne. 'Ik heb de hele middag aan jullie gedacht.'

Nathalie keek op de klok. De afspraak bij de KNO-arts was om kwart over drie geweest. Het was nu tien voor acht. Ze leunde met haar hoofd tegen de muur.

'Hij was heel aardig...'

'Ja?'

'Hij heeft zelf kinderen. Dat maakt verschil, vind je niet?'

'Ja, natuurlijk,' zei Lynne, een en al instemming.

Nathalie wist dat ze op meer wachtte.

Ze zei: 'Hij was heel aardig voor Polly. Heel grondig.'

Ze zweeg. Lynne wachtte.

Nathalie vervolgde: 'Hij heeft haar een hele tijd onderzocht. Beide oren. Hij zei dat ze haar hand moest opsteken als het pijn deed, en ze zei: "Mag ik niet schreeuwen?"'

'Ach, de schat,' zei Lynne.

'Hij zei: "Nee, want daar gaat mijn instrument van wiebelen."' Dat vond ze heel grappig. Ze vindt woorden als wiebelen prachtig.'

'Nathalie,' zei Lynne voorzichtig. 'Wat zei hij over het probleem?'

'Welk probleem?'

Lynne zoog haar adem bijna hoorbaar in. Dat deed ze altijd als haar geduld op de proef werd gesteld, dan zoog ze even haar adem in alsof dat nodig was om een opwelling van drift te temperen. Nathalie had daar als tiener misbruik van gemaakt door Lynne steeds zo uit te dagen tot ze haar nederlaag erkende en dat verried door haar adem in te zuigen.

'Het probleem met Polly's gehoor, lieverd. De reden waarom ze het moeilijk heeft op school.'
'Ze heeft het niet echt moeilijk op school...'
'Nou ja, de reden waarom ze zich niet goed lijkt te kunnen concentreren.'
'Het is niets ergs,' zei Nathalie.
'Nee?' Lynnes stem klonk opgelucht.
'Nee, een kleinigheid.'
'Wat voor kleinigheid dan?'
'Een extra stukje kraakbeen blokkeert haar gehoorgang. Een soort uitstulping.'
'Kan... kan hij het weghalen?'
'O, ja hoor,' zei Nathalie bijna achteloos.
'Wat fijn. Wat een opluchting. Zei hij hoe ze eraan is gekomen?'
'Aan wat?'
'Aan dat extra stukje kraakbeen. Ik bedoel, is het misschien erfelijk? Heeft hij jou onderzocht?'
Nathalie keek naar het plafond.
'Nee. Waarom zou hij?'
Lynne zei vermoeid: 'O, laat maar.'
'Mam, hij heeft Polly onderzocht en geconstateerd dat ze een heel kleine misvorming heeft en die kan hij verwijderen.'
'Ja.'
'Het is niets ergs.'
'Nee. Wanneer gebeurt het?'
'Binnen drie maanden.'
'Ik ben zo blij, lieverd. Echt waar.'
'Ik ook.'
'Ik was ongerust,' zei Lynne. 'Ik heb zo aan jullie gedacht.' Ze liet een kleine stilte vallen en zei toen: 'Wil je dat ik dit weekend oppas?'
In haar slaapkamer riep Polly luidkeels: '"... hetgeen de waardigheid en rust van het theepartijtje danig verstóórde!"'
'Ik weet nog niet wat we gaan doen,' zei Nathalie. 'Maar bedankt voor het aanbod. Ik laat het je wel weten.'
'Geef Polly een kus van me...'
'Zal ik doen. Bedankt voor je telefoontje, mam.'

'Ik ben blij dat alles goed is...'
'Ja.'
'Dag, lieverd,' zei Lynne.
Nathalie smeet de hoorn op de haak. Toen ging ze naar de koelkast, haalde er een plastic doos uit met verse pasta, een halve ui op een schoteltje en wat gehakt in dik, wit plastic gewikkeld, en legde alles op tafel. Toen liep ze naar haar tas en pakte haar mobiele telefoon eruit.
'Mamma komt zo,' zei Steve uit de gang. 'Maar niet als je uit bed komt.'
Polly jammerde iets.
'Je hébt een beker water. Én je blauwe konijn. En Barbie heeft allebei haar schoenen aan, die zijn niet kwijt.'
Nathalie drukte de toetsen in en stuurde een SMS-bericht. 'Bel,' schreef ze. 'Z.s.m.' Davids nummer verscheen op het groene schermpje. Steve kwam de keuken in.
'Ga je haar welterusten zeggen?'
'Natuurlijk...'
'Wie belde er?'
'Mijn moeder. Ze wilde weten hoe het vanmiddag was gegaan.'
'En?'
'Ik zei dat het een kleinigheid was en dat die met een kleine operatie kon worden verholpen.'
Steve keek naar de telefoon in haar hand.
'Waar of gelogen?'
'Letterlijk de waarheid.'
'Mamma, kom hiér...'
'Nat, ik dacht dat je had gezegd...'
'Nu!' schreeuwde Polly.
Nathalie liep langs Steve de gang in. Het was er donker, net als in Polly's kamer, alleen stak in het stopcontact naast haar bed een nachtlampje in de vorm van een kleine, opgloeiende teddybeer.
'Papa heeft maar een heel klein verhaaltje voorgelezen...'
'Nee, niet waar. Ik heb hem gehoord. Hij heeft je een heel boekje voorgelezen.'
'Ik wilde eigenlijk een ander verhaal,' zei Polly. 'Zooo graag!'
'Morgen,' zei Nathalie. Ze boog zich over Polly heen en ademde haar geur in.

'Krijg ik verband?' vroeg Polly.

'Wanneer?'

'Als de wiebelmeneer mijn oor maakt. Krijg ik dan verband? Helemaal om mijn hoofd zodat ik door een rietje moet zuigen?'

'Nee, schat. Het wordt maar een heel klein sneetje van binnen. Dat kun je niet eens zien.'

'Ik wíl het zien.'

'Polly,' zei Nathalie, 'het is nu tijd om te slapen. Morgen mag je weer praten zoveel je wilt, maar nu niet.'

'Blablabla,' zei Polly, terwijl ze op haar zij ging liggen met haar rug naar Nathalie. 'Blablabla!'

'Jij ook,' zei Nathalie. Ze gaf een kus op Polly's wang. 'Slaap lekker.'

'Alleen,' zei Polly met dichtgeknepen ogen, 'als ik niet wíébel.'

In de keuken was Steve de ui aan het snijden. Dat deed hij als een volleerde kok, met een groot mes en snelle, precieze, ervaren bewegingen. Naast hem stond een glas wijn en op de schoongemaakte tafel stond nog een glas.

'Titus heeft een nieuwe vriendin,' zei Steve.

'O ja?'

'Ziet er mooi uit, op een vreemde manier. Een beetje het type van Jamie Lee Curtis. Een halve meter langer dan hij, zoals gewoonlijk.'

'Een halve meter kleiner lijkt me moeilijk.'

'Het kost hem blijkbaar geen moeite om aan vrouwen te komen.'

Nathalie opende een kastje naast Steves knie en pakte er een koekenpan uit.

'Hij is heel aantrekkelijk. Als persoon, bedoel ik. Grappig en sympathiek.'

'Jij,' merkte Steve op terwijl hij de pan van haar aanpakte, 'vindt iedereen aardig die lief is voor Polly.'

'Natuurlijk. En als ze ook lief tegen mij zijn, ben ik dol op ze.'

'Zoals ik.'

Steve goot olie in de pan en zette die op het vuur.

'Titus wilde dat ik je iets zou vragen. Eigenlijk namens Sasha.'

'En Sasha is die nieuwe vriendin?'

'Ja.'

Nathalie pakte het gehakt en scheurde de verpakking open.
'Ze volgt een studie hulpverlening of zoiets. Ze is bezig met een scriptie over identiteit, hoe we onszelf zien, en of het nodig is om te weten waar we vandaan komen.' Hij tilde de plank op waarop hij de ui had gesneden en hield die boven de pan. 'Ze... nou ja, ze vroeg of ze met jou kon praten.'
Nathalie nam de geopende verpakking gehakt mee naar het fornuis.
'Waarom?'
'Omdat Titus haar had verteld dat je geadopteerd bent en ik zei dat je daar nooit last van hebt gehad.'
Nathalie deed het gehakt bij de ui.
'Hoe weet Titus dat ik geadopteerd ben?'
'Dat zal ik hem wel verteld hebben...'
'Aan hoeveel andere mensen heb je het nog meer verteld?'
'Aan niemand. Ik kan me niet eens herinneren dat ik het aan Titus heb verteld, maar hij beweerde van wel.'
'Maakt het uit,' vroeg Nathalie, 'dat ik geadopteerd ben? Maakt het ook maar iets uit?'
Steve haalde met een houten lepel het gehakt uit elkaar.
'Voor mij niet, Nat. En voor jou ook niet, dacht ik.'
Ze zei heftig: 'Voor mij al helemaal niet.'
'En dat maakt jou anders. Blijkbaar. Dat je niet vindt dat je anders bent. Daarom wil Sasha met je praten.'
Nathalie draaide zich om naar de tafel en pakte haar wijnglas.
'Van mij mag ze.'
Steve draaide zich om.
'Ja?'
'Ja. Waarom niet?'
'Ik dacht... nou ja, nadat je zo-even zei dat je zo van slag was omdat je niet weet wat Polly nog meer kan hebben geërfd... toen dacht ik dat je er met niemand over zou willen praten. Ik vond dat ik het je moest vragen omdat ik Titus had beloofd dat ik het zou doen, maar ik had niet gedacht dat je ja zou zeggen.'
'Dat heb ik dus wel gedaan,' zei Nathalie zacht.
'Heb je Dave nog gesproken?'
'Nee. Het is zijn schaakavond. Dat was ik vergeten.'
'Maar...'

'Het doet er niet meer toe,' zei Nathalie. 'Sorry van zo-even. Alles wat met Polly te maken heeft...'

'Vertel mij wat.'

'Ik weet het. Sorry.'

'Dus ik kan tegen Titus zeggen dat die Sasha je in elk geval kan bellen?'

'Natuurlijk,' zei Nathalie.

Ze pakte haar haren en begon die in elkaar te draaien op haar achterhoofd.

'Ik vind het niet erg om tegen haar te zeggen hoe ik me voel.'

Steve sloeg haar gade met de houten lepel in zijn hand. Achter hem stonden de uien en gehakt te sissen en te spetteren.

'En dat is?'

'Dat je, als je geadopteerd bent,' zei Nathalie, 'de kans krijgt om te kiezen wie je wilt zijn. Ik kan van mijn verleden maken wat ik wil.' Ze glimlachte naar hem. 'Dat kun jij niet. En zij ook niet.'

3

Toen David Dexter achttien was, zei hij tegen zijn ouders, Lynne en Ralph, dat hij niet naar de universiteit ging om bedrijfskunde te studeren, hoewel hij daar een beurs voor had gekregen. Hij ging, zo vertelde hij met de vlakke stem die hij had geleerd te gebruiken als hij iets moest vertellen wat een heviger reactie kon oproepen dan hij aankon, naar de Hogere Land- en Tuinbouwschool in de West Midlands om hovenierskunst te studeren. Hij wilde tuinarchitect worden, of iets in die richting. Hij wist het nog niet helemaal. Hij wist alleen dat hij niet naar Leicester wilde om daar bedrijfskunde te studeren.

Ralph dacht aan al die weekends dat hij had geprobeerd David over te halen om hem in de tuin te helpen.

'Maar je geeft niets om tuinieren, David.'

'Misschien,' zei Lynne vlug, omdat je kinderen altijd moest aanmoedigen, ook al begreep je niets van hun wensen, 'geeft hij niets om déze tuin.'

David zei: 'Ik wil alleen studeren op levende dingen, dat is alles.'

Ralph, die een eigen constructiebedrijfje had gehad tot een concurrent het had opgekocht, rammelde met het kleingeld in zijn broekzakken.

'In de zakenwereld vind je meer dan genoeg leven...'

'Ik heb het over écht leven,' zei David. 'Cyclisch. Organisch. Iets wat ik kan aanraken.'

Ze lieten hem gaan. Ze moesten wel, net zoals, zei Ralph, zijn eigen vader – aan wie hij een hekel had gehad – zich erbij neer had moeten leggen dat Ralph niet in zijn voetsporen zou treden als accountant. Ralphs vader had van zijn teleurstelling blijk gegeven door het grootste gedeelte van zijn kleine nalatenschap aan Ralphs zus toe te kennen. Ralph twijfelde er niet aan dat hij een wraakzuchtig genoegen moest hebben gevoeld toen hij dat besluit nam. Dus ging David naar de Hogere Land- en Tuinbouwschool met ieders instemming – in elk geval uiterlijk – studeerde af en begon vervolgens een klein bedrijf in gazon maaien en heggen snoeien. Dat bedrijfje was nu uitgegroeid tot een druk bedrijf in tuinaanleg en -onderhoud, met tien werknemers en drie kleine vrachtwagens met zijn naam op de portieren.

In het begin snoeide hij de lange, saaie heggen voor een rij grote, Victoriaanse, vrijstaande huizen. In een ervan bevond zich in het souterrain een peuterschooltje, en daar had hij Marnie ontmoet. Hij had haar stem gehoord – Amerikaans, dacht hij – toen ze haar kleine pupillen in het gareel hield op een manier die hem meteen beviel. Ze klonk vriendelijk en geïnteresseerd en hartelijk, maar ook alsof ze wist wat deze kinderen hoorden te doen, en dat ze dat allemaal dadelijk zonder tegensputteren ook zouden doen. David had in gedachten een soort spelletje gespeeld terwijl hij de elektrische heggenschaar buiten het zicht van degene met die prettige stem liet gieren, en probeerde zich voor te stellen hoe ze eruit zou zien. Waarschijnlijk was ze tussen de vijfentwintig en dertig, lang, slank, en misschien had ze net als Nathalie een lichte huid en donker haar, en die heldere ogen waardoor haar blik heel doordringend leek.

Toen hij eindelijk met veel lawaai aan het eind van de heg was gekomen en in het zicht kwam van de achterramen van de peuterschool, zag hij tot zijn opwinding dat hij wat één ding betrof in elk geval gelijk had: Marnie was lang, bijna net zo lang als hij, en langer als ze andere schoenen zou dragen dan die rare, blauwe canvassandalen die ze nu aanhad. Maar ze was jong, niet ouder dan een jaar of drieëntwintig, en stevig gebouwd, met de gratie van een meisje dat haar hele leven al aan sport had gedaan. En ze was blond, Scandinavisch blond. Haar lange haar hing in een dikke vlecht over haar rug. Geen lint aan het eind, alleen een elastiekje waarmee je post samenbundelde.

Drie dagen later, nadat hij haar naar school had zien komen en weer zien vertrekken – te voet, met een rugtas in plaats van een handtas – wachtte David haar op. Hij was in zijn werkkleren, zijn handen en onderarmen onder de groene vlekken van de heggen. Hij had niet gedacht aan de indruk die hij misschien maakte omdat hij helemaal vol was van de indruk die Marnie op hem had gemaakt.

'Ik keek op,' vertelde Marnie later aan Nathalie, 'en daar stond die fantastische man.'

Hij vroeg haar of ze iets met hem wilde gaan drinken. Hij zei dat haar stem zijn aandacht had getrokken en de manier waarop ze met de kinderen omging. Hij zei ook dat hij nog nooit een Amerikaanse mee uit had gevraagd.

'Canadese,' zei Marnie. 'Winnipeg. Luister maar naar mijn r.'

Ze dronken cider op een bladderende bank aan de rand van het kanaal. Marnie vertelde dat ze voor peuterleidster had gestudeerd in Canada en naar Engeland was gekomen omdat ze weg wilde uit Winnipeg en Toronto niet ver genoeg vond. Ze had bijna direct een baan als crècheleidster gevonden, waar ze zo'n indruk op een van de moeders had gemaakt – 'Ze is heel goed voor me geweest, maar ze wilde mijn leven bepalen' – dat ze binnen twee jaar met haar hulp een eigen peuterschool had opgezet in de stad waar haar weldoenster woonde. Ze was vierentwintig.

'Ik ook,' zei David. 'Tennis je ook?'

'Ja hoor,' antwoordde ze.

Ze speelde ook golf, en deed aan zwemmen en skiën, en ze nam klimlessen op de speciale klimwand in de sportschool in de buurt. Ze leek niets van de geheimzinnige gecompliceerdheid en maniertjes te hebben van de meisjes met wie David tot nu toe was omgegaan. Hij had niet het gevoel, zoals voorheen zo vaak, dat hij abrupt van de rechte weg moest afwijken en zich in de overschaduwde doolhoven aan weerskanten moest begeven, achter een meisje aan dat opeens ongrijpbaar leek en hem met verbijstering vervulde. Toch was zelfs hij nu verbijsterd. Hij voelde zich onweerstaanbaar aangetrokken tot dit ongewone meisje, bijna uitheems vergeleken bij alle Engelse meisjes die hij kende, en ze was totaal anders dan Nathalie. David was er altijd van uitgegaan en had zelfs gehoopt dat, als hij het meisje vond met wie hij zijn leven zou willen delen, ze zo op Nathalie zou lijken dat hij niet het gevoel zou hebben dat hij iets had verloren. Tenslotte was hij altijd bang geweest voor verlies, het verlies waarmee hij had geworsteld toen Nathalie Steve Ross tegenkwam op de kunstacademie en zich begon af te wenden van David, op de onvermijdelijke manier waarop een zonnebloem zich naar de zon richt. Hij had zich daarna altijd voorgesteld dat zijn troost zou komen in de vorm van een meisje dat precies als Nathalie was. Maar iemand als Marnie was hij nog nooit tegengekomen. Nog geen acht maanden na hun eerste kennismaking keek ze hem zelfs recht aan met haar warme, bruine ogen en stelde voor om te trouwen.

Hij was verbijsterd, verbijsterd en opgelucht.

Hij boog zich over hun lunch van kaas en brood die ze in een pub buiten Westerham zaten te eten en zei vastberaden: 'Natuurlijk.'

Marnie glimlachte.

'Als iets goed is, moet je het niet laten lopen.'

Het ging allemaal zo gemakkelijk. Hij kon het nauwelijks geloven. Lynne en Ralph waren verrukt, en Nathalie was zo van slag door Marnies volslagen gebrek aan wedijver op welk gebied dan ook, dat ze niet anders kon dan het met hen eens zijn. Marnie nam hem mee naar Winnipeg en stelde hem voor aan haar vriendelijke, ongekunstelde, academische ouders en een handvol aardige, zorgeloze broers, en David had het vreemde gevoel dat dit alles tot stand was gebracht door een onzichtbare hand, en dat het pad dat in zijn jeugd zo verraderlijk en moeilijk was geweest, nu voor hem was geeffend als een soort bijna bovennatuurlijke compensatie. Hij keek naar zijn nieuwe Canadese familie en dacht aan zijn Engelse, en opeens leek het of alle verwarrende innerlijke strijd niet zozeer was gewonnen als wel gewoon was verdwenen. Hij zei tegen Marnie dat hij van haar hield met een stem waarin zelfs zij, al was ze bijna buiten zinnen van liefde voor hem, zijn diepe dankbaarheid kon horen. Het was prachtig en opwindend.

Ze trouwden in Engeland (Marnies besluit), maakten als huwelijksreis (Marnies besluit) een trektocht door de Pyreneeën van Frankrijk naar Spanje en toen ze terugkwamen, gingen ze in een kleine flat wonen op tien minuten lopen van Marnies peuterschooltje. Achttien maanden na hun trouwdag werd Ellen geboren – en vernoemd naar haar Canadese grootmoeder – en Daniel twee jaar daarna. Het tuinbedrijf groeide, net als het peuterschooltje, en ze werden in nieuwe panden gevestigd. Het gezin trok in een vrijstaand huis met een lange tuin – lang genoeg om er een cricket- of tennisbal door te slaan – langs de rand van de golfbaan van Westerham. In de weekends raapte Daniel kwijtgeraakte golfballen op tussen de struiken langs de fairways en achter de greens en verkocht die terug aan de leden voor vijf of tien penny's per stuk, afhankelijk van hoeveel hij dacht te kunnen vragen. Vanaf het gazon van de lange tuin sloeg Ellen deze onderhandelingen minachtend gade. Haar doel was beroemd worden, maar als actrice of als tennisspeelster, dat wist ze nog niet.

Na bijna veertien jaar huwelijk raakte Marnie weer zwanger. Het resultaat, Petey, zorgde ervoor dat ze zich helemaal op haar gezin ging richten, en ze gaf de peuterschool op tot veel geweeklaag van de ouders. Tenslotte, zei ze tegen David, had ze nooit de kans gehad om fulltime voor huis en gezin te kunnen zorgen, dus greep ze de kans nu Petey nog klein was.

'Natuurlijk,' zei David. Hij zei heel vaak 'natuurlijk' in de vijftien jaar dat ze samen waren, en meestal meende hij het. Maar deze verandering in Marnies leven was vreemd verontrustend, en zijn 'natuurlijk' klonk niet zo overtuigend als anders.

Hij vroeg zich af, terwijl hij naar de facturen voor de BTW op zijn computerscherm keek – hij deed ze nog steeds het liefste zelf – wat hem zo alarmeerde aan het vooruitzicht dat Marnie niet meer ging werken. Het ging niet om het geld, want ten eerste draaide de zaak zo goed dat ze er comfortabel van konden leven, al was er geen luxe, en ten tweede had de peuterschool nooit winst opgeleverd. Het ging er meer om, dacht hij terwijl hij zonder enig doel de tekst over het scherm liet rollen, hoe hun leven zou worden als Marnies stille, formidabele energie zich op slechts één gebied zou richten in plaats van twee.

Niet dat je Marnie echt bazig kon noemen. Ze was niet dominant en ze zeurde of dwong niet zonder goede reden. Maar ze had een heel duidelijk idee over hoe mensen zich hoorden te gedragen, als individu en, nog belangrijker, in relatie tot elkaar. Marnie zag mensen als eenheden. Ze had het over groepen en teams en gezinnen. Dat had allemaal goed gewerkt op de peuterschool waar dergelijke principes praktisch en nuttig waren. Maar als het op het gezinsleven aankwam, ging dat niet helemaal op. Marnie had David duidelijk laten weten, toen de kinderen kwamen, dat hij niet langer een prioriteit voor hemzelf was en zelfs niet voor haar, maar meer een teamleider in deze nieuwe groep, en die nieuwe groep ging voor alles. Álles. Het gezin, zo bleek, was Marnies religie.

Iets in David genoot ervan, vond het heerlijk, geloofde dat het de wonden diep in hem, die waren toegebracht toen zijn eigen familie hem werd ontnomen, zou helpen genezen. Hij keek naar zijn kinderen als ze lagen te slapen en dan voelde hij een intense bezitsdrang die veel dieper zat dan zelfs vaderlijke liefde. Maar ondanks dat heftige gevoel van fysiek toebehoren, dwaalde een deel van hem af, dat deel dat nog steeds bezig was met de levenslange strijd – hij veronderstelde dat elk mens iets dergelijks had – om te ontdekken wie hij precies was en hoe hij met die persoon kon leven. Die strijd, die het minder bewuste deel van zijn brein meestal in beslag leek te nemen, werd er ondanks zijn onvoorwaardelijke liefde voor Marnie en zijn kinderen niet minder op. Er waren slechts twee dingen die het verzachtten, twee dingen die Marnie, zoals hij wist, weliswaar niet als ontrouw jegens hun gezin beschouwde, maar ze niet erg bevorderlijk vond voor het welzijn ervan. Ze weerhield hem er nooit van, maar ze liet hem stilzwijgend weten dat de tijd en energie die hij eraan besteedde, eigenlijk de tijd en energie waren die het gezin verdiende en van had kunnen profiteren. Die twee dingen waren schaken en op bezoek gaan bij zijn zus Nathalie.

Ralph had David leren schaken toen hij zeven was, en zelfs op zijn zevende had David een soort rivaliteit gevoeld die hij spannend vond. Ralph was een goede, gedegen speler, lid van een schaakclub, en hij had tegen Lynne gezegd dat hij David diverse vaardigheden en spelletjes wilde leren die ze samen konden doen als de jongen praten gewoon te moeilijk vond. Lynne vond het een uitstekend idee. Haar ogen straalden. Ze straalden dankbaar toen ze Ralph aankeek, en ze was altijd blij als ze zich dankbaar voelde, want daardoor werd de teleurstelling minder over wat hij haar had aangedaan wat baby's betrof.

Ralph had een schaakbord van speksteen, een cadeau van Lynne, en met houtsnijwerk versierde schaakstukken die van zijn grootvader waren geweest. Hij liet David op een kruk zitten aan de ene kant van het bord.

'Zo,' zei hij. 'Voor ik je alles ga uitleggen, wil ik je twee dingen zeggen. Ten eerste dat je algauw zult merken wat je beperkingen zijn omdat je zelf alle zetten doet. Ten tweede... dat je mij kunt verslaan.'

David hief zijn hoofd op. Zijn blik verhelderde.

'Je verslaan?'

'Het enige doel van schaken is de koning schaakmat zetten. Je kunt alle andere stukken van de tegenpartij verslaan, en toch nog verliezen. Maar als je de koning schaakmat zet, heb je gewonnen. Zo kan een jongen het winnen van een volwassene.'

Algauw werd duidelijk dat David er goed in zou worden, heel goed zelfs, beter dan Ralph had verwacht. Toen David twaalf was, hield Ralph op om partijen met hem te spelen. Dan zei hij: 'Nou, ik heb toch altijd al gezegd dat het spel groter is dan de spelers' en dat soort uitvluchten. David merkte het wel maar hij sloeg er geen acht op, zo geobsedeerd was hij door dit fascinerende spel waarbij het denken belangrijker was dan actie, waar hij dingen kon doen zonder zichzelf echt bloot te geven, waar zijn emotionele en intellectuele zelfverdediging veilig was.

'Waarom speel je eigenlijk?' vroeg Nathalie. Ze wilde niet dat hij het haar leerde. 'Waarom blijf je maar doorgaan met spelen?'

Hij scheurde een envelop in steeds kleinere stukjes.

'Omdat ik er controle over heb.'

'Nee, dat is niet waar. Je wint niet altijd. Als je verliest, ben je je controle kwijt.'

'Maar ik kan opnieuw spelen,' zei David. 'Er volgt altijd een nieuwe partij. Als ik verlies, verheug ik me erop om de volgende partij te winnen. Dan blijf ik hopen.' Hij balde zijn vuist rond de snippers van de envelop. 'En dan kan ik niet verdwalen.'

'Wát?'

'Er komt altijd een laatste ronde. Er komt altijd een oplossing. Als je schaakt, kun je niet verdwalen.'

'Ja,' zei Nathalie.

'Begrijp je het?'

'Ja,' zei Nathalie weer.

'Ik hoef me niet over te geven...'

'Het is al goed,' zei Nathalie. 'Ik snap het al! Maar toch wil ik het niet leren.'

David begon een schaakclub op school en weer een op de Hogere Land- en Tuinbouwschool. Toen hij Marnie leerde kennen, stelde hij voor het haar te leren, maar ze was toen al zo zeker van hem dat ze het niet meer nodig vond om het te leren. In elk geval deed schaken voor haar niet ter zake. Het was gewoon een hobby, een spel dat stamde uit de labyrinten van Byzantium, uit oude, ontwikkelde, vergane beschavingen van het verleden. Ze vond het buitenissig van David dat hij het zo graag speelde, maar het getuigde ook van beschaving en een zekere klasse. Pas na verloop van tijd, toen ze merkte dat hij zich er onweerstaanbaar toe aangetrokken voelde, alsof het een opiumpijp was, kreeg ze het nare gevoel dat dit spel meer was voor David dan alleen een spel, en dat er onder het bedrieglijk beschaafde zwart-witte oppervlak atavistische zaken te pas kwamen. Maar het is toch belachelijk, hield ze zichzelf voor, om argwanend, zelfs jaloers te zijn op een spél? Stel je voor dat hij het hele weekend ging golfen of al hun geld uitgaf aan boten of oude auto's, of over de hele wereld vloog als supporter van een voetbalclub? Schaken, zo prentte ze zichzelf in, was geen vijand; dat kon niet. Schaken was net als een kruiswoordpuzzel oplossen, een heel interessante intellectuele uitdaging met een lange historie. Schaken was niet eigenzinnig of veeleisend of emotioneel of kwetsbaar. Schaken was niet zoals Nathalie.

Marnie vond Nathalie aardig. Dat wist ze zeker. Vanaf hun eerste ontmoeting was Nathalie niet anders dan toeschietelijk en aanmoedigend geweest, en ook al hield dat in dat Nathalie absoluut zeker was van de belangrijke plaats die ze in Davids leven innam, Marnie was ervan overtuigd dat die toeschietelijkheid en aanmoediging oprecht waren. Ja toch? Tenslotte verklaarde alles uit Davids en Nathalies verleden de band tussen hen... Zuiver toeval, had Nathalie tegen haar gezegd, want voor hetzelfde geld hadden ze vanaf het begin een vreselijke hekel aan elkaar gehad. Maar het feit dat er geen bloedband tussen hen bestond was niet iets wat je helemaal kon negeren als je zo nauw bij hen betrokken was als Marnie.

Marnie vond vriendschap belangrijk, niet speciaal alleen vriendinnen. Met haar gewone, bescheiden zelfvertrouwen probeerde ze in Nathalie een vriendin te vinden en een relatie met haar op te bouwen die niets te maken had met de relatie die beiden op hun eigen manier met David hadden. Maar ze kreeg geen hoogte van Nathalie. Ze was een aardige schoonzus, een prima tante, ze eiste geen tijd of aandacht op, maar ze kon nog steeds iets in David opwekken, hoe zijn humeur ook was, waardoor hij zich net buiten Marnies bereik terugtrok. En als hij buiten haar bereik was, kreeg ze het gevoel dat ze onhoorbaar en onzichtbaar was geworden, en zo had ze zich vroeger nooit gevoeld. En op die momenten voelde ze ook hoe ver ze van Canada verwijderd was.

Terwijl ze bij de telefoon stond, Petey boven in zijn kinderledikantje lag – ze wist dat het hoog tijd werd dat hij een gewoon bed kreeg – en de groenten in de keuken gewassen en gesneden klaarlagen voor het avondeten, dacht Marnie eens goed na over Nathalie. Nathalie had niet gebeld om over Lynne te klagen tegen David. Dat was overduidelijk. Nathalie had gebeld over iets heel anders, iets wat ze niet tegen Marnie wilde zeggen, iets wat te maken had met die plek waar David en zij zich voor het eerst aan elkaar hadden vastgeklampt nadat hun vroege jeugd schipbreuk had geleden. Marnie keek naar haar spiegelbeeld, naar haar regelmatige gezicht en tanden, en hoe netjes haar gestreepte katoenen bloes was gestreken. Iets van onmiskenbare woede kwam in haar op, heet en vurig. Je zou toch denken, zei ze tegen zichzelf, dat ik wel genoeg heb gedaan? Je zou toch denken dat je alles had gedaan wat een vrouw kon doen door een man de eerste drie echte bloedverwanten van zijn leven te geven?

Nathalie reed in de regen weg uit Westerham. Er zat iets vettigs en kleverigs op de voorruit, en bij elke veeg van de ruitenwissers vormde zich een irritante smeervlek. Ze boog zich naar voren om rond de vetvlek te turen en besteedde veel te veel energie aan het dilemma of ze zou stoppen, uitstappen in de regen en de ruit schoonvegen met de krant van vorige week die op de grond aan de passagierskant lag, of droog in de auto blijven zitten en zich kwaad maken. Ze koos het laatste en reed mopperend door.

David had gebeld om te vragen of ze naar een plek op een kilometer of twaalf buiten Westerham wilde komen, waar hij aan het werk was op het grote terrein van een indrukwekkend, in middeleeuwse stijl nagebouwd huis. De nieuwe eigenaars hadden David gevraagd de tuinen te ontwerpen en aan te leggen. Daar was hij heel blij mee. Het was de beste creatieve opdracht die hij tot nu toe had gekregen, en hij genoot ervan. Hij wilde dat Nathalie alles in het beginstadium, dus op zijn ergst zou zien voor hij er een patroon en ordelijkheid in aanbracht. Hij kon het haar laten zien terwijl zij hem vertelde wat ze te zeggen had.

Op de oprit stonden een kleine Mercedes, een grote terreinauto en twee donkergroene, kleine vrachtwagens met in roomkleurige letters DAVID DEXTER, TUINAANLEG EN -ONDERHOUD op de portieren. Nathalie parkeerde naast een ervan en pakte van de achterbank de Minnie Mouse-paraplu, compleet met zwarte oren, die Lynne aan Polly had gegeven. Ze stapte de auto uit en de regen in. Die was verminderd tot motregen. Nathalie tuurde naar de lucht en stak de paraplu op. Toen liep ze om het huis heen naar de tuinen erachter, waar David had gezegd dat ze hem kon vinden.

Het hele terrein leek een zee van modder, met hier en daar eilandjes van opgestapeld bouwmateriaal. Een kleine graafmachine reed doelbewust heen en weer en in een hoek, opeengepakt alsof ze troost bij elkaar zochten, stond een trieste verzameling dunne boompjes met zakken om de wortelkluiten. En te midden van dat ontmoedigende uitzicht stond David met een in plastic gehulde plattegrond in zijn handen. Nathalie riep naar hem.

'Dave!'

Hij draaide zich om en zwaaide. Toen riep hij iets naar de man op de graafmachine en beende door de modder in haar richting.

'Het spijt me ontzettend,' zei Nathalie met een gebaar naar de troosteloze moddervlakte, 'maar ik zie echt niet wat hier voor moois uit moet komen.'

David bukte zich en gaf een kus op haar wang. Toen kwam hij weer overeind en gebaarde met zijn rechterarm.

'Daar een langwerpig terras, langs die kant een hoger gelegen grasvlakte, ronde stenen treden, gazon, een bosje, ruimte voor een zwembad, een formele tuin, stenen paden.'

'Het zal wel,' zei Nathalie.

David wierp een blik op haar paraplu.

'Leuke oren...'
'Hij is van Polly,' zei Nathalie overbodig.
'Daar is een soort paviljoen,' zei David. 'Een soort zomerhuisje. Daar kunnen we wel even heen. Gaat het?'
Hij legde een hand onder Nathalies gebogen elleboog.
Ze zei: 'Ik bel je toch nooit als het goed met me gaat?'
Hij stak zijn plattegrond in zijn zak en nam haar mee langs de rand van het modderige terrein.
'Ik vlei mezelf met de gedachte dat ik aanvoel wanneer het niet goed met je gaat...'
Nathalie moest er even aan denken hoe benauwend ze zo'n opmerking had gevonden als Steve die had gemaakt.
Ze zei: 'Nou, je hebt gelijk. Anders had je me niet teruggebeld. Dan had je eerst gevraagd: "Wat is er?"'
'Ja,' zei hij. 'Wat is er?'
Nathalie zei niets. Ze lette op hoe ze zo goed mogelijk de modder kon vermijden om niet te hoeven denken aan hoe ze zou zeggen wat ze wilde zeggen. Ze liet zich door David via een afbrokkelend trapje meenemen naar een kleine grasvlakte waarop een groen uitgeslagen houten gebouwtje in de vorm van een pagode stond. Ze keek ernaar.
'Blijft dit?'
'In geen geval. Nep, pretentieus, het valt helemaal uit de toon.'
'Maar wel droog...'
'Dat wel,' gaf David toe terwijl hij een deur openduwde waarvan de bovenkant een glazen ruit had.
Ze gingen naar binnen. Daar bevonden zich alleen een kapotte plastic stoel en een hoop dode bladeren.
'Wat gezellig.'
'Ik vervang het door een stenen gebouwtje. Rond, als een duiventil.'
'Dave,' zei Nathalie opeens, 'je weet dat we nooit...'
'Wat?'
'Dat we nooit achterom hebben gekeken, nooit hebben gezegd "als...", nooit hebben gewenst dat we hadden wat we niet hebben.'
Hij deed de deur dicht en keek naar de motregen buiten.
'Ja?'
Nathalie keek naar zijn rug.

'Nou, er is iets gebeurd.'

Het bleef even stil, en toen zei hij: 'Vertel maar.'

Ze keek weer naar zijn rug. Hij droeg een waterdicht jack over zijn overall. Hier en daar was de regenbestendige laag versleten en zag ze donkere plekken waar het vocht tot de onderliggende katoenen laag was doorgedrongen.

'Ik wil graag dat je me met iets helpt,' zei Nathalie.

Hij draaide zich om.

Met een glimlach zei hij: 'Nat, je hoeft maar te vragen...'

'Maar dit zul je niet leuk vinden.'

'Nee?'

'Nee. Omdat ik eigenlijk de regels heb overtreden.'

'Welke regels?'

'Onze overeenkomst. Dat we het feit dat we geadopteerd zijn als een voordeel moeten beschouwen in plaats van een nadeel.'

'Ja?'

'Nou, daar kom ik op terug.'

Hij wachtte. Nathalie besefte dat ze nog steeds de Minnie Mouse-paraplu ophield, ook al was ze nu binnen. Ze liet hem voorzichtig zakken, waarbij ze de oren kreukte.

'Dave...'

'Ja.'

'Ik wil mijn moeder zoeken.'

David hield scherp zijn adem in. Hij stak zijn handen naar haar uit, trok ze abrupt terug en stak ze in de zakken van zijn jack.

'Je... Dat kun je niet doen!'

'Waarom niet?'

'Dan haal je alles overhoop. Iedereen. Mam, Steve, Polly, jezelf. Mij. Het heeft geen zin.'

'Maar ik vind dat het moet,' zei Nathalie.

Hij keek haar aan. Zijn gezicht stond triest.

'Waarom? Je hebt nooit...'

Ze hief een hand op om hem het zwijgen op te leggen.

'Nee, nooit eerder. Ik heb het nooit eerder gewild. Of in elk geval heb ik het mezelf nooit toegestaan. Ik heb me altijd voorgenomen dat ik nooit zo'n geadopteerd kind wilde zijn dat haar verdriet meezeulde en van iedereen genoegdoening verwachtte. Maar opeens...'

Ze boog zich voorover en keek ernstig naar hem op. 'Maar opeens moet ik het. Voor Polly, maar ook voor mezelf. Ik wil niet langer de persoon zijn die ik van mezelf heb gemaakt, maar ik wil weten wat er echt is gebeurd. Ik wil me niet langer zo ánders voelen.'

Hij zei tegen beter weten in: 'Je hebt mij toch...'

'Jij bent ook anders.'

'Toe, Nathalie...'

Ze schudde haar hoofd.

'Sorry, ik moet het gewoon. Het begon met die oorafwijking van Polly, en toen had ik een gesprek met de vriendin van Titus en ik hoorde mezelf zeggen dat ik een lot uit de loterij had gekregen omdat ik zelf kon bepalen wie ik ben, en opeens had ik genoeg van die onzin. Ik wil mezelf niet meer horen liegen hoe leuk ik het vind dat mijn levensverhaal bij míj begint, ik wil niet meer doen alsof, en ik moet gewoon een confrontatie aangaan met wat het ook is, met wie zíj is, en daardoor op de een of andere manier met mezelf in het reine zien te komen.'

Bijna fluisterend zei hij: 'Maar het is toch goed geweest? Dat is het nog steeds.'

Ze pakte de vochtige vouwen van zijn jack beet.

'Niet meer, Dave. Er is iets veranderd of losgemaakt of losgelaten. Weet je nog hoe hoog ik opgaf over adoptie? Toen het zo moeilijk voor me was om zwanger te raken, zei ik dat ik zelf een kind wilde adopteren omdat ik zelf zo had geboft, weet je nog? Nou, daar geloof ik niet meer in. Ik vraag me af of ik er ooit echt in geloofd heb. Ik wil net zo zijn als mensen die weten waar ze vandaan komen. Ik wil dat Polly het weet. Ik wil de waarheid onder ogen zien, hoe erg die misschien ook is.' Ze schudde aan zijn jack. 'Ik wil mijn móéder vinden.'

'Je hebt een moeder...'

'Hou op!'

'Je zult haar hart breken.'

'Misschien. En dat van pap. En misschien mijn eigen hart. Ik zal niet beginnen voor ik het haar verteld heb.'

David huiverde.

'Je wilt zeker dat ik je help om het haar te vertellen?'

'Ja.'

Hij deed zijn ogen dicht.
'Ik moet me er even op instellen. Laat me even nadenken...'
'Er is nog iets.'
Hij deed zijn ogen weer open. Ze hield nog steeds zijn jack vast en haar gezicht was nu dicht bij dat van hem.
'Wat?'
'Ik wil dat jij het ook gaat doen.'
Hij keek haar verbijsterd aan.
'Ik...'
'Ik wil dat jij ook op zoek gaat naar je moeder. Ik wil dat we dit samen doen.'
Hij deed een stap terug en rukte zijn jack los.
'Nee,' zei hij. 'Sorry.'
'Dave, toe, zie je dan niet...'
Hij legde zijn handen over zijn oren.
'Nee, Nathalie. Ik wil het niet, ik hoef het niet, ik moet er niet eens aan dénken.'
Ze keek naar hem zonder iets te zeggen. Hij haalde zijn handen weg van zijn oren.
Hij zei: 'Sorry, Nat. Nee. Nu en voor altijd, néé.'
'Dave...'
Opeens kwam er een uitdrukking van volslagen troosteloosheid op zijn gezicht, net alsof hij had gehoord dat een van zijn kinderen een ongeluk had gekregen.
'Ze heeft me weggegeven!' riep hij. 'Ze heeft me gewoon weggegeven!'
Nathalie ging naar hem toe en legde een hand tegen zijn wang. Hij legde zijn eigen hand over die van haar. Hij beefde.
'Vraag dat niet van mij.'
'Nee. Sorry.'
'Ik zal je helpen,' zei David, 'als je dat echt wilt, maar vraag me niet om met je mee te doen.'
Nathalie zei zacht: 'Je houdt dingen niet onder controle door alleen passief te blijven.'
'We hebben het niet over controle.'
'Nee? Probeer ik die niet te krijgen?'
'Hou op, Nat, ga niet zo door tegen me.'

'Sorry...'
Hij haalde zijn hand weg en sloeg zijn armen om haar heen.
'Ik zal het tegen Marnie moeten zeggen.'
'Natuurlijk. Je zegt toch bijna alles tegen haar?'
'Bijna alles.' Hij haalde zijn armen weg. Hij wendde zijn blik af en zei op een andere toon: 'Ik heb haar nooit verteld over dat snijden.'
'Dat was jaren geleden. Toen was je een jaar of vijftien, zestien...'
'Jij bent de enige die ervan weet. Zij denkt dat de littekens door de een of andere allergie zijn gekomen.'
Nathalie keek naar hem op. Ze herinnerde zich hoe ze op wacht stond voor de badkamerdeur terwijl David binnen minutieus en zonder een geluid bezig was met scheermes, tissues, desinfecterende crème en pleisters, en hoe hij naderhand opgelucht naar buiten kwam alsof hij op vakantie was geweest, weg van zichzelf.
Ze zei troostend: 'Dat is voorbij. Ik zal er nooit iets over zeggen, tegen niemand.'
'Nee.'
'Waarom... waarom breng je dat nu ter sprake?'
'Omdat, toen je zei wat je wilde doen, ik opeens hetzelfde gevoel kreeg als toen ik mezelf verwondde, alsof alles opeens wegdraaide, buiten mijn bereik, dat ik jou niet meer kon houden...'
'Mij zul je altijd houden,' zei Nathalie.
Hij glimlachte beverig.
'Vraag alleen niet meer van me dan... dan ik aankan.'
'Laat maar.'
'Ik zal je helpen...'
'Dave,' zei Nathalie. 'Maak je geen zorgen. Ik had het je niet moeten vragen. Ik ben een egoïstische trut.'
'Nee. Je bent dapper.'
Ze stak een hand uit en raakte even zijn mouw aan.
'Kan ik niet voor ons beiden dapper zijn?'
Hij keek haar niet aan. Hij haalde zijn in plastic gehulde plattegrond uit zijn zak en liep naar buiten.
'Nee,' zei hij over zijn schouder. 'Néé.'

4

Het cafeetje was ingericht met chique metalen tafeltjes en stoelen, geïmporteerd van het vasteland, en achterin, bij een raam dat uitkeek op een geplaveid tuintje dat iemand in een optimistische bui had ontworpen opdat gasten er in de zomer konden zitten, stonden twee zwartleren banken. Op een van de banken zat Sasha, met haar lange benen over elkaar geslagen en een arm over de rugleuning. Ze droeg een zwarte broek, een kort, roomkleurig jasje en zware, zwarte veterlaarzen die Steve associeerde met de Mods en Rockers van lang geleden. Hij zag ook – dat was hem de eerste keer niet opgevallen – dat ze een kleine piercing in haar neus had, die blauwgroen glinsterde zodra ze haar hoofd bewoog.

Hij zat tegenover haar op de andere bank, met zijn ellebogen op zijn knieën. Hij had voor hen beiden *caffè latte* gehaald, die van haar met een extra scheutje espresso erbij – en die stonden op de tafel tussen hen in dikke, witte kopjes. Toen Sasha hem had gebeld om hem hartelijk te bedanken dat hij haar verzoek aan Nathalie had doorgegeven, had hij in eerste instantie willen zeggen: ‘Graag gedaan, blij dat het allemaal goed is gegaan’ om vervolgens op te hangen. Maar iets had hem weerhouden, een vervelend gevoel over hoe Nathalie zich op dat moment gedroeg, over de onbestemde maar ontegenzeggelijk ongemakkelijke sfeer in huis, waardoor Polly en Steve – dat viel niet te ontkennen – ook prikkelbaar werden.

Dus in plaats van op te hangen had hij gevraagd of ze ergens koffie konden drinken, en vervolgens merkte hij tot zijn verbijstering dat hij het leuk vond toen ze niet eens verbaasd klonk en zei dat ze hem graag wilde ontmoeten.

‘Om de stand van zaken door te geven,’ zei ze.

Hij had even gelachen.

'Alles open en eerlijk...'

'Natuurlijk,' zei Sasha. Ze slaagde erin zowel geruststellend te klinken als geschokt omdat ontrouw aan Nathalie zelfs maar een mogelijkheid was. En nu zat ze hier, bijna onderuitgezakt op de zwarte leren bank, hem volkomen op haar gemak alles te vertellen wat hij hoorde te weten, had hij beseft, en wat hem gerust moest stellen.

'Ze was heel eerlijk tegen me,' zei Sasha. 'Ze zei bijvoorbeeld: "Ik wil niet dat je me therapie aanpraat, is dat begrepen?"'

'Daar heeft ze een hekel aan...'

'Natuurlijk. Dat kan heel opdringerig zijn. Maar goed, ik heb, dankzij jou, alleen gevraagd en niets opgedrongen.'

Steves blik gleed van haar gezicht naar haar schoenen. Die hadden rode vetergaatjes en rode veters. Ze waren schaamteloos onvrouwelijk en daardoor... Steve slikte.

Hij zei: 'Geen enkel punt. Ze had nooit toegestemd in een gesprek met jou als ze het niet had gewild.'

'Ze vertelde me over de theorie van haar vader. Heel interessant. Hij zei steeds tegen haar en haar broer dat adoptiefouders zich minder schuldig voelen over de karakters van hun kinderen dan biologische ouders, en dat ze daardoor niets te maken hebben met eventuele ongenoegens die zich kunnen voordoen. Ik weet niet hoe het met jou zit, Steve, maar mijn familie barst van de ongenoegens en we zitten elkaar allemaal veel te veel dwars. Nathalie zei dat ze altijd de ruimte heeft gehad, dat haar ouders haar altijd de ruimte hebben gegeven.'

Steve dacht aan Lynne, aan die onuitgesproken behoeften en wensen, aan de verontruste, stilzwijgende smeekbeden. Hij pakte zijn kopje op.

'Natuurlijk hebben we erover gepraat toen we elkaar pas leerden kennen. Heel veel zelfs. Maar het interesseerde haar weinig, en waarom zou ik dan verder aandringen?'

'Dat was ook niet nodig,' zei Sasha. 'Daar was ze heel duidelijk over. Ze zei dat ze blij was dat ze van al die genetische claustrofobie af was. Ze zei dat ze alles wist wat ze over zichzelf wilde weten van de geboortepapieren, maar dat ze veel liever de vrijheid had om voor zichzelf een weg te bepalen dan dat die weg voor haar vastlag, en dat zou zijn gebeurd als ze meer had geweten. Ze zei dat ze er nooit aan getwijfeld had dat mensen van haar hielden.'

Steve nam een slok koffie. Toen glimlachte hij.

'O, nee.'

'Ik ken weinig vrienden,' zei Sasha, 'die dat van hun biologische ouders zouden zeggen.'

Steve dacht aan zijn vader. Hij overwoog even of hij het over hem zou hebben, maar besloot, met tegenzin, het niet te doen.

Hij zei: 'Ik vraag me af waarom mensen nog steeds zo moeilijk doen over adoptie?'

'O, dat zijn maar cijfers,' zei Sasha. 'Het gaat gewoon over ongewone dingen. Reageerbuisbevruchting, toegestane abortus, bastaards, daar kijkt niemand meer van op. Ik heb ergens gelezen dat er nu vijfentwintig procent minder adopties zijn dan dertig jaar geleden.' Ze deed haar benen van elkaar en boog zich voorover om haar koffiekopje te pakken. 'De maatschappij is zo veranderd. Ik bedoel, toen Nathalie jong was, had ze met twee zaken te maken die maatschappelijk niet werden geaccepteerd, namelijk dat haar biologische moeder niet getrouwd was maar wel heel vruchtbaar, en dat haar adoptiemoeder wel getrouwd was maar onvruchtbaar. Daar heeft ze gelukkig geen last meer van.'

'Is dat zo?'

'O, ja,' zei Sasha zelfverzekerd. Ze glimlachte naar Steve over de rand van haar kopje heen en haar neuspiercing flitste op in een blauwgroene schittering. 'Tegenwoordig is maatschappelijk toch alles geaccepteerd? Ik bedoel, kun jij je voorstellen dat Nathalies moeder en die van mij net zo'n gesprek zouden hebben gehad als Nathalie en ik?'

'Nee...'

'Ze is een fantastische vrouw,' zei Sasha. 'Je boft. Een fantastische vrouw zonder complexen.'

Steve zei onhandig: 'Ik had alleen het idee dat ik misschien niet genoeg doe, dat ik niet genoeg meeleef. Dat dit hele adoptievraagstuk toch een probleem voor haar was en dat ik haar niet heb geholpen. Dat ik gewoon alles als vanzelfsprekend aannam...' Hij zweeg even, en toen zei hij aarzelend: 'Ik ben dankbaar.'

Sasha's ogen werden groot.

'Wie ben je dankbaar?'

'Jou. Je... je hebt me gerustgesteld.'

'Mooi,' zei Sasha. Ze glimlachte weer. 'Moet je nagaan wat voor selectieprocedures Nathalies ouders hebben moeten doorlopen om haar te krijgen. Die waren vreselijk streng. Ze moeten haar echt heel graag gewild hebben.'

Steve keek weer naar zijn koffie. Hij knikte.

Sasha zei: 'Kun jij je voorstellen dat je iets zo graag zou willen?'

Hij haalde zijn schouders op.

'Zaken die mijn carrière betreffen, waarschijnlijk. En natuurlijk wilde ik mijn dochter, maar veel meer toen ze er eenmaal was, dan voordat ze werd geboren.'

'Natuurlijk,' zei Sasha. Ze leunde weer achterover en spreidde haar armen. 'Vaak is het zo moeilijk om je een beeld te vormen van wat je wilt, vind je niet?'

Steve grinnikte.

'Heb jij je een beeld gevormd van Titus?'

Sasha lachte. Ze wierp haar hoofd in de nek, zodat Steve een ongehinderd zicht had op haar hals, die glad oprees uit de kraag van haar jasje.

Toen zei ze: 'Dat kan toch niet? Ik bedoel, je kunt Titus niet bepaald uitvinden of zo.'

'Hij is een intelligente jongen.'

'O ja,' zei ze. 'En heel grappig. We hebben elkaar ontmoet op yoga.'

'Doet Titus aan yoga?!'

'Natuurlijk niet. Hij was met een kennis meegekomen, met als enig doel ons allemaal uit te lachen.'

'Titus in hogere sferen...'

'Hij is maar één keer geweest. Hij was natuurlijk hopeloos, maar heel grappig.'

'Dat zal ik onthouden,' zei Steve. 'Het zal me nog een keer goed van pas komen.' Hij legde zijn handen op zijn knieën. 'Het spijt me, maar ik moet nu echt terug naar kantoor.'

Ze glimlachte naar hem, maar bleef zitten.

'Natuurlijk.'

Hij stond op.

'Bedankt dat je me hebt willen spreken. En... en om wat je hebt gezegd.'

Ze glimlachte nog steeds.

'Graag gedaan, Steve. Bedankt voor de koffie. Ik blijf nog even om die van mij op te drinken.'

Hij liep weg en stak nog even zijn hand op.

'Dag, Sasha.'

Ze wachtte tot hij een paar passen van haar verwijderd was en riep hem toen na: 'Tot gauw, Steve,' en ze lachte toen hij doorliep.

Op kantoor was Meera Steves gedicteerde bandjes aan het uittypen met haar koptelefoon op. Justine was aan de telefoon en Titus zat met een elastiekje propjes papier in zijn prullenbak te schieten.

Steve zei toen hij langs hem liep: 'Daar betaal ik je niet voor.'

'Ik ben aan het nadenken,' zei Titus. 'Ik kan niet denken als ik niet iets te doen heb.' Hij gleed van zijn kruk en volgde Steve over de oude, geboende houten vloerdelen. 'Leuk gehad?'

Steve bleef staan en draaide zich naar hem om.

'Wat heb jij?'

Titus grijnsde.

'Ze vertelt me alles.'

'Heel onverstandig.'

'Eigenlijk wilde ik je bedanken dat je het aan Nathalie hebt gevraagd en dat het allemaal gelukt is. Het betekende heel veel voor Sasha.'

'Mooi zo,' zei Steve. Hij hees zich half op zijn kruk en boog zich voorover om de muis van zijn computer in beweging te brengen. Hij zei, zonder naar Titus te kijken: 'Aardig meisje.'

'Ja,' zei Titus. Hij stak zijn handen in zijn zakken en geeuwde. 'Maar ik kan mezelf wel een schop geven.'

'Waarom? Is ze zwanger?'

'Nee,' zei Titus somber. 'Ik vind haar gewoon echt aardig.'

'En?'

'Nou, dat is niets voor mij,' antwoordde Titus. 'Meestal zijn het de meisjes die *míj* aardig vinden. Herinner je je Vannie nog?'

'Nou en of,' zei Steve.

Vannie had een lichaam en pure fysieke aanwezigheid die je onmogelijk kon negeren, maar toch had ze, toen Titus haar zonder plichtplegingen had gedumpt, beneden in de receptieruimte dagen zitten snikken en – vreselijk om aan te horen – Titus gesmeekt om haar terug te nemen. Steve wierp Titus een zijdelingse blik toe.

'Waar maak je je zorgen om? Ze vindt jou vast ook aardig.'

'Maar is dat wel zo?'

'Titus,' zei Steve, 'ik moet een vergadering plannen en jij moet dat Gower-logo afmaken.'

'Dat is bijna klaar.'

'Ga weg,' zei Steve. 'Ga Justine maar vertellen hoe je je voelt.'

'Die kan het niets schelen,' zei Titus. 'Ze vindt me een bekakte vervelende klier met de emotionele leeftijd van een knulletje van zeven.'

Steve keek hem niet aan.

'En?'

'Ik mag dan een vervelende klier zijn,' zei Titus, 'maar ik vind verliefd zijn gewoon shit. Je hoort je dan toch dolgelukkig te voelen?'

Steve zei gelaten: 'Ik heb haar in Caffè Roma achtergelaten. Daar zit ze haar koffie op te drinken. Ga er maar naartoe.'

'Je bent een schat,' zei Titus.

'En daarna blijf je hier op de zaak tot dat logo klaar is.'

'Afgesproken.'

'Eigenlijk vind ik je geen vervelende klier,' zei Steve, 'maar wel verschrikkelijk irritant.'

'Ik weet het,' zei Titus opgewekt. Hij wierp Steve een kushand toe.

Steve keek hem even na toen hij over de vloer naar de deur van de trap gleed. Justine legde de telefoon neer en keek naar Steve.

'Liefde,' zei Steve ironisch met een klemtoon op de eerste lettergreep.

Justine trok een grimas. Hij keek op naar de muur naast hem, naar de lachende Nathalie in haar blauwe bloes, naar Polly die met een strakke blik vanonder haar hoed keek. Hij dacht aan Sasha, achteroverleunend op de bank, die hem alles vertelde wat hij wilde weten, alle dingen waarvan hij wist dat het stom was om zich zorgen over te maken maar toch gerustgesteld wilde worden. Hij glimlachte naar de foto's en tegelijkertijd voelde hij een superieur medelijden met Titus. Hij nam zich voor om langs het bloemenstalletje in Union Street naar huis te fietsen en een boeket voor Nathalie te kopen. Irissen, als ze die hadden.

'Het was niet nodig,' zei Marnie zacht, 'om zo tegen hem te spreken.'

Ze stond achter David in de kleine kamer die hij als kantoor gebruikte. Sinds ze niet meer werkte, zag het kantoor er aanzienlijk netter uit en waren er – ontegenzeglijk een verbetering maar ook als een lichte berisping – archiefdozen aan toegevoegd en een jaarkalender die nu aan de muur boven zijn bureau hing.

David hield zijn blik op het computerscherm gericht.

'Ik heb hem zo vaak op het matje geroepen over die golfballen. Ik heb gezegd dat hij mag putten wat hij wil, maar dat hij geen slagen mag oefenen in de tuin!'

'Het gaat niet om wát je zei,' zei Marnie op dezelfde kalme, redelijke toon, 'maar de manier waarop.'

'Marnie,' zei David. 'Wil je alsjeblieft je opvoeding beperken tot de kinderen en mij buiten beschouwing laten?'

Er viel een stilte. David voelde hoe Marnie achter hem met deze opmerking worstelde. Toen ze pas bij elkaar waren, zou ze alleen hebben gelachen of iets – heel raak – naar hem gegooid hebben. Maar met het verstrijken van de jaren was ze minder flegmatiek als ze iets van kritiek vermoedde, iets wat suggereerde dat er fouten te bespeuren waren in de duidelijke, onbevooroordeelde manier waarop ze met het gezinsleven en met David probeerde om te gaan. Soms dacht David aan dat atletisch gebouwde meisje dat op haar blauwe canvas sandalen de peuterschool binnenwandelde met de zelfverzekerdheid van iemand die begreep hoe die peuters in elkaar zaten en wist hoe ze ermee om moest gaan. Soms, als hij zich moe of niet lekker voelde, kon dat beeld een hevig heimwee in hem oproepen.

Nu haalde hij diep adem en zei, nog steeds met zijn blik op het beeldscherm gericht: 'Sorry.'

'Oké,' zei Marnie. En toen, op zachtere toon: 'Wat is er?'

Hij haalde zijn schouders op.

'O, het werk...'

'Maar het gaat toch goed?'

'Ja.'

Marnie kwam naast hem staan. Ze stak een hand uit naar de computermuis, bijna alsof ze het apparaat wilde uitschakelen, en toen trok ze haar hand weer terug.

'Wil je praten?'

David zuchtte.

'Ga mee naar de keuken,' zei Marnie. 'Dan zal ik koffiezetten.'

Marnie zette steeds koffie. In de keuken van haar grootmoeder – haar Scandinavische grootmoeder, van wie Marnie haar zachte, blonde uiterlijk had geërfd – had alles om de koffiepot gedraaid, die de hele dag achter op het fornuis had gestaan met zijn sterke, bittere inhoud.

'Ik heb geen trek in koffie.'

'Maar je wil toch praten?'

'Willen is het woord niet...'

'David,' zei Marnie, 'wanneer heeft iemand ooit zin om dingen te doen die gedaan moeten worden?'

Hij kwam langzaam overeind.

'Ik ga koffiedrinken,' zei Marnie. 'Het maakt niet uit of jij wel of niet koffie wil. Het is alleen belangrijk dat je praat.'

Ze liep het kantoortje uit en de gang door naar de keuken. David keek uit het raam naar de haagbeuk die hij had geplant en die het niet goed deed. Hij sloot zijn ogen, telde tot tien, deed ze weer open en liep achter Marnie aan.

Ze stond in de keuken koffie te scheppen in een rode emaillen kan. David bleef in de deuropening staan en keek naar haar. Ze droeg een schone spijkerbroek, een donkerblauwe coltrui, en haar vlecht hing over een schouder en was aan het uiteinde vastgezet met een speld vol lieveheersbeestjes. Ellen had haar die speld gegeven. Ellen wist dat het geen enkele zin had om haar moeder iets moderns te geven. Lieveheersbeestjes waren netjes en onopvallend.

'Sorry,' zei David.

Marnie keek op. Ze glimlachte.

'Het was niet mijn bedoeling om je te betuttelen.'

Hij ging de keuken in en trok een stoel onder de tafel uit. Hij keek hoe Marnie heet water schonk in haar emaillen kan.

'En het was niet mijn bedoeling om tegen Daniel te schreeuwen.'

'Denk je niet,' zei Marnie op haar peuterschooltoon terwijl ze met een lange lepel in haar koffie roerde, 'dat we dingen doen die we niet willen omdat er iets anders aan de hand is? Dat we bang zijn, of van streek door iets?'

'Natuurlijk,' zei David geërgerd. 'Dat is toch niets nieuws?'

'De reden hoeft niet iets nieuws te zijn. Weet je zeker dat je geen koffie wil?'

Hij ging achterover zitten en zuchtte.

'Goed dan.'

Marnie pakte twee bekers van een rij boven het aanrecht.

'Ik zal je helpen,' zei ze. 'Je zit volgens mij nu in een dip vanwege Nathalie.'

David gromde iets. Marnie zette een zeef op een van de bekers en goot de koffie erop.

'Ze belde onlangs op. Ze wilde je spreken, zei ze. Ze wilde het hebben over jullie moeder. Maar ik voelde gewoon dat ze om een heel andere reden belde. Je hoeft me de ware reden niet te vertellen, maar het had niets met jullie moeder te maken.'

'Nee,' zei David.

Marnie draaide zich om en zette de koffiebekers op tafel. Toen ging ze tegenover David zitten en schoof een beker naar hem toe.

'Dus ik denk dat ze jou heeft gebeld en je de reden heeft verteld en dat die je dwarszit.'

David keek langs Marnie uit het raam naar buiten, waar hij Daniel ongeduldig en in het wilde weg zag zwaaien met zijn golfclub. Hij zei: 'Ik heb haar gezegd dat ik het jou zou vertellen.'

'Natuurlijk,' zei Marnie.

'Het is geen geheim, het is niet eens iets persoonlijks, en dat zal het binnenkort al helemaal niet meer zijn...' Hij zweeg.

Marnie wachtte. Ze legde haar handen om haar beker en wachtte, met haar blik op de tafel gericht.

'Ze wil haar moeder zoeken.'

Marnies hoofd kwam met een ruk overeind.

'Allemachtig.'

David zei opnieuw, deze keer alsof hij zich erbij had neergelegd: 'Ze wil haar moeder zoeken.'

Marnie liet haar beker los en legde haar handen plat op de tafel.

'Hoe komt dat?'

'Dat weet ik niet precies. Ze heeft wel wat redenen opgegeven, maar die vond ik nogal onbelangrijk. Ik... ik vraag me af of dit al een hele tijd heeft zitten broeien. Ik vraag me af...' Hij zweeg, en zijn blik ging van het raam naar Marnie. 'Ik vraag me een heleboel dingen af.'

Marnie schudde haar hoofd.

'Ze leek er altijd zo zeker van dat ze er geen behoefte aan had.'

'Ik weet het.'

'Misschien,' zei Marnie, 'waren wat ze zei en wat ze dacht twee heel verschillende dingen.'

David huiverde even.

'Niet doen,' zei hij zacht.

Marnie boog zich naar voren.

'Wil ze jou erbij betrekken?'

Hij knikte.

'Hoe?'

'Ze wil dat ik haar help om het aan mam te vertellen.'

Marnie zei: 'Dat zal een hele klap zijn voor je moeder.'

'Dat weet ze.'

'Dat wéét ze?'

'Ze wil dit gewoon vreselijk graag doen. Ze kan eigenlijk niet anders. Ik heb haar gezegd wie ze er allemaal mee zal kwetsen, en ze zei dat ze het wist en dat ze misschien een egoïstische trut was, maar dat ze niet langer meer kon doen alsof.'

'Doen alsof?'

'Doen alsof ze het niet erg vond om niet te zijn als mensen die weten wie hun ouders zijn.'

Marnie boog zich over de tafel en krabde met een nagel over iets op het oppervlak.

Ze zei, bijna zakelijk: 'Dat is de boel bijeen proberen te rapen.'

David keek naar haar.

'Wat?'

'Wat Nathalie aan het doen is.' Marnie hief haar hoofd op. Ze zei met nadruk: 'Als onopgelost verdriet uit je jeugdjaren terugkeert in je leven als je volwassen bent, dan probeer je alles bijeen te rapen.'

'Hoe kom je daar nu weer bij?'

'Ik heb het opgezocht.'
'Opgezocht?'
'Op internet,' zei Marnie. 'Op internet kun je een heleboel vinden over adoptie.'
David zei nijdig: 'Wat deed jij op internet?'
'Gewoon kijken...'
'Je bedoelt stiekem gluren.'
'Ik doe niets stiekem,' zei Marnie. 'Ik zou er net zoveel over gepraat hebben als je wilde. Als je ooit had willen praten.'
David schoof zijn stoel achteruit.
'Praten lost niet alles op.'
'Nee. Maar misschien kan het iets verklaren.'
'Zoals?'
'Zoals waarom je zo van slag bent door Nathalies besluit.'
'Het gaat om mam,' zei David. 'En om pap. En Steve en Polly...'
'En om jou?'
Hij stond op. Hij knikte.
'David,' zei Marnie, 'kun je het wat positiever bekijken? Kun je misschien even stilstaan bij je opvoeding en je huidige leven en gezinssituatie? Kun je misschien even denken aan het feit dat, hoe triest de omstandigheden van je vroege jeugd ook waren, ik heb gekozen om in Engeland te blijven en met jou te trouwen? Daar heb ik voor gekózen.'
Hij keek op haar neer. Het bleef even stil. Toen boog hij zich naar haar toe en zei op heftige toon: 'Ik ben door jou gekozen nadat zíj me niet moest.'
Marnie keek terug.
'Zij?'
'Ja,' zei David. 'Zíj.'
'Niet... niet Nathalie?'
'Nee.'
Marnie slikte. 'Je bedoelt je biologische moeder.'
'Ja,' zei David nadrukkelijk.
Marnie wendde haar gezicht af. Ze stak een hand op en pakte het uiteinde van haar vlecht beet.
'Het lijkt... Het zit allemaal wel heel diep bij je.'
David zweeg.

Marnie zei: 'Nathalie heeft blijkbaar oude wonden opengereten, ook al was dat niet haar bedoeling.'

'Ze heeft me gevraagd om met haar mee te gaan.'

'Waar naartoe?'

'Op deze tocht. Om... om onze moeders te zoeken.'

Marnie liet haar vlecht los en schoot overeind.

'Ze heeft gevraagd of jij ook je moeder wilde zoeken?'

'Ja.'

'Is er nog iets wat ik moet weten?'

'Nee!' riep David. Hij deed zijn ogen dicht en hief zijn hoofd op naar het plafond.

'En ga je het doen?'

'Nee!' riep David weer.

Marnie wachtte even en zei toen: 'Waarom niet?'

'Omdat ik het niet wil! Ik hoef het niet! Ik wil niets met haar te maken hebben, nooit!'

'Kijk me aan,' zei Marnie.

Langzaam liet David zijn hoofd zakken tot hun blikken elkaar ontmoetten. Ze zat met rechte rug en haar handen lagen plat op de tafel. Ze droeg geen ringen. Ze had nooit ringen gedragen, zelfs geen trouwring. 'Waarom zou ik?' had ze gezegd. 'Zijn we meer getrouwd als we een ring dragen?'

'Wat?' zei hij nu.

'Luister...'

Hij viel haar in de rede. 'Ik heb geen zin in allerlei onzin die je op internet hebt gevonden.'

Ze negeerde hem.

'Nathalie besluit, om redenen die we niet kennen of misschien niet begrijpen, dat ze haar moeder wil zoeken. Dat heeft ze aan jou verteld. Voorheen heeft ze je nooit laten blijken dat ze dit wilde, dus het is een schok voor je. Maar het is meer dan dat. Het heeft iets in je losgemaakt, iets uit het verleden waarvan je dacht dat je het begraven had, misschien zelfs begraven met hulp van Nathalie. Volgens mij is er maar één oplossing.' Ze zweeg en klemde haar handen ineen, alsof ze wilde verhinderen dat ze ermee zou gebaren en daardoor de situatie emotioneler zou maken dan die al was.

Toen zei ze: 'Je moet het doen.'

'Dat heb ik al gedaan,' zei David. 'Ik heb haar gezegd dat ik haar zal helpen om het aan mam te vertellen.'

'Nee.'

Ze keek hem strak aan, en opeens moest hij denken aan de kinderen op de peuterschool die zouden doen wat Marnie hun opdroeg, omdat zij uiteindelijk wist wat het beste voor hen was.

'Nee,' zei hij weer. Zijn stem klonk veraf en ijl.

'Nathalie heeft gelijk,' zei Marnie. 'Als zij op zoek gaat naar haar moeder, dan moet jij het ook doen.'

'Marnie...'

'Ja,' zei ze. 'Anders zul je nooit meer rust vinden.'

5

Evelyn Ross had de woonkamer boven de Royal Oak zo ingericht dat die een duidelijk contrast vormde met de pub beneden. De Royal Oak was – behalve de onmogelijk groene boom op het uithangbord – waarschijnlijk altijd zwart en donkerrood geschilderd geweest, met gouden letters, en niets kon Ray afbrengen van zijn overtuiging dat het zijn plicht was om die kleuren in ere te houden. Toen hij jaren geleden pas de vergunninghouder was geworden, had Evelyn gesmeekt om dan minstens crème te gebruiken in plaats van zwart, of binnen een kleur aan te brengen op de raamkozijnen die niet zo sterk aan bier deed denken zoals het geschilferde roodbruin, maar Ray was niet te vermurwen. De pub zou om de tien jaar worden opgeschilderd, zei Ray, in de kleuren die altijd al waren gebruikt, en als ze haar artistieke ideeën wilde botvieren, dan kon ze dat buiten de zaak doen.

'Dit is verdorie geen tearoom,' had hij gezegd. 'Je mag al die onzin boven doen, Evie, waar de klanten het niet kunnen zien.'

Dus had ze haar zitkamer lila geschilderd met wit houtwerk, en ingericht met een roomkleurige leren bank die ze in de uitverkoop van een meubelzaak had gekocht. Uit die meubelzaak kwamen ook de bijzettafeltjes met koperen poten en de imitatieonyx lampen met geplooide schemerkappen. Ray ging nooit op de bank zitten. Hij zei dat hij er onmogelijk goed op kon zitten. Hij zat altijd in een fauteuil die hij van Evies vader had geërfd, waarover ze een kleed had gelegd omdat Rays kleren altijd naar bier en baklucht roken.

'Je mag blij zijn,' zei hij vaak, 'dat ik geen visboer ben.'

De zitkamer was een klein toevluchtsoord voor Evie. Op de zeldzame keren dat ze niet nodig was in de keuken of achter de bar, nestelde ze zich – met moeite – op haar leren bank en dan keek ze naar oude films op de televisie, zich heerlijk bewust dat ze even niets te maken had met het lawaai en de drukte en de geuren van de pub beneden. Soms, tijdens de saaie stukken in een film, dacht ze aan hoe het leven er over twee jaar uit zou zien, als Ray met pensioen ging en ze de bungalow in Ferndown gingen kopen waar ze het altijd al over hadden, en als Ray geen baan meer had. Ze wist niet goed waar ze naartoe kon gaan om zijn overheersende aanwezigheid te ontvluchten. Haar dochter Verena, de oudere zus van Steve, die op het eiland Man woonde en maar eens per jaar naar Westerham kwam, zei dat ze zelf een baantje moest zien te krijgen als Ray met pensioen ging.

'Gewoon een baantje, mam. Dan ben je er even uit. Anders word je gek van pa.'

Evie had niet het idee dat Ray het leuk zou vinden als ze een baan nam, hoe onbelangrijk dat baantje ook zou zijn. Hij zou zich beledigd voelen. Werken in de Royal Oak, nou ja, dat kon – tenslotte was de Royal Oak voor Ray, net als voor zijn vader, een soort roeping – maar buiten de deur geld verdienen was bijna heiligschennis. Misschien kon ze vrijwilligerswerk doen in een ziekenhuis, een bibliotheek, een bejaardenhuis, maar een betaalde baan leek onmogelijk. Verena had mooi praten. Zij was getrouwd met een man van een volslagen andere generatie dan Ray, een man die er eigenlijk van uitging dat zijn vrouw een eigen leven zou leiden. En datzelfde gold voor Evies schoondochter, Nathalie. Steve was altijd zo goed geweest voor Nathalie. Steve beschouwde haar als een eigen persoonlijkheid, iets wat Ray nooit zou kunnen, wist Evie, omdat hij het onmannelijk zou vinden. Evie had nooit tegen Steve of tegen wie dan ook gezegd: 'Ik wou dat je vader meer op jou leek', maar soms, als ze op haar leren bank zat met haar voeten op de bijpassende poef, wilde ze dat zo graag dat ze bijna begon te huilen.

Ze vond het heerlijk als Steve Polly bracht. Polly was een bron van verrukking en fascinatie voor haar beide grootouders in de Royal Oak – ze was de enige voor wie Ray Ross ophield met wat hij ook aan het doen was – en ze kreeg steeds cadeautjes. Evie wist dat Steve de dingen niet mooi vond die ze voor Polly kocht, maar

Polly vond ze prachtig. Polly en haar grootmoeder waren allebei dol op heel vrouwelijke dingen, op glitters en bloemen. Evie bewaarde de spulletjes die ze voor Polly kocht in een met fluweel beklede kist – het was eigenlijk een kaptafelkrukje – achter de roomkleurige sofa. Polly noemde het haar schatkist. Ze begreep ook dat de meeste voorwerpen in de schatkist op een bepaalde manier bij de Royal Oak hoorden en niet bij de flat van Steve en Nathalie, en aldus was er een soort samenzwering tussen haar en haar grootmoeder ontstaan waar Evie van genoot. Slechts enkele voorwerpen, zoals de barbiefiets die Polly op haar vierde verjaardag had gekregen, wilde ze per se mee naar huis nemen, en Steve vond het onaardig en wel heel erg laatdunkend om dat niet toe te staan. Op sommige middagen, voor de pub openging, opende Evie de schatkist en bekeek vergenoegd de glinsterende inhoud. Dan stelde ze zich Polly's gezicht voor – vaak heel serieus als ze iets echt mooi vond – als ze de nieuwe voorwerpen zou zien, de glinsterende nagellak, de plaktatoeages in de vorm van vlinders, de haarspeldjes met glitters erop. Hoewel ze altijd blij was Steve te zien, was Evie diep teleurgesteld als hij in zijn eentje naar de Royal Oak kwam. De aanblik van zijn fiets met Polly's stoeltje achterop, die buiten met een ketting was vastgemaakt, bezorgde Evie dezelfde opwinding die de aanblik van Ray Ross' motorfiets haar meer dan vijfenveertig jaar geleden had bezorgd.

Polly is geweest, vertelde ze dan door de telefoon aan Verena op het eiland Man, en Verena zuchtte. Verena had twee zoons voor wie de grootouders in de Royal Oak niet meer betekenden dan een vreemde week vakantie per jaar, gekenmerkt door borden patat en de nare, gespannen houding van hun moeder. 'Ze is zo'n schat,' zei Evie tegen Verena. 'Ze heeft zoveel fantasie.' Evie kon niet vermoeden dat Verena op Man alvast het telefoongesprek met haar broer aan het oefenen was dat ze zou voeren zodra Evie had opgehangen.

'Je wordt bedankt,' zou Verena tegen Steve zeggen. 'Je wordt bedankt dat je Polly zo opdringt aan mam en ervoor zorgt dat ze nooit aan Jake of Stuart denkt. Leuk hoor, om je voor te doen als de ideale zoon zodat je mij voor gek zet en ik word buitengesloten.'

Die plannen voerde ze nooit uit. Ze belde nooit naar Steve, behalve met Kerstmis, en als hij al ooit aan haar dacht, dan liet hij dat niet blijken. Hij zei tegen Nathalie dat zijn familie nu eenmaal zo was, altijd was geweest, dat ze elkaar niet echt nodig hadden. Nathalie glimlachte altijd als hij dat zei, alsof ze wist dat hij voor de zoveelste keer wilde laten blijken dat echte familie niet te vergelijken was met een gekozen familie, dat een echt gezinsleven een kwestie van vrije wil en liefde was, niet van bloedverwantschap. Nu Steve een onbehagen voelde dat hij niet kon definiëren en niet in zijn eentje aankon, merkte hij dus tot zijn eigen grote verbazing dat hij met zijn moeder wilde praten. Hij liep de trap op naar zijn moeders zitkamer.

Evie zat op haar bank, haar knieën bedekt door een sprei met vierkantjes paarse en lila wol die ze zelf had gehaakt. Ze schrok even toen Steve binnenkwam en richtte onwillekeurig de afstandsbediening op hem alsof het een soort verdedigingswapen was.

'O, ik dacht dat het je vader was...'

'Die is beneden,' zei Steve.

Evie deed een poging om overeind te komen van onder haar sprei.

'Is Polly er niet? Waar is Polly?'

Steve bukte zich en gaf een kus op zijn moeders wang. Dat had Nathalie hem aangeleerd. Voordien was het nooit bij hem opgekomen.

'Ze is op school, mam. Nathalie haalt haar op.'

Evie duwde de sprei op de vloer.

'Waarom heb je niet gewacht? Dan kon je haar meebrengen. Ik heb iets voor haar.'

Steve wachtte even, en zei toen onhandig: 'Vandaag is het een beetje anders dan anders, mam.'

Evie wierp hem een scherpe blik toe. Ze probeerde niet langer overeind te komen en bleef op de rand van de bank zitten.

'Wat is er gebeurd?'

'Er is niemand gewond, mam, iedereen is in orde.'

'Wat is er gebeurd?'

Steve liet zich in de leunstoel zakken waar zijn vader altijd zat. Hij zat voorovergebogen en keek naar het tapijt.

'Het is niets ernstigs, mam...'

'Waarom ben je hier dan?' zei Evie. 'Waarom ben je dan zonder Polly gekomen?'
'Ik wilde je iets vragen.'
Er kwam meteen een uitdrukking van argwaan op Evies gezicht. Steve kende die uitdrukking maar al te goed van de jaren dat Evie zich dwong om iets voor haar kinderen te besluiten tegen de wil van haar man in.
'Maak je geen zorgen, mam,' zei Steve. 'Je hoeft niets te doen. Ik wilde alleen je mening vragen.'
'Heb ik ooit iets niet durven doen?' zei Evie iets luider op enigszins gepikeerde toon.
'Nee. Nooit.'
'En nu ook niet. Vooral niet als het voor Polly zou zijn.'
'Het gaat niet over Polly,' zei Steve, 'maar over Nathalie. Over Nathalie en mij...'
Evie keek hem strak aan.
'Er is toch niet...'
'Nee,' zei Steve. Hij gebaarde met beide handen, alsof het onmogelijk was dat er iets mis kon zijn tussen Nathalie en hem.
'Ik heb altijd gezegd dat jullie moesten trouwen,' zei Evie. 'Het is niet eerlijk tegenover Polly. Dat heb ik altijd al gevonden.'
'Ik weet het,' zei Steve. Hij deed even zijn ogen dicht. Hij had geen energie om weer in de verdediging te gaan over Nathalies uitdrukkelijke wens om wel met hem samen te wonen maar niet met hem te trouwen.
Op vastberaden toon zei hij: 'Daar gaat het niet om.'
Evie bukte zich naar opzij om de sprei op te rapen en begon die op te vouwen.
'Waar dan wel om?'
Steve zei, zorgvuldig zijn woorden kiezend: 'Je weet toch hoe Nat altijd is geweest wat adoptie en zo betrof, dat ze altijd heeft gezegd dat ze het niet erg vond dat ze haar biologische moeder niet kende en dat ze geen eigen familie had?'
Evie aaide over de opgevouwen deken op haar knie alsof het een kat was.
Ze zei kalm: 'Dat heeft ze altijd goed weten te beredeneren.'
Steve keek naar haar.

'Nou, dat is allemaal veranderd.'
Evie hield op met aaien.
'Wat?'
'Alles. Hoe ze zich voelt, wat ze wil. Alles. Bijna van de ene dag op de andere. Ze zegt dat het helemaal niet goed met haar gaat en dat ze haar moeder wil zoeken. Haar biologische moeder.'
Evie schudde haar hoofd.
'Hoe is dat gekomen?' Ze keek Steve aan. 'Wat heb je gedaan?'
Hij haalde zijn schouders op. Hij voelde de woede die hij altijd had gevoeld als zijn moeder op die toon tegen hem sprak, als ze hem tegenhield bij de deur naar de kelder, of als hij uit de badkamer kwam, of zijn slaapkamer binnen wilde gaan: 'Wat heb je gedaan dat je vader boos is?'
Nu mompelde hij, net als toen: 'Niets.'
'Nou, als het niets is, waarom ben je dan van streek?'
'Ik ben niet van streek...'
'Waarom ben je dan hier? Waarom heb je Polly niet meegebracht?'
Steve keek weer naar het tapijt tussen zijn voeten. Het was beige, met een ruitpatroon in donkerbeige en in elke ruit zaten roze bloemen. Hij probeerde zich te herinneren wat Nathalie had gezegd, hoe Nathalie hem had uitgelegd dat zijn moeder die scherpe toon alleen tegen hem gebruikte omdat ze die niet tegen zijn vader durfde te gebruiken.
Zo geduldig mogelijk zei hij, zijn blik nog steeds op het tapijt gericht: 'Mam, ik weet niet waar ik aan toe ben.'
'Nou, dat zou je wel weten,' antwoordde Evie, 'als je haar man was.'
Steve hief met een ruk zijn hoofd op.
Hij schreeuwde bijna: 'Ik ben haar man! In alle opzichten die ertoe doen!'
Evie schrok even. Ze legde de opgevouwen sprei naast zich en stond op. Toen trok ze de poef over het tapijt tot Steves stoel en ging erop zitten.
'Het spijt me, lieverd.'
Steve keek zijn moeder mistroostig aan.
'Het was een hele schok, mam.'

Evie pakte Steves hand tussen haar beide handen. Ze voelden vertrouwd aan, breed en warm en verrassend zacht na al die jaren werk in de keuken.

Hij zei: 'Ze heeft zelfs tegen iemand die we kennen gezegd dat ze er tien dagen geleden nog totaal geen moeite mee had dat ze geadopteerd was. Toen Polly haar oor moest laten onderzoeken zei ze dat ze wel een beetje geschrokken was, maar dat duurde niet lang. Ze heeft er met Dave over gepraat en ik dacht dat het toen voorbij was. Maar dat is niet zo. Integendeel zelfs. Ze is nu vastbesloten om haar moeder te zoeken. Ze kwam er zomaar opeens mee. Ik had Polly naar bed gebracht, we hadden gegeten en we zaten gewoon wat te praten en opeens zei ze het. Dat ze een besluit heeft genomen, dat dit het is wat al die tijd heeft ontbroken, dat niets wat ik zeg haar zal tegenhouden en dat ik dus beter maar zoveel mogelijk kan helpen.' Hij wierp een blik op Evie. 'Ze krijgt de gegevens van een bureau dat gespecialiseerd is in dat soort dingen.'

Evie kneep in Steves hand. Hij voelde haar ringen, gouden banden met diamantjes die tot flinters waren gesleten, in zijn vingers drukken.

Ze zei: 'Waarom ben jij er zo door van streek?'

Hij keek weer naar de vloer.

Hij zei bruusk: 'Omdat ze het me gewoon meedeelt. Dat ze me niets vraagt, niet... raadpleegt.' Hij zweeg even en zei toen: 'En... en ik krijg het gevoel dat ik niet genoeg ben. Niet genoeg voor haar.'

'Tja, lieverd,' zei Evie. 'Je kunt nooit haar moeder zijn.'

'Ze heeft een moeder.'

Evie dacht na. Wat haar betrof had ze nooit problemen gehad met Lynne. Ze konden goed met elkaar overweg, de twee grootmoeders. Het feit dat Lynne als moeder van Nathalie de belangrijkste grootmoeder was, werd goedgemaakt door de wetenschap dat Evie de grootmoeder was die écht verwant was aan Polly. Ze ontdekte dat ze niet graag met Lynnes superioriteit had willen ruilen. Ze haalde voorzichtig haar handen weg en vouwde ze in haar schoot. Het plotselinge beeld van een nieuwe concurrerende grootmoeder, een grootmoeder die álle troeven in handen had, was onaangenaam en verontrustend.

Ze keek naar haar handen en draaide aan haar ringen.
'Weet Lynne het?'
'Nog niet.'
'Het zal niet gemakkelijk zijn voor haar.'
'Nee, ik weet het. Dat heb ik ook gezegd tegen Nathalie.'
'En David?'
'Ze dwingt hem er ook toe.'
Evie keek Steve verbaasd aan.
'Ze dwíngt hem?'
'Hij wil het niet. Maar ze hebben hem met hun tweeën overgehaald, Nathalie en Marnie.'
Evie keek naar de ingelijste kleurenfoto van Lake Ullswater bij zonsondergang, die Ray haar een paar jaar geleden met Kerstmis had gegeven.
'En als haar moeder niet wil dat ze gevonden wordt...'
'Waarom zou ze dat niet willen?'
'O,' zei Evie nadrukkelijk. 'Om een heleboel redenen.'
'Nou, ik denk dat Nathalie dat risico wil nemen.'
'Ze zet wel veel op het spel.'
Steve zuchtte.
'Ze zegt dat ze meer op het spel zet als ze niet gaat zoeken.' Hij steunde met zijn ellebogen op zijn knieën en vouwde zijn vingers in elkaar. 'Ze zegt dat ze nog nooit iets zo belangrijk heeft gevonden, behalve Polly.'
Evie zei langzaam: 'Dan moet je haar dat laten doen, lieverd.'
'Het is geen kwestie van laten doen.'
'Dan moet je haar helpen.'
'Ik weet het. Dat zei ik toch?'
'Ik hield niet van mijn vader,' zei Evie opeens. 'Soms haatte ik hem. Hij was vreselijk tegen mijn moeder. Misschien dat ik daarom...' Ze brak af en haalde diep adem. Toen zei ze: 'Maar in elk geval weet ik wie het was van wie ik niet hield.'
'Net als pa en ik,' zei Steve.
'Dat moet je niet zeggen...'
'Het is zo.' Hij keek weer naar haar. 'Ga je dit aan pa vertellen?'
'Hij zal het niet leuk vinden,' zei Evie. 'Hij houdt er niet van als dingen door elkaar gegooid worden.'

'Ik ook niet.'

Evie gaf een klopje op zijn hand.

'Misschien komt de boel dan tot rust.'

'Er was niets aan de hand, mam!'

Evie rechtte haar rug. Ze keek weer naar de foto van Lake Ullswater en zei toen: 'Anders zou ze het toch niet doen?'

Titus stond te wachten bij het hek dat beide kanten van St.-Margaret's Church omringde. Sasha had gezegd dat ze daar om half zeven zou staan, dus was hij met opzettelijke achteloosheid twaalf minuten later gekomen en had toen gemerkt dat zij zelfs nog later was. Het was nu al tien voor zeven. Titus had al meerdere malen het bord met de aankondiging van de diensten en de naam van de dominee gelezen, en de trotse opmerking dat dit de kerk met de mooiste architectuur van de omgeving was. Hij had ook de gevel bestudeerd (niet de bouwperiode die hij het mooiste vond), de hekspijlen geteld (te overdadig bewerkt, beslist negentiende-eeuws) en gezworen dat hij nog twee minuten zou wachten en dan weggaan, om die eed elke keer na een seconde weer te verbreken. Meisjes, dacht Titus, vonden stiptheid net zo noodzakelijk als schone kopjes en glazen en weten waar hun autosleutels waren. Meisjes hielden van plannen en regelen: zij waren degenen die wilden weten hoe laat en waar opdat ze konden besluiten wat ze zouden aantrekken en of ze make-up op moesten doen. Meisjes, zo hielp Titus zichzelf herinneren terwijl hij zichzelf voornam om niet meer op de klok op de kerktoren te kijken, waren degenen die zich in een relatie druk maakten over wat je van hen vond, die zelden de boventoon voerden, die de aangename behoefte voelden om zich te schikken en vol begrip te zijn. In elk geval – Titus schopte geërgerd tegen de stenen rand waarin de hekken waren vastgezet – waren ze in zijn ogen altijd zo geweest. Hij wist dat hij een kleine opdonder was. Op zijn vijftiende had hij zich gerealiseerd dat hij de lengte van zijn moeder zou krijgen en niet die van zijn vader, en had aldus zijn plan getrokken. In elk geval was hij breedgebouwd, al was hij klein, en er mankeerde niets aan zijn gezicht of zijn tong of zijn haar of zijn spitsvondigheid. Algauw bleek dat er ook niets mankeerde aan zijn vermogen om meisjes te versieren. Toen hij twintig was, had hij al zoveel meisjes versleten dat zijn broers gedwongen waren hun afgunst te verbergen achter zielige pogingen om hem te bespotten en te treiteren. Titus deed of hij hen negeerde. In plaats van erop in te gaan, jatte hij hun meisjes onder hun neus vandaan en ging gewoon zijn gang. En dat bleef zo doorgaan tot hij Sasha ontmoette.

Hij maakte zijn das los en trok die heftig tussen de spijlen door. Sasha. Wat was dat toch met Sasha? Ze zag er weliswaar prachtig uit, maar ze was idioot lang, waardoor hij er belachelijk uitzag naast haar, en ze kon afschuwelijk ernstig en new-age-achtig doen en ze kleedde zich op een zogenaamd potteuze manier die hij niet kon uitstaan. Hij haatte haar laarzen uit de grond van zijn hart, en ze droeg ze altijd. En als ze ze niet droeg, en ze naast die van hem slingerden op de vloer van de woonkamer of de slaapkamer, zei hij: 'Moet je zien! Het lijkt wel of ze van de een of andere bouwvakker zijn' en dan glimlachte ze en merkte luchtig op: 'Je bent nogal onder de indruk van ze, hè?' en dan moest hij haar bewijzen dat hij mans genoeg was om alle laarzen van de wereld te negeren. Hij had een keer geprobeerd om sexy laarzen voor haar te kopen, strakke laarzen met naaldhakken, en ze had hem uitgelachen. Ze had gewoon gelachen. En toen had ze zich omgedraaid en was weggelopen in die vervloekte bouwvakkerslaarzen. Titus trok zo heftig aan zijn das dat de wol knarste door de spanning. Boven hem sloeg de kerkklok zeven uur.

'Goh, wat ben jij punctueel,' zei Sasha.

Ze stond achter hem, in de lange marinejas die ze in een legerdumpzaak had gevonden. Hij begon zijn das los te maken.

Hij zei, opzettelijk zonder zich om te draaien: 'Je bent een halfuur te laat.'

'Ik ben precies op tijd.'

'Je zei half zeven.'

'Ik heb zeven uur gezegd.'

'Larie,' zei Titus. 'Gezwets.'

'Wat praat je toch raar,' zei Sasha. 'Waar heb je eigenlijk je opleiding gehad?'

'Dat weet je heel goed.'

'Als je loopt te mokken,' zei Sasha, 'dan zoek ik wel iemand anders om mee te spelen.'

Titus draaide zich vlug om.

'Ik loop niet te mokken.'

Sasha boog zich iets voorover en kuste hem op de mond. Hij voelde heel even haar natte tong. Hij rukte de das van het hek en sloeg die om haar hals in één vloeiende beweging.

'Hebbes.'

Sasha wachtte even en dook toen met haar hoofd onder de das uit.

Titus zei: 'Ik sta hier al een halfuur te wachten!'

Sasha zuchtte.

'Dat gesprek hebben we al gehad.'

'Maar het was nog niet klaar.'

'Voor mij wel,' zei Sasha. 'Hou je er over op of moet ik weggaan?'

Titus aarzelde even. Toen rechtte hij zijn rug, sloeg zijn das over een schouder en pakte vastberaden Sasha's hand.

'Sorry,' zei hij. Hij keek lachend naar haar op. 'Ik heb een rotdag gehad.'

'Aha,' zei Sasha. Ze begon te lopen en trok hem mee.

'Hoezo aha?'

'Het is "ik heb een rotdag gehad dus bezorg ik iemand anders een rotavond", bedoel je dat?'

'Nee,' zei Titus. 'Helemaal niet.'

'Wat was er zo rot aan?'

'Steve...'

'Aha,' zei Sasha weer. Ze zwaaide Titus' hand even heen en weer. 'Ik mag Steve wel.'

Titus deed zijn uiterste best om niet te zeggen: 'Hij is getrouwd', en zei op een schijnheilige toon die hij nooit in het bijzijn van zijn broers zou gebruiken: 'Ik mag hem ook.'

'Nou dan?'

'Hij was uit zijn humeur. Vreselijk uit zijn humeur.'

'Dat zijn we allemaal weleens.'

'Maar niet op deze manier. Dat heeft Steve anders nooit. Hij wordt niet goed als er een pen scheef op je bureau ligt, maar hij wordt nooit emotioneel. Dat houdt dus in dat hij er geen ervaring mee heeft en áls hij dan van slag is, lijkt hij net iemand die voor het eerst in het diepe wordt gegooid en te horen krijgt dat hij moet zwemmen. Een hoop gespartel. En helemaal geobsedeerd door hoe pennen horen te liggen.'

Twee tieners op skateboards vlogen voorbij, grinnikend om het verschil in lengte tussen Sasha en Titus.

Sasha keek hen even na en informeerde toen achteloos: 'Waar was hij dan van slag door?'

Ze bleven staan om de straat over te steken.

'Geen idee...'

'Dat kan niet,' zei Sasha. 'Je kunt niet de hele dag samen in zo'n kleine ruimte zitten en geen enkel idee hebben.'

Titus wierp haar een scherpe blik toe.

'Wat kan het jou schelen? Vanwaar die belangstelling?'

Sasha stak over en sleepte Titus mee.

'Wat denk je? Vanwege Nathalie natuurlijk. Door wat ik in haar heb gezien.'

'Nou,' zei Titus nijdig, 'dat heb je dan helemaal verkeerd gezien, hè?'

Sasha bleef staan. Ze bleef stokstijf op het trottoir staan en trok haar hand weg.

'Nee, Titus,' zei ze op die toon waarop ze hem altijd een psychologische theorie uitlegde. 'Nee, ik heb het niet verkeerd gezien.'

Hij glimlachte en zei een beetje triomfantelijk: 'Waarom probeert ze dan een bureau te vinden dat haar moeder voor haar kan zoeken?'

Sasha zei niets. Ze ging in het verlichte vierkant staan dat uit de etalage van een tijdschriftenwinkel viel. Titus volgde haar. Hij legde een hand op haar mouw en streelde die.

'Sorry.'

Sasha bleef even stil en toen zei ze: "Wat is er gebeurd?'

'Hij vertelde het opeens,' zei Titus. 'Toen de meisjes gingen lunchen vroeg ik waarom hij zo onuitstaanbaar deed, en toen kwam het er allemaal uit.'

'Wat zei hij precies?'

Titus keek op. Sasha's gelaatstrekken werden benadrukt door de schaduwen uit de etalage, en ze zag eruit als een verrukkelijk gevaarlijke walkure. Hij slikte.

Hij zei: 'Nou, het lijkt erop dat ze je niet de waarheid heeft verteld of zoiets. Ze heeft besloten dat ze haar biologische moeder wil vinden en ze wil dat haar broer ook zijn moeder gaat zoeken.'

'Haar broer?'

'Haar geadopteerde broer. Dave. Hij legt tuinen aan.' Hij wierp een blik op Sasha. 'Vind je het niet erg?'

Ze keek glimlachend op hem neer.

'Nee,' zei ze. 'Waarom zou ik?'

'Nou,' zei Titus, terwijl hij zijn gewicht op zijn andere been liet rusten. 'Omdat je het verkeerd had. Ze heeft je voor de gek gehouden.'

'Of zichzelf,' zei Sasha. 'Dat maakt het zo interessant.'

'Interessant?'

'Het bewijst de theorie,' zei Sasha. 'De theorie dat iedereen die geadopteerd is, wil weten waar hij vandaan komt. Diep vanbinnen. Gebrek aan belangstelling is alleen maar een façade.'

'Maar je geloofde haar!'

'Dat vraag ik me af,' zei Sasha. 'Geloofde ik haar wel?'

'Toe nou...'

'Ik heb naar haar werk gevraagd,' zei Sasha. 'Ik vroeg wat ze deed met al haar artistieke talent, en ze deed heel ontwijkend. Ik kreeg niet het idee dat ze veel deed. Alleen af en toe iets voor vrienden. En dat is natuurlijk klassiek.'

'Klassiek?'

'De afwijzing die geadopteerde mensen voelen heeft niet alleen invloed op hun relaties, maar ook op hun werk. Ze worden verlamd door angst om afgewezen te worden, dus doen ze niet eens meer moeite. Het lijkt op luiheid, maar dat is het niet. Ze willen vaak beter zijn dan wie ook, maar ze kunnen het niet opbrengen.'

Titus pakte haar hand weer.

'Sáái,' zei hij met een glimlach.

'Niet voor Nathalie.'

'Voor mij wel...'

'En niet,' zei Sasha terwijl ze teruglachte, 'voor Steve.'

'Ik heb zin in een borrel,' zei Titus luid.

'O ja?'

'Ik heb zin in een borrel, met jou, en dan nog een, en dan misschien nog een, en daarna Thais eten en dan...'

Sasha boog zich voorover en kuste hem weer. Deze keer voelde Titus haar tong iets langer in zijn mond, en tot zijn ontzetting hoorde hij zichzelf even naar adem snakken. Sasha trok zich terug.

'We zullen zien,' zei ze. 'In elk geval gaan we een borrel drinken.'

6

Daniel lag op zijn bed. of liever gezegd, hij lag er dwars op met zijn hoofd op de rand en zijn voeten tegen de muur. Aan de muur hingen posters, hoofdzakelijk van sporters, en Daniel had zijn voeten ertussen geplaatst om niet een van Ian Thorpes oren of Andrew Flintoffs neus te bedekken. Daniel was geen fanatieke zwemmer, maar hij was dol op cricket. Hij kon precies – als er al iemand was die het ook maar iets interesseerde – alle namen van de belangrijkste cricketteams opnoemen, zelfs die van Bangladesh en Sri Lanka.

Hij verschoof zijn voeten even en tikte tegen Thorpes kin.

'Attapattu,' dreunde hij in stilte op. 'Sangakkara. Jayawardene...'

Hij haalde zijn voeten van de muur en drukte zijn knieën tegen zijn borst, heel hard, terwijl hij zijn dijbenen met zijn handen omlaag duwde om niet meer te denken aan deze oneindige middag, de eindeloosheid van deze ongewilde vrije dagen waarop zijn moeder aandrong dat hij zichzelf moest zien te vermaken. Daar was ze heel fanatiek in, dat Daniel en Ellen leerden om in hun vrije tijd zelf initiatieven te nemen in plaats van alleen te reageren op die van anderen. Ze legde uit, op haar redelijke manier en om een stortvloed van klachten over oneerlijkheid te voorkomen, dat dit niet gold voor Petey, die te jong was om te begrijpen hoe belangrijk het was om jezelf te kunnen vermaken, en ook te jong – zoals altijd bofte Petey – om te weten hoe het was om je te vervelen. Als Petey groter was, zei Daniels moeder, dan moest ook hij leren om zichzelf bezig te houden, net als Daniel en Ellen nu.

Daniel drukte zijn knieën nog verder omlaag en deed ze uiteen zodat ze langs zijn gezicht konden glijden tot naast zijn oren. Door zijn moeders ideeën op dit gebied was hij de enige jongen die hij kende – en waarschijnlijk de enige jongen op de hele wereld – die geen computer in zijn slaapkamer had. De enige computer, behalve die van zijn vader, was een oud toestel dat beneden in dezelfde kamer huisde als de enige televisie, en dat onderworpen was aan dezelfde strikte gebruiksregels. Daniel hief zijn knieën op en probeerde ze in zijn oogkassen te drukken. Af en toe leek het wel of zijn ouders aan hetzelfde soort geheugenverlies leden, het soort waardoor je je niet meer kunt herinneren hoe het was om anders te zijn dan oud en saai.

Zijn moeder had haar jeugd natuurlijk doorgebracht in Canada. Dat gaf haar een volgens Daniel vreselijk oneerlijke voorsprong en daardoor geen enkel excuus om haar eigen kinderen met deze enorme verveling op te zadelen. Zijn moeder had haar jeugd vast, net als Daniel in die heerlijke zomerweken in Canada, doorgebracht met vissen op het meer, vuurtjes stoken, hutten bouwen en tennissen met haar broers, die fantastische ooms die voor Daniel alle mannelijkheid vertegenwoordigden die verder alleen was weggelegd voor de Engelse cricketploeg die de wereldbeker had gewonnen. Daniels Canadese ooms konden alles doen wat ze wilden met een stok of een slaghout of een geweer of een open bestelauto, en om eerlijk te zijn kon zijn moeder dat ook bijna allemaal. Alleen als ze weer weg was uit Canada en terug in Westerham, leek ze zich weer alle beperkingen te herinneren, en dan begreep ze niet meer dat extra training voor cricket veel belangrijker was voor Daniels ontwikkeling dan een boek lezen of een schaalmodel maken of – kon het erger – kóken. Daniel snapte niets van koken, niet omdat het iets voor meisjes was, maar omdat het volslagen nutteloos was om uren te hakken, snijden, mengen en roeren terwijl je lekkerder eten kon krijgen uit pakjes en plastic potjes en folieschaaltjes. Als hem werd gevraagd wat hij het lekkerste vond, zei hij altijd een cheeseburger en patat op een heel goede zitplaats tijdens een testmatch, en vervolgens voegde hij er na enig nadenken aan toe dat de burger en patat eigenlijk niet zo belangrijk waren.

Hij legde zijn voeten plat tegen de muur onder de posters, en zette zich af tot zijn schouders omhoogkwamen van het bed en hij zijn handen achter zich op de vloer kon zetten. Ellen kon de handstand doen. Ze kon ook een stukje op haar handen lopen en voor iemand van twaalf was ze heel goed in tennis. Ellen was nu op de

Westerham Tennis Club tijdens de juniorenmiddag haar service aan het oefenen met een emmer vol ballen naast haar. Ze was er op de fiets naartoe gegaan en als ze klaar was, zou ze op de fiets terugkomen en de keuken inlopen met een uitdrukking op haar gezicht alsof ze van alle kanten goedkeuring verwachtte. Daniel kon haar wel slaan als ze zo keek. Ellen wist hem altijd het gevoel te geven dat het heel triest was om gewoon een jongen te zijn.

Hij overwoog een koprol achterover te maken, maar bedacht zich. In plaats daarvan gleed hij onbehouwen van het bed en viel met zijn stuitje op de vloer. Toen stond hij op en liep naar het raam. Vier golfers verlieten net de green die het dichtst bij de tuin lag, en trokken hun karretjes achter zich aan. Een windvlaag deed hun jacks hier en daar op een komische manier opbollen. Daniel mocht niet langer kwijtgeraakte golfballen zoeken en terugverkopen aan de spelers, maar diep in zijn hart was dat verbod voor hem niet onherroepelijk. Hij beschouwde het meer als iets wat zijn ouders liever niet wilden weten dan als iets waarvoor hij zou worden gestraft als hij het toch deed.

Hij liep door de kamer en deed heel zacht zijn deur open. Hij wist dat zijn moeder met Petey naar peuterzwemles was en dat zijn vader deze middag zijn administratie bijwerkte. Dat hield in dat hij weliswaar op Daniel moest passen, maar niet echt op hem lette, laat staan dat hij wist wat Daniel in de zin had. Daniel liep op zijn tenen over de smalle overloop en keek naar de gang beneden. De deur van zijn vaders werkkamer stond op een kier, en Daniel kon de achterkant van zijn trui zien en de gloed van het computerscherm. Daniel besloot dat hij zo snel mogelijk naar beneden moest glippen en de gang door, om dan achteloos te roepen: 'Ik ben even in de tuin, pap' en naar buiten te vluchten. Op die manier zou David amper gestoord worden in zijn concentratie.

Daniel kwam met iets te veel vaart en daardoor met meer lawaai beneden dan hij van plan was geweest.

'Ben jij dat?' zei David zonder zich om te draaien.

'Ja,' antwoordde Daniel.

'Wat heb je gedaan?'

Daniel zuchtte.

'Niets.'

'Zoals?'

Daniel zuchtte nogmaals. Met tegenzin liep hij door de gang tot hij in de werkkamer van zijn vader kon kijken. Op het computerscherm stonden geen cijfers, maar een schaakbord. Daniel zag dat de zwarte schaakstukken bijeen stonden in de linkerbovenhoek en de witte verspreid over de rest van het bord. Hij kwam dichterbij.

'Wat ben je aan het doen?'

'Schaken,' zei David. Hij verschoof een stuk. 'Het gaat slecht. Moet je zien. De toren van de koningin is nog niet van zijn plek geweest. Je schiet er niets mee op om midden in een spel af te wachten.'

Daniel schuifelde een beetje met zijn voeten. Hij voelde zich niet op zijn gemak met schaken. Zijn vader probeerde hem nu al drie jaar schaken te leren, sinds hij zeven was, maar hij wilde het niet. Niet dat hij het niet kon leren, maar hij wilde het gewoon niet, en zijn vader voelde zich gekwetst. Dat kon Daniel zien, die gekwetste blik in Davids ogen. Hij wilde hem geen pijn doen, maar hij wist niet hoe hij het anders moest doen. Iets in hem deinsde gewoonweg terug voor schaken, voor dat volledige erin opgaan waardoor zijn vader, vond Daniel, zich te vaak terugtrok van zijn gezin. Al die vaste schaakavonden, de afspraken met schaakvrienden, de... ja, volgens Daniel volslagen afwezigheid van de teamgeest die hem juist zo leuk leek. Toen hij daar zo opgelaten achter zijn vader stond en naar de kleine schaakstukken op het scherm keek, kwam het niet bij hem op om te vragen waarom zijn vader aan het schaken was in plaats van zijn administratie te doen, maar hij vroeg zich wel af waarom zijn vader sowieso aan het schaken was.

'Waarom doe je dat?'

'Wat?'

'Schaken?'

Het bleef even stil. Toen bewoog David met de muis en het scherm werd abrupt leeg.

Hij zei, met zijn blik nog steeds op het lege scherm gericht: 'Omdat ik me dan prettiger voel.'

Daniel wist dat hij nu hoorde te vragen: 'Wat is er?', maar dat was een moeilijke vraag. Soms wilde je niets liever dan dat iets werd gevraagd en soms vond je het juist vreselijk, en als jij degene was die het moest vragen, volgde er misschien van alles, net als wanneer je gewoon een handdoek uit de kast wilde pakken en de hele stapel eruit viel die dan helemaal opnieuw opgevouwen moest worden. Daniel schuifelde weer met zijn voeten.

Hij mompelde bijna automatisch: 'Sorry.'

David stiet een lach uit. Hij draaide zich om en keek naar Daniel.

'Wat bedoel je met "sorry"?'

Daniel haalde zijn schouders op.

'Niets.'

Het bleef even stil, en toen zei David: 'Vind je het leuk als ik voor je ga bowlen?'

Daniel knikte gretig. De werkkamer van zijn vader leek opeens kleur te krijgen. David stond op en rekte zich uit.

'Nou, vooruit dan maar.'

Daniels schouders gingen hangen.

'Vind je het vervelend?'

'Nee,' zei David. 'Nee, helemaal niet. Juist leuk. Dan hoef ik niet meer zo te denken.'

Het had Nathalie een week gekost voor ze de moed vond om een onderzoeksbureau voor adoptiekinderen te bellen. Het heette Family-Find, en ze had het telefoonnummer na veel aandringen gekregen van een vrouw bij Sociale Zaken, die liever had gewild dat Nathalie via de overheidsinstanties op zoek zou gaan, of in elk geval via een bureau dat door de overheid was goedgekeurd. Ze had Nathalie bekeken met iets van weerzin, vond Nathalie, alsof zij ondankbaar was terwijl ze beter hoorde te weten. Ze deed Nathalie denken aan haar eerste onderwijzeres op de lagere school, die haar afkeer niet had kunnen verbergen toen Nathalie een driftbui kreeg omdat ze niet Maria mocht zijn in het kerstspel. Lynne was zo lief en troostend geweest en als reactie had Nathalie zo hard in Lynnes hand gebeten dat die was gaan bloeden. De gevolgtrekking was dat Nathalie haar weldoener had beledigd, en nu kreeg ze dezelfde reactie. Ze keek de vrouw van Sociale Zaken aan en zei dat ze een speciaal geval was en recht had op een speciale behandeling.

'En waarom dan wel?'

'We zijn met ons tweeën,' zei Nathalie.
'Met twee?!'
'Mijn broer en ik.'
'En jullie hebben dezelfde moeder?'
'Nee, juist niet.'
'Nou, dan...'
'Het is een dubbele zoektocht,' zei Nathalie. 'En we hebben een speciale behandeling nodig voor het geval dat we er niet hetzelfde over denken.'
'En dat zal beslist het geval zijn,' zei de vrouw. Ze trok een la open en haalde er een stapel blauwe brochures uit. Op bijna onvriendelijke toon zei ze: 'Jullie kunnen deze mensen proberen.'
Nathalie keek naar de blauwe brochure. Op de voorkant stond een tekening van twee mannen en twee kinderen en in het midden een vrouw die eruitzag alsof ze niet wist naar welke kant ze moest kijken. Boven de tekening stond: FAMILYFIND en eronder: 'Wij bieden een compleet onderzoek voor iedereen die geadopteerd is en voor hun biologische verwanten.' Ze draaide de brochure om. Op de achterkant stond een e-mailadres en een telefoonnummer in Londen.
Aarzelend vroeg ze: 'Kan ik dat gewoon bellen?'
'Natuurlijk,' zei de vrouw. 'Als u het wilt.'
Nathalie legde de brochure in een keukenla toen ze thuiskwam, niet echt weggestopt, maar tussen de papieren servetten en kartonnen bordjes die waren overgebleven van Polly's vorige verjaardagsfeestje. Ze las de brochure vlug door voor ze hem wegstopte, en merkte dat de aanwezigheid ervan ingewikkelder was dan ze had verwacht, boeiender, alsof die de sleutel was tot allerlei mogelijkheden die waarschijnlijk helemaal niet zo aangenaam waren. En ze wist werkelijk geen reden voor deze totale ommekeer, deze plotselinge wens om te doen waarvan ze altijd vastberaden had gezegd dat ze er totaal niet in geïnteresseerd was. Ze had tegen Steve en Lynne gezegd dat het was begonnen door Polly's oorklachten, maar zelfs zij begreep dat die amper een oorzaak konden zijn geweest. Polly's oor was gewoon een minuscule, natuurlijke afwijking, niets erfelijks en lang niet zo angstaanjagend als een beschadigd trommelvlies en nodige slakkenhuisimplantaties. Ze was zelfs heel on-

bezorgd naar Titus' vriendin gegaan, met het gevoel dat ze luchtig alle bekende vragen kon afwimpelen, al die vermoeiende, betuttelende vooroordelen waarmee mensen die niet geadopteerd waren, zo snel – bijna gretig, vond Nathalie – klaarstonden. Maar toen ze wegging van die afspraak werd ze door iets overvallen, niet direct kwaadheid en zelfs niet dat gevoel van verlorenheid dat ze tegen Steve had geprobeerd te beschrijven, maar meer een soort schaamte. Ze stond op het trottoir, twintig meter van de gelegenheid waar zij en Sasha koffie hadden gedronken, en ze voelde een golf van schaamte over zich komen, de brandende schaamte die je voelt als je publiekelijk vernederd wordt en het ontegenzeggelijk je eigen schuld is. Hoe kon ze het hebben gedaan, vroeg ze zich af, hoe kon ze zich al die jaren hebben voorgedaan – welbespraakt, vaak, vol zelfvertrouwen – als een bepaald persoon terwijl ze in feite heel iemand anders was? Hoe kon ze doen alsof – was liegen eigenlijk geen beter woord? – tegen al die mensen zoals Lynne en Ralph en Steve, die van haar hielden en die haar hadden geloofd? Hoe kon ze hebben beweerd dat ze het niet alleen niet erg vond om geadopteerd te zijn maar er zelfs de voorkeur aan gaf, terwijl ze al die tijd wist dat ze een eenzame, moeilijke, ongelukkige weg had gekozen die door Polly's zo gewenste komst alleen maar benadrukt werd?

Of was het echt zo geweest? Had ze in alle ernst het ene geloofd en nu in alle ernst het andere? Hoorden haar gevoelens bij haar onvermogen om dingen vol te houden, om carrière te maken in plaats van allerlei onbenullige baantjes aan te nemen waar Steve gek van werd omdat hij zei dat ze haar talent verspilde? En hoe, dacht Nathalie terwijl ze naar de onschuldige grenenhouten voorkant van de la keek die de blauwe brochure verborg, moest deze speurtocht naar haar moeder daar iets aan veranderen? Stel dat haar moeder dood was?

Maar – en daar keerden haar koortsachtige, woelige gedachten steeds naar terug – ze móést het doen. Ze wist dat ze geen rust zou krijgen tot ze het had gedaan, dat ze dan zou zijn als iemand die zich niet kan concentreren omdat hij steeds op het doorslaggevende telefoontje wacht, op de beslissende klop op de deur. Ze had geprobeerd dit uit te leggen aan Lynne, om Lynne te laten inzien dat het niet door de een of andere tekortkoming van haar was dat Nathalie de vrouw wilde zoeken die haar op de wereld had gezet. Lynne had daar gestaan in haar tuin, waar ze Nathalie mee naartoe had genomen om haar de voorjaarsbloemen te laten zien, en steeds weer gezegd: 'Maar ik dacht dat je alles had wat je wilde!'

'Dat dacht ik ook,' zei Nathalie.

Lynne bukte zich om een narcis rechtop te zetten.

'Je hebt altijd gezegd...'

'Ik weet het, mam. Dat heb ik ook altijd gezegd.'

'Ik vind het moeilijk om het niet persoonlijk op te vatten,' zei Lynne terwijl ze de gebogen bloem tegen een rechte liet leunen.

'Mam...'

'Ik heb altijd het gevoel gehad,' zei Lynne, nu knielend op het natte gras, 'dat ik jou en David op de een of andere manier had gered. Zelfs toen ik met mijn eigen teleurstellingen te kampen had, zei ik tegen mezelf dat ik in elk geval iets goeds had gedaan, dat ik twee kinderen een kans had helpen geven die ze anders misschien niet zouden hebben gehad. Ik weet dat je niet zo mag denken, maar dat is moeilijk als mensen steeds tegen je zeggen dat je iets goeds hebt gedaan.'

'Dat heb je ook,' zei Nathalie.

'Ik zei steeds tegen mezelf: "Ik wil een baby, ik wil een baby". Je vader zei dat ik dat niet moest zeggen, dat ik in plaats daarvan moest zeggen dat ik een kind wilde grootbrengen.' Lynne keek op naar Nathalie. 'Als je je moeder vindt, weet je dan niet wat ik daardoor word?'

Nathalie schudde haar hoofd.

Lynne zei mistroostig: 'Dan word ik in plaats van de redder de vrouw die het kind van een andere vrouw heeft weggenomen.'

Nathalie hurkte naast haar neer.

'Jij wordt niet anders, mam.'

'Nee, ik word niet anders. Niet als persoon. Maar wel hoe ik lijk. En Polly? Wat voor oma word ik als Polly deze nieuwe oma krijgt?'

'Misschien gebeurt het niet.'

'Wat niet?'

'Misschien kan ik haar niet vinden. Misschien vind ik haar helemaal niet aardig.'

'Waarom neem je dan zo'n groot risico?'

'O, mam,' zei Nathalie. Ze boog zich voorover en pakte Lynne bij de armen. 'Omdat ik het wil wéten. Ook al vind ik het niet leuk, ik moet het weten. Jij weet het toch ook? Jij weet toch wie je moeder was?'

Lynne trok zich los en stond op.

'In elk geval wil David...' Ze brak af.

'In elk geval wil David wat?'

'Hier niet aan meedoen.'

Nathalie stond ook op.

'Maar dat doet hij wel.'

'Nee, hij wil het niet. Jij dwingt hem.'

'Ik kan hem niet dwingen, mam, al zou ik het nog zo graag willen. Hij is bang, net als ik, maar hij doet het wel.'

Lynne deed een stap opzij en begon aan een bloeiende bessenstruik te frummelen.

'Daniel was gisteren hier. Hij heeft je vader geholpen. Hij is heel handig.'

'Mam,' zei Nathalie. 'Er verandert niets tussen jullie en je kinderen en tussen jullie en je kleinkinderen.'

'Dat weet je niet,' zei Lynne.

Nathalie sloeg haar handen voor haar gezicht.

'Vertrouw me alsjeblieft!'

Lynne zei niets.

Nathalie haalde haar handen weg en zei kwaad: 'Hoor eens, ik hóéfde jou of Steve of wie dan ook niets te vertellen. Ik had gewoon in het geheim naar dat opsporingsbureau kunnen bellen en mijn moeder ontmoeten – als ze nog leeft – en niemand van jullie had het geweten. Maar dat heb ik niet gedaan. Ik heb jullie alles verteld, vanaf het begin. En als dat niet getuigt van liefde en vertrouwen en alles wat me zo te horen volgens jou ontbreekt, dan weet ik het niet meer!'

Lynne schikte de bladeren van een boerenjasmijn. Zodra ze haar hand terugtrok, schoten de bladeren terug in hun oorspronkelijke positie.

'Ik wil niet terug naar het verleden,' zei Lynne.

Nathalie zei niets. Lynne pakte de boerenjasmijn weer beet.

'Ik begrijp heus wel wat je wilt doen. Ik zou nooit proberen om je tegen te houden. Dat weet je. Maar het is zo'n groot risico, alles wordt opengereten waarvan ik dacht dat het geheeld was, alle dingen waarvan ik dacht dat ik ze had aanvaard.'

Nathalie deed haar ogen dicht. Zij en Lynne hadden een lang en moeilijk gesprek gehad over onvruchtbaarheid toen ze had ontdekt dat ze, eindelijk, zwanger was van Polly. En ze had op dit moment helemaal geen zin om dat gesprek opnieuw aan te gaan.

Ze deed haar ogen open en zei zo neutraal mogelijk: 'Wil jij het aan pap vertellen?'

Lynne liet de boerenjasmijn los.

'O, nee.'

'Wat bedoel je... dat je het niet doet of dat hij het niet mag weten?'

'Natuurlijk moet hij het weten,' zei Lynne. 'Je moet het hem zelf vertellen.'

'Ik dacht dat jij dat liever zou doen...'

Lynne draaide zich abrupt om. Ze was iemand van wie je wist dat ze nooit boos werd, maar dat was nu wel het geval. Haar gezicht was vertrokken van kwaadheid.

'Nathalie,' zei ze, 'Nathalie. Dit staat me totaal niet aan!'

Steve zag dat Titus zijn computer aan had laten staan. Zijn screensaver, die hij ongetwijfeld zelf had ontworpen, bestond uit een reeks sereen vliegende varkens, waarvan sommige een bril op hadden. Steve keek een poos naar hun statige zweeftocht. Toen boog hij zich voorover en zette de computer uit. Op het bureau lag rond het toetsenbord een achteloze verzameling voorwerpen: paperclips, elastiekjes, een dobbelsteen, een verfrommeld buskaartje, een droptoffee in een zwart-witte wikkel. Steve voelde zich geïrriteerd en tegelijkertijd afgunstig dat de rommel Titus niet leek te deren. Hij veegde met de zijkant van zijn hand de rommel naar de rand. Titus' prullenbak was bijna vol, zag hij, en kennelijk met rommel die niets met werk te maken had. Steve haalde diep adem. De grens tussen nauwgezetheid en paranoia was snel overschreden, en het bestuderen van de inhoud van de prullenbak van een ander wees duidelijk op het laatste.

'Het is niet sexy om pietluttig te zijn,' zei Nathalie vaak tegen hem. Ze had het met genegenheid gezegd, lachend, in de tijd dat ze nog alles tegen hem kon zeggen. Dat gebeurde niet meer, en het had geen zin om te doen alsof het wel zo was. Om te beginnen lachte ze niet meer en ten tweede stond hij het niet meer toe dat ze dergelijke dingen zei. Steve gaf heel kinderachtig en niet erg accuraat een schop tegen Titus' prullenbak en liep door de studio naar zijn eigen bureau.

'Ik hoop alleen,' zei hij nijdig tegen Nathalies lachende gezicht aan de muur, 'dat je weet waar je mee bezig bent.'

'Steve,' zei iemand.

Hij draaide zich vlug om. Sasha stond bij de deur naar de trap. Ze was er half door verborgen, als een moderne versie van een waaierdanseres, zodat hij alleen één oog en één oor en een lange streep donkere kleding kon zien.

'Wat doe jij hier?'

'Ik was op zoek naar Titus.'

'Hoe ben je binnengekomen?'

Sasha kwam achter de deur vandaan. Ze droeg een soort marinejas met vierkante schouders en opvallende knopen.

'De deur was niet op slot. De straatdeur.'

'Titus natuurlijk weer,' zei Steve. Hij keek naar haar. Ze droeg weer die laarzen met rode veters. Hij zei: 'Ik heb geen idee waar hij uithangt.'

'Het maakt niet uit.'

Steve zei niets.

'Eigenlijk ben ik blij jou te zien,' zei Sasha.

Steve haalde zijn schouders op.

Hij zei, bijna vals: 'Hoe is dat mogelijk.'

Sasha liep naar zijn bureau terwijl ze haar jas losknoopte.

'Wat?'

'Nou,' zei Steve. 'Nu je zo'n perfecte diagnose van Nathalies gemoedstoestand hebt gesteld, dacht ik dat je kwam om jezelf goed te praten.'

'Nee hoor,' zei Sasha luchtig.

'Dus je hebt geen enkel gewetensbezwaar over het feit dat je er honderd procent naast zat en mij hebt overgehaald om je te geloven?'

'Natuurlijk niet,' zei Sasha. 'Ik ben geen dokter!'
Steve gromde iets.
'Ik vind het allemaal juist interessant,' zei Sasha.
'Wat, dat je er helemaal naast zat?'
Sasha leunde tegen Steves bureau. Onder de jas droeg ze een strak, rood T-shirt en een zwarte broek waarvan de pijpen in haar laarzen met rode veters waren gestopt.
'Nu Nathalie open kaart heeft gespeeld,' zei Sasha, 'valt ze precies in het patroon. Het bijna universele patroon. En al die jaren van ontkenning, alsof ze al die tijd wist wat ze in werkelijkheid voelde en het niet durfde te erkennen.'
Steve kwam naar haar toe. Hij stond zo dicht bij haar dat hij haar wimpers kon zien en de scherpe hoekjes van haar neuspiercing.
Hij zei: 'Moet ik het echt nog zeggen?'
'Wat?'
'Dat ik kwaad op je ben. Heel kwaad zelfs.'
Ze glimlachte naar hem.
'Nee, dat ben je niet.'
'Pardon?'
'Steve,' zei Sasha, 'je bent inderdaad kwaad. Kwaad en bang en in de war. Wie zou dat in jouw geval niet zijn? Maar je bent niet kwaad op *míj*.'
'Wees daar maar niet zo zeker van.'
Ze glimlachte weer.
'Nou,' zei ze, 'dat accepteer ik dan niet. Ik accepteer jouw kwaadheid niet. Zoek maar iemand anders bij wie je die kwijt kan.'
'Maar je hebt me laten geloven dat...'
'Ik heb niets gedaan,' zei Sasha. 'Ik heb je alleen verteld wat Nathalie aan mij heeft verteld. En dat bleek te zijn wat ze wilde geloven en wat jij wilde horen. Eigenlijk zou je me moeten bedanken.'
'Wat...'
'Je zou me moeten bedanken,' zei Sasha, 'dat ik de katalysator ben geweest, dat ik heb gezorgd dat eindelijk de waarheid naar boven is gekomen, dat de verandering is gekomen.'
Steve wendde zich af en stak zijn handen in zijn zakken.
Hij zei, terwijl hij door de studio keek: 'Het is allemaal een beetje veel voor me.'

Sasha zei niets. Ze ging op de rand van Steves bureau zitten en liet haar voet bungelen.

Toen zei ze, op heel andere toon: 'Ik weet het.'

Steve knipperde met zijn ogen. Tot zijn ontzetting voelde hij een brok in zijn keel komen.

Hij zei met onvaste stem: 'Het...' en toen zweeg hij.

Sasha sloeg hem gade, bungelend met haar voet.

Op dezelfde zachte toon zei ze: 'Ze heeft niet een andere man gevonden, hoor.'

'Het is erger.'

'Erger?'

'Het is een ander terrein,' zei Steve. 'Gevoelens die ze had voor ik haar kende. Gevoelens waar ik geen deel van uitmaak...'

'Maar die zijn geen bedreiging.'

Steve zuchtte.

'En dan is David er nog.'

'David?'

'Het heeft ook allemaal te maken met David. Die vervloekte club waar niemand anders bij mag horen.'

'Maar ze hebben verschillende moeders...'

'En dezelfde situatie.'

'Steve,' zei Sasha. 'Ik heb hem nooit ontmoet, maar ben je misschien jaloers op David?'

Steve stiet een soort lach uit.

'Nou en of.'

'Waarom?'

'Hij weet dingen die ik nooit zal weten. Hij deelt in dingen waarin ik niet kan delen.'

Sasha vroeg nieuwsgierig: 'Hoe is hij?'

Steve stiet weer een lach uit.

'Groot, blond en knap.'

'Nou,' zei Sasha, 'jij bent groot en knap.'

'Ik begin kaal te worden.'

'Des te beter.'

Steve draaide zich om.

'Wat wil je eigenlijk?'

Ze keek hem kalm aan. Aan een leren veter droeg ze een rode

kraal die precies in het kuiltje van haar hals boven de neklijn van haar T-shirt viel.
'Dat jij je beter voelt.'
'Waarom zou je?'
'Omdat dit een ongewone en heel emotionele situatie is en jij een aardige vent bent.'
Steve zei onhandig: 'Ik dacht dat je Titus zocht.'
'Dat was ook zo.'
'Nou dan...'
'Hij is er niet. Hij zei dat hij hier tot zes uur zou zijn en het is al veel later.'
'Hij vindt je leuk,' zei Steve.
'Ik hem ook.'
'Nee, ik bedoel meer. Ik bedoel dat hij echt gek op je is.'
'Ik ben gewoon een uitdaging,' zei Sasha. Ze wierp hem een zijdelingse blik toe. 'We houden allemaal van een uitdaging.'
'Die van mij hoef ik niet...'
'Je kunt leren om het wel te willen.'
Hij zei niets.
'Ik kan het je leren,' zei Sasha kalm.
'Verwacht je nu echt dat ik vertrouwen heb in jouw oordeelkundigheid?'
Ze keek naar hem. Het licht van een van de inbouwspotjes van het plafond viel recht op haar gladde haar en verleende het een onaardse glans, als een aureool.
'Ja,' zei ze.
Steve snoof.
Sasha zei, terwijl ze zich iets naar hem toe boog: 'Je bent kwaad omdat je je hebt vergist. We houden er niet van dat ons veilige patroon verstoord wordt, we haten desillusie.'
'En wie,' informeerde Steve sarcastisch, 'ben je nu aan het citeren?'
'Steinbeck.'
'Steinbeck?!'
'Ja.'
Steve begon te ijsberen. Sasha bleef waar ze was en sloeg hem gade. Ze sloeg hem gade tot hij om Justines bureau was gelopen en naar haar terugkwam.

Hij zei: 'Zal ik je eens wat zeggen?'
'Ga je gang,' zei Sasha.
'Ze zei altijd dat het geen enkel probleem was om geadopteerd te zijn, maar nu ik terugdenk, kwam ze er steeds op terug. Steeds weer.'
'Ja.'
'Ik geloof zelfs dat er geen week voorbijging of...'
'Nee.'
'Wat ben ik toch stom geweest...'
'Nee.'
Hij keek naar haar.
'Nee?'
'Jij wordt er niet door beheerst.'
'Door wat?'
'Door wat hechtingspersonen in het eerste levensstadium wordt genoemd. Zoals een ouder die je afwijst.'
'Ik denk,' zei Steve, 'dat ik genoeg heb van dit soort praat...'
'Jammer,' zei Sasha. 'Ik vind het leuk.'
'Kun je het ook over andere dingen hebben?'
'Probeer me maar uit.'
Hij glimlachte. Hij rechtte zijn schouders en reikte naar zijn jasje dat aan een stalen haak aan de muur hing.
'Bij een borrel,' zei Steve.

7

Marnie liet Peteys bad vollopen met die aandacht voor het ritueel die troostrijk is als je geen controle meer hebt over andere dingen in het leven. Zijn handdoek – een vierkante met in een hoek een capuchon, overgebleven van zijn babytijd – lag klaar op de badkamerstoel, en zijn pyjama hing over het verwarmde handdoekenrek. Petey was echter niet in de badkamer, maar lag op de vloer van zijn slaapkamer in een van zijn heftige en bijna geluidloze driftbuien waar hij last van had sinds hij bijna twee was.

In theorie wist Marnie natuurlijk alles van die driftbuien. Ze had stapels aantekeningen geschreven, tijdens haar opleiding tot peuterleidster, over de behoefte van het kleine kind om zelf iets van de kracht van zijn almachtige ouders te krijgen, en dat die behoefte zich vaak vertaalde in driftbuien. Maar op de een of andere manier kon ze Peteys driftbuien niet met dezelfde kalme zelfverzekerdheid hanteren die ze had gevoeld en getoond toen Ellen en Daniel in dat stadium waren. Ze herinnerde zich duidelijk de energie en consequentheid die ze had weten op te brengen, het zelfvertrouwen waarmee ze die twee schepseltjes van hun babytijd naar het eerste stadium van onafhankelijkheid had geloodst. Ze wist dat beide kinderen op de leeftijd van Petey al een sterk gevoel van erkenning en verantwoordelijkheid hadden ontwikkeld. Ze herinnerde zich Daniels bezorgdheid toen een achteloos weggegooid stuk speelgoed haar vlak bij haar oog had getroffen. Door de blauwe plek was hij dagen van streek geweest. Maar Petey was anders dan Daniel. Hij was een lieve en gemakkelijke baby geweest, maar het leek alsof hij, toen zijn tweede verjaardag naderde, tot de conclusie was gekomen dat hij te lang veel te inschikkelijk was geweest en verloren tijd wilde inhalen. Die avond bijvoorbeeld had hij lopen jengelen terwijl ze zijn eten klaarmaakte, en toen ze zijn plastic bord voor hem zette, had hij met beide handen in de inhoud gegraaid en die om zich heen gegooid, terwijl hij haar strak en met een lege blik aankeek. Toen ze hem berispte, had hij meteen een van zijn driftaanvallen gekregen. Veertig minuten later was die nog niet over. Hij lag op zijn rug te schokken op het kleed naast zijn bedje, terwijl zijn zijdeachtige lichte haar uitwaaierde als de tentakels van een zeeanemoon en zijn gezicht vertrokken was in een grimas van woede.

Marnie knielde neer bij het bad en liet haar hand door het water glijden. Als Petey over vijf minuten nog niet klaar was, zou ze Ellen roepen, besloot ze. Ellen was goed met Peteys woedeaanvallen omdat ze haar niets deden. Ze liet Petey duidelijk blijken dat zijn buien haar verveelden, dat ze meestal niet eens merkte dat hij er een had omdat ze zo slaapverwekkend waren. Dan ging ze zijn kamer in terwijl ze deed of ze aan iets anders dacht, stapte over hem heen alsof hij een stuk tapijt was en begon achteloos te spelen met iets wat hij leuk vond, of nog liever met iets waarmee hij alleen af en toe mocht spelen. Vaak was het slechts een kwestie van een paar seconden voor Petey zijn woede van zich had afgeschud alsof het een deken was, en smeekte om mee te mogen doen met waar Ellen zo in verdiept leek. Marnie wist dat ze Ellen had kunnen roepen zodra Peteys gepofte aardappel en erwtjes en geraspte kaas door de keuken vlogen, maar dat had ze niet gedaan. En ze had het niet gedaan – ze deed haar ogen dicht en woelde harder met haar hand door het water – omdat ze niet wilde dat Ellen de leiding nam, omdat ze nu niet wilde dat er ook maar iets van zou blijken dat haar controle over het huishouden en de vaardigheid en voldoening die tot nu toe zo heerlijk háár hadden toebehoord, haar begonnen te ontglippen. Nu David door nieuwe dingen in beslag werd genomen – hoe ze er ook op had aangedrongen, en hoe zeker ze ook was dat ze als een goede echtgenote had gehandeld door aan te dringen – en zich steeds meer terugtrok van het gezin, van haar, kon Marnie het niet aan om nog meer dingen over te dragen en wilde ze de belangrijke moederrol niet afstaan die ze had gekozen – ja, gekózen – toen Petey werd geboren.

Ellen verscheen in de deuropening. Ze droeg de roze short waarin ze eerder die dag had getennist, en een strak topje dat haar prille borsten benadrukte en haar bleke, jonge middenrif bloot liet.

'Petey heeft weer een bui.'

'Ik weet het.'

'Zal ik naar hem toe gaan?'

Marnie legde haar handen tegen de rand van het bad en duwde zichzelf overeind.

'We zullen hem maar met rust laten.'

'Waarom?'

'Hij heeft zijn eten door de keuken gegooid.'

'Misschien heeft hij honger.'

'Dan blijft hij maar honger houden.'

'En huilen?'

'Ellen,' zei Marnie. 'Hij is het derde kind dat ik heb grootgebracht.'

Ellen trok aan haar topje.

'Je kunt niet steeds gelijk hebben. Dat kan niemand.'

'Van sommige dingen heb ik echt wel verstand.'

'Waar ik zo'n hekel aan heb in deze familie,' zei Ellen, 'is dat iedereen denkt dat ze alles weten van iets. Pap weet alles van schaken, Daniel weet alles van cricket. Jij weet alles van kinderen. Als ik kinderen krijg zal ik zorgen dat ik een beetje weet van een heleboel dingen. Ik ben niet van plan om ook maar over één ding de alwetende te spelen. Geen wonder dat Petey die driftbuien krijgt.'

Marnie bukte zich en vouwde Peteys handdoek opnieuw op.

'Je zult merken dat je kennis wordt ingegeven door ervaring. En erdoor bevestigd wordt.'

'Dan zal ik heel wat ervaring moeten opdoen, hè?'

'Ellen,' zei Marnie, 'ik heb nu de energie niet voor dit soort gesprekken.'

'Nou, waarom laat je me dan niet naar Petey gaan?'

Marnie wendde zich af. Ze bukte zich om Peteys pyjama weer glad te strijken en haar vlecht viel naar voren, de zware, dikke, blonde vlecht die al meer dan twintig jaar over haar schouder hing. Twintig jaar... Ze hield opeens haar adem in toen ze in gedachten zichzelf twintig jaar geleden zag, voor ze naar Engeland ging, voor de peuterschool, voor David, voor de twee jaar oude Petey die op de vloer van zijn slaapkamer lag in een woedeaanval die hij noch zij onder controle had. Ze kwam langzaam overeind.

'Ga maar,' zei ze vermoeid tegen Ellen.

Ze hoorde Ellens voetstappen over de overloop stommelen en vervolgens haar stem, luchtig, onverschillig, in de deuropening van Peteys kamer.

'Hallo,' zei Ellen. 'Vervelend kind.'

Marnie keek naar zichzelf in de badkamerspiegel. Wit T-shirt, donkere katoenen wijde bloes, schone huid, goede tanden. Misschien werd het tijd om haar haar te knippen. Misschien werd het tijd om het T-shirt en de wijde bloes af te schaffen en met Ellen te gaan winkelen. Misschien werd het tijd, te midden van al die donkere gangen die zich om haar heen openden, om eens goed na te gaan hoe ze zich voelde met al die twijfels over identiteit, hoe het voor haar was, een meisje uit Winnipeg, dat hoog had ingezet op iemand uit het buitenland en dat merkte dat – o god, alsjeblieft niet voorgoed – haar invloed was verdwenen.

Ze liep de badkamer uit. Voor Peteys slaapkamerdeur bleef ze staan en keek naar binnen. Midden in de kamer, zo goed als ze kon kijkend in Peteys kinderspiegel die was omringd door blauwe konijntjes, gaf Ellen een mooie imitatie weg van een dansende Kylie Minogue. En op de vloer naast zijn ledikantje, met zijn duim in zijn mond en zijn voeten netjes gekruist bij de enkels, zat Petey zoet naar haar te kijken.

Justine bleef bijna nooit op kantoor tijdens lunchtijd. Niet alleen moest ze eruit om een eindje te lopen, maar ze wilde ook aan Steve laten zien dat ze onafhankelijkheid kon tonen en weggaan, terwijl hij ervan op aan kon dat ze over een uurtje terug zou zijn. Als ze wegging hoefde ze ook niet te zien dat Meera nooit tijdens lunchtijd wegging van haar bureau, maar er heel onopvallend haar lunch zat te eten uit een schone plastic doos. Steve wilde natuurlijk het liefste dat ze dat allemaal deden, dacht Justine, zolang ze maar net als Meera geen rommel achterlieten, geen kruimels of vlekken of luchtjes. Justine stelde zich af en toe voor wat voor lunch Titus zou meenemen: restjes vol knoflook en chilipeper, brokken sterk ruikende kaas, mango's, sinaasappels, en dan dacht ze aan hoe Steve zou reageren: de afkeer, de afkeuring, de tweestrijd, terwijl Titus, zich van niets bewust, zijn vingers zat af te likken en schillen in de richting van zijn prullenbak wierp.

Justine had even gehoopt dat, omdat ze die week het werk voor de Greig Galerie af moesten hebben en ze had aangeboden te blijven tijdens lunchtijd, Titus zou aanbieden om ook te blijven. Ze fantaseerde even hoe hij haar zou vragen wat voor broodje ze wilde en dat hij het dan ging halen en terugkwam met iets heel anders, iets waarbij je wel móést morsen, zoals garnalen in cocktailsaus, en dat ze de broodjes samen zouden opeten in een soort lacherige, heimelijke samenzweerderigheid. Justine, die slim was en op openbare scholen had gezeten, en pas de tweede uit haar familie was die vervolgonderwijs had genoten, verafschuwde natuurlijk iemand als Titus. Zijn zelfvertrouwen, zijn dikke, donkere haar, zijn stem, zijn klaarblijkelijk totale onverschilligheid voor de onvolkomenheden van zijn afkomst en lengte, waren op hun manier goede redenen om hem te verafschuwen en hem te beschouwen als weer een voorbeeld van die stomme achterhaalde 'betere' klasse, die volgens haar vader de Conservatieve Partij zo belachelijk had gemaakt. Justine was opgevoed met een duidelijke mening over welke sociale groeperingen te min waren, en Titus hoorde zonder twijfel bij de meeste daarvan. Als ze met haar zus over haar werk praatte, noemde ze Titus de corpsbal, en haar zus, die tegenwoordig verkering had met een beroepsactivist – Justine wist niet precies voor welke zaak – zei dat ze niet snapte hoe Justine met zo'n kwal kon samenwerken.

Soms – vaak zelfs – snapte Justine dat ook niet. Titus was ontegenzeggelijk goed in wat hij deed, hij blonk vooral uit in lay-outs maken, en als hij niet op kantoor was leek het net of een ondefinieerbare elektriciteit uit de lucht verdween, alsof een spotlight werd gedoofd. Maar voor de rest was Titus op talloze punten onuitstaanbaar, vooral wat zijn onverschilligheid voor de mening van anderen betrof. Nee, dacht Justine, zijn onverschilligheid voor andere ménsen, de manier waarop hij door het kantoor liep zonder erop te letten of iemand iets nodig had of iets wilde. Of net naar de kapper was geweest.

Justine wist niet of ze wel tevreden was over haar nieuwe kapsel.

Ze had haar hele leven lang haar gehad, tot ver over haar schouders, dat ze soms achteloos opstak met een potlood. En toen had ze het afgeknipt. Alles, heel kort, en ze kon maar niet besluiten of het heel goed stond of juist niet, want het was hoe dan ook een radicale verandering. Ze had gewacht tot iemand het zou merken en uiteindelijk had Meera gezegd: 'Heel leuk' (haar eigen haar was zwart met een blauwe gloed en hing tot op haar middel) en Steve had opgemerkt: 'Dapper, hoor!' en Titus had niets gezegd. En je zou toch denken dat Titus kort haar leuk vond, als je naar die huidige vriendin van hem keek, dus had je toch minstens een knipoogje of een opgestoken duim kunnen verwachten, niet waar?

Justine at haar broodje op – kaas met koolsla, geen verstandige keus – en keek weer naar haar letters voor de Greig Galerie. Een moderne versie van rococo, hadden ze gevraagd. Wat dat ook mocht betekenen. Achter haar klikte Meera het deksel van haar plastic lunchdoos dicht en liep vlug naar het toilet beneden. Als ze terugkwam, zou ze naar tandpasta ruiken en naar l'Eau d'Issey. Justine zuchtte. Misschien werd het tijd om een andere baan te zoeken, ergens waar je niet hoefde te werken met mensen uit de onacceptabele chique kringen. De straatdeur viel dicht. Beneden deed Titus een tenor na die de titelsong van *Titanic* zong. Justine boog zich aandachtig naar haar computerscherm en friemelde aan de haarplukjes in haar nek.

'Het is niet nodig om elkaar te ontmoeten,' had de vrouw van FamilyFind gezegd. 'We kunnen het telefonisch afhandelen als je dat liever hebt.'

Nathalie had op de vloer gezeten, weggedrukt in een hoekje bij het bed als een kind dat stout is geweest, met de telefoon tegen haar oor.

'Ik weet het niet...'

De vrouw had gewacht. Ze heette Elaine, zei ze, Elaine Price. Ze had geduldig en praktisch geklonken, zoals je hoopt dat verpleegsters zullen zijn.

'Sorry,' zei Nathalie. 'Ik lijk niet in staat te zijn om besluiten te nemen, ik kan niet goed nadenken...'

'Kun je naar Londen komen?' vroeg Elaine.

Nathalie aarzelde.
'Ja,' zei ze toen twijfelend.
'En je broer?'
'Misschien...'
Er viel weer even een stilte. Nathalie zat met haar knieën opgetrokken tegen haar borst en legde haar voorhoofd ertegen.
'Nathalie,' zei Elaine. 'Ik denk dat je beter naar me toe kunt komen. Of ik kom naar jou.'
'Nee,' zei Nathalie.
'Dus jij komt...'
'Ja.'
'En dan zien we wel wat je broer betreft.'
En nu zat ze hier in de cafetaria van een supermarkt in West-Londen te wachten op Elaine Price. Ze was vroeg. Ze had een veel eerdere trein genomen dan die ze had moeten nemen, en ze had al een kop cappuccino koud laten worden. Een nieuwe bestellen leek niet alleen zinloos maar ook overdreven, alsof ze deed of het heel gewoon was om op een volslagen vreemde te wachten bij een raam dat uitzag op Cromwell Road. Waarom zou ze nog langer doen alsof dingen normaal waren? Waarom zou je jezelf wijsmaken dat er ook maar iets normaals was, had David gisteravond kwaad gezegd, aan een vrouw die haar eigen baby weggaf? Waarom zou je jezelf wijsmaken dat zoeken naar de vrouw die jou op de wereld heeft gezet en vervolgens heeft weggegeven, iets is wat normale mensen ook zo vaak overwogen hebben?
Nathalie schoof het koffiekopje weg. Het schuim op het oppervlak was een dunne vieze laag geworden. Nathalie keerde de pot met suikerstaafjes om op de tafel en begon ze in categorieën te verdelen.
'Niemand heeft er ooit spijt van gekregen dat ze dit gedaan hebben,' had Elaine gezegd. Ze had het gezegd vlak voor het einde van het telefoongesprek, net nadat ze had gezegd dat elk kind het recht heeft te weten waar het vandaan komt, het recht om te proberen alles over zichzelf te weten te komen. 'Dat kan ik je garanderen.'
'Echt waar?'
'Het zal je helpen om anders dan alleen in termen van verlies over jezelf te denken. Het zal je helpen om verder te kunnen.'

Nathalie verschoof de staafjes. Was het dat? Had dat haar al die jaren achtervolgd, had ze daardoor beweerd dat, als ze een buitenstaander was, ze die uit eigen keus was? Ze zette de staafjes voorzichtig rechtop tegen elkaar, alsof ze een miniatuurvuurtje aan het aanleggen was.

Een vrouw bleef naast haar staan en wachtte. Ze was jonger dan Nathalie had verwacht, met lang, lichtblond haar en een spijkerjasje aan.

'Hallo,' zei de vrouw.

Nathalie deed onhandig een poging om op te staan.

'Ik ben Elaine,' zei de vrouw. Ze zette een grote tas van patchwork suède op de stoel naast die van Nathalie. 'Blijf toch zitten.' Ze keek met een glimlach naar de koude cappuccino. 'Ik zal nieuwe halen.'

'Nee, ik...'

Elaine legde even een hand op Nathalies schouder. Aan haar ringvinger droeg ze een ring met een grote turkoois.

'Blijf zitten.'

Nathalie keek haar na toen ze naar de zelfbedieningstoonbank liep. Onder het spijkerjasje droeg ze een afgeknipte broek en sportschoenen zonder sokken. Haar blote enkels waren bruin. Nathalie wist niet goed wat ze eigenlijk had verwacht, maar misschien een mantelpakje, in elk geval een rok, en een aktetas in plaats van het soort tas die ze lang geleden zelf had meegenomen naar het popfestival in Glastonbury. Ze had ook geen lang haar verwacht. Elaine Price, had Nathalie gedacht, zou net zo zijn als de vrouw van Sociale Zaken, met een degelijk, neutraal kapsel. Ze haalde diep adem. Het spijkerjasje en de blote enkels en het lange haar waren allemaal een verrassing en een opluchting.

'Zo,' zei Elaine.

Ze zette twee grote koffiekopjes op tafel en zette het oude kopje van Nathalie op een leeg tafeltje in de buurt. Toen pakte ze haar tas van de stoel naast Nathalie en ging er zelf zitten.

'Donker haar,' zei ze tegen Nathalie. 'Wit shirt. Leren jasje. Precies zoals je had gezegd.'

Nathalie keek om zich heen in de cafetaria.

'Daar zijn er hier nog wel meer van.'

'Maar die zaten niet op me te wachten. Aan alles was te zien dat je zat te wachten.'

Nathalie zei schuchter: 'Ik zit hier al een hele tijd...'

'Dat doen de meeste mensen. En anders komen ze veel te laat. Soms kan ik daaraan merken wie deze zoektocht zelf wil en wie het van zichzelf moet.'

Nathalie trok met haar lepeltje een spoor door het schuim op haar koffie.

'Maakt het wat uit?'

'Nou,' zei Elaine, 'het is beter om het echt te willen, als het kan. Anders bestaat de mogelijkheid dat je je moeder wilt straffen.'

Nathalie staarde naar haar koffie.

'Dat kan ik me niet voorstellen,' zei ze. 'Ik kan me niet eens voorstellen dat ze bestaat.'

Elaine pakte haar koffiekop op en hield die tussen de toppen van haar vingers vast.

'Laten we bij het begin beginnen.'

Nathalie knikte.

'Wil je niet meer over mij weten?'

'Ik heb er niet over nagedacht...'

'Nou, waarom ben je hier en niet bij een officiële instantie?'

'Omdat... omdat je niet voor een officiële instantie werkt.'

'Maar ik heb wel de opleiding.'

'Ja.'

Elaine zette haar koffiekop weer neer. Ze duwde haar haar over haar schouders naar achteren.

'Ga door.'

'Mijn broer wilde meer weten over je opleiding. Mijn broer David.'

'Die was heel intensief,' zei Elaine. 'Ik heb hem gevolgd op het Post Adoptie Centrum. Er waren modules over zoeken, over onvruchtbaarheid, over genetische seksuele aantrekkingskracht. Ik volg elk jaar een herhalingscursus.'

'Ik zal het hem vertellen.'

'Nathalie,' zei Elaine. 'Rustig maar.'

Nathalie nam een hapje van het koffieschuim.

'Ik heb een heleboel mensen van streek gemaakt door dit te willen. Je moest eens weten. Iedereen voelt zich gekwetst, alsof ik iets onnodigs doe, iets destructiefs, met opzet. Mijn partner, mijn schoonzus, mijn moeder...'

'Je moeder?'

'Ja. Mijn moeder.'

'Ik ben bang,' zei Elaine, 'dat je adoptiemoeder hier niets mee te maken heeft. Dit zijn haar zaken niet.'

'Nee?'

'Nee.'

'Je bedoelt...'

'Ik bedoel,' zei Elaine terwijl ze Nathalie recht aankeek, 'dat je het recht hebt om dit te doen. Mensen die geadopteerd zijn, zijn beschadigd door de adoptie en ze zoeken genezing. Je hebt het recht om genezing te zoeken.'

'Dank je,' fluisterde Nathalie.

'Je moet me niet bedanken. Ik ben geen weldoener, maar een dienst. Jij betaalt me om je moeder te zoeken. En de moeder van je broer.'

'Ja...'

'Het zal niet lang duren.'

'Nee...'

'Je zei dat je je geboortebewijs hebt. Dat is een begin. Het zal waarschijnlijk binnen drie weken rond zijn. Het zal tussen de twee- en driehonderd pond per persoon kosten. En ik heb van elk van jullie een aanbetaling van honderdvijftig pond nodig.'

'Dat is goed.'

'En ik wil nu weten waarom je dit wilt doen.'

'Nu?'

'Ja, nu.'

'Dat is moeilijk te zeggen...'

'Bij een heleboel mensen is de aanleiding iets heel specifieks, zoals de geboorte van je kind.'

'Polly is vijf.'

'Lijkt ze op jou?'

'Meer op haar vader.'

'Nathalie,' zei Elaine, 'ik heb ook enige verantwoordelijkheid ten opzichte van je biologische moeder. Ik moet iets weten van wat je denkt.'

Nathalie keek op.

'Ik wil het wéten,' zei ze. 'Ik wil weten waar ik vandaan kom. Ik wil weten of ik op haar lijk of niet. Ik wil dingen horen over mijn vader. Ik wil een einde maken aan... aan het níét weten. Ik weet niet precies wat voor mij de aanleiding is geweest, maar ik had er opeens genoeg van om te doen alsof, en nu ik ben begonnen, kan ik het bijna niet langer verdragen dat ik niets weet. Zelfs...' Ze aarzelde even, en zei toen: 'Zelfs als me niet aanstaat wat ik ga ontdekken.'

'Dat kan. Dat geldt ook voor haar. Misschien wil ze je niet.'

'Ik hoef haar niet echt te ontmoeten...'

'Nu niet. Wacht het af. Misschien wil je wel brieven en foto's uitwisselen.'

'Foto's...'

'Vergeet niet dat je in theorie een plek hebt op twee stambomen.'

Nathalie zei langzaam: 'Als je mijn moeder vindt...'

'Wanneer, kun je beter zeggen.'

'Wat ga je dan doen?'

'Het jou laten weten. Direct.'

'En dan?'

'Dan schrijf ik haar.'

'Dan schrijf je haar?'

'Die brief van mij zal ze wel lezen. Als hij van Sociale Zaken komt, zou ze hem weggooien. Vooral als ze getrouwd is. Als ze andere kinderen heeft.'

Nathalies hoofd kwam met een ruk omhoog.

'Andere kinderen!'

'Ja, die mogelijkheid bestaat.'

'Daar heb ik niet aan gedacht...'

'Misschien zijn ze er niet. Ongeveer veertig procent van de vrouwen die een baby afstaan ter adoptie, raken niet meer zwanger.'

Nathalie pakte haar koffiekop en nam een slok. De koffie smaakte warm en vettig en synthetisch.

'Mijn vader heeft me ooit een woord geleerd. Ik denk dat het Spaans is. Ik weet niet of ik het goed uitspreek, maar het is *duende*. Dat betekent een soort geest van de aarde, iets wat helemaal in je bloedcellen wordt opgewekt.'

'Hij lijkt me een goede vader.'
Nathalie knikte.
'Dat is hij ook. Hij is de enige die niet in alle staten is door dit alles.'
'Hij voelt zich dus niet bedreigd.'
Nathalie zei nijdig: 'Niemand wordt bedreigd!'
'Hou je daaraan vast. En aan het instinct dat je volgt.'
'Ja.'
'Ik denk,' zei Elaine, 'dat je instinct een grote rol speelt. Ik denk dat we instinctief weten of we gewenst waren of niet.'
'Weet ik dat ook?'
'Dat denk ik wel.'
'En David...'
'Ja?'
'Misschien,' zei Nathalie, 'is hij er niet zo zeker van. Misschien is hij daarom bang.' Ze wierp een blik op Elaine. 'Wat ga je nu doen?'
'Ik ga op zoek naar het geboortebewijs van je moeder. Ik zal op internet zoeken.'
Nathalie slikte.
'Ze heette Cora. Cora Wilson.'
'Ik weet het. Dat heb je me door de telefoon verteld.'
'En... en wat moet ik doen?'
Elaine glimlachte. Ze pakte haar suède tas op en zette die op haar schoot.
'Wachten tot je van me hoort,' zei ze.

Op Paddington Station kocht Nathalie een bekertje thee, een reep chocola en een appel. Terwijl ze de chocola at, merkte ze dat ze automatisch in gedachten zichzelf goedpraatte tegenover Polly, die niet wilde begrijpen waarom, als chocola eten was en dus voedzaam – in tegenstelling tot snoep, dat uit chemische bestanddelen was samengesteld en daardoor slecht voor je – ze het niet mocht eten wanneer ze er zin in had, en zeker in plaats van maaltijden waar ze een hekel aan had, zoals het ontbijt. Na de chocola smaakte de appel metaalachtig en flauw, en hij was zo nat en hard dat haar tanden er pijn van deden. Ze dronk het plastic bekertje thee voor de helft op en gooide de rest in een afvalbak. Soms, dacht ze, kon je beter niets eten of drinken als je zo opgewonden was en zo door iets in beslag werd genomen dat je basisfuncties als je spijsvertering maar het beste kon negeren. Als je dat niet deed, vertikten ze het toch om fatsoenlijk te functioneren, en dan werd de ellende alleen maar erger. Ze gooide de wikkel van de reep en de half opgegeten appel ook in de afvalbak, en ging op zoek naar haar trein.

Die stond al te wachten aan een van de minder drukke perrons, een korte trein met kleine coupés met niet erg comfortabele, rechte banken. Er zat bijna niemand in, op een jongen na die een gevuld stokbroodje zat te eten uit een lange, papieren zak, en een paar vrouwen met uitpuilende plastic tassen die ze voor de veiligheid achter hun benen hadden gestopt. Nathalie koos een zitplaats in een hoek aan het raam. Op de ruit zaten opgedroogde, vuile regendruppels en aan de buitenkant had iemand in het vuil in spiegelschrift FUCK geschreven, zodat het woord van binnen te lezen was. Nathalie ging zitten en pakte haar mobiele telefoon.

'Hallo,' zei David vanaf een plek waar het nogal waaide.

'Waar ben je?'

'Fernley. Ik sta op het punt wat boomwortels uit te trekken.'

'Kan iemand anders dat niet doen?'

'Ik vind het leuk werk.'

'Dave,' zei Nathalie. 'Ik heb haar gesproken.'

'Ja,' zei hij. Zijn stem klonk vlak.

'Ze is leuk. Ik vond haar aardig. Het leek allemaal heel gemakkelijk, zoals ze het vertelde.'

'Hm.'

'Zij doet alles voor ons. Ze gaat onze moeders zoeken en dan gaat ze hun een brief sturen. Ze zei...'

'Ja?'

'Ze zei dat niemand er ooit spijt van heeft gekregen dat ze dit hebben gedaan.'

'Dat heb je me al verteld.'

Nathalie wendde zich af zodat ze het woord op het raam niet meer kon zien.

'Dave, ik dacht dat je het met me eens was, dat je mee zou doen...'

'Dat doe ik ook.'

'Maar...'
'Het valt niet mee. Ik kan niet terug en het is moeilijk om door te gaan. Ik vind het gewoon niet makkelijk.'
'Ik ook niet.'
'Maar jij verheugt je erop.'
'En ik ben bang.'
'Ja. Dat ook.'
Nathalie zei: 'Wil jij dan zo blijven als je bent?'
David zei niets. Ze hoorde een hoog geluid dat de wind kon zijn, of misschien een motorzaag.
'Als je dat wilt,' zei Nathalie, 'dan moet je dat maar doen. Niemand kan je helpen. Blijf maar zoals je bent en help jezelf.'
Er viel weer een stilte. Nathalie haalde de telefoon van haar oor en legde hem toen weer terug.
'Dag, David,' zei ze.
Zijn stem klonk aarzelend.
'Nat?'
'Ja?'
'Help me,' zei David.

8

Connor Latimer ging de zitkamer in om tegen zijn vrouw te zeggen dat hij naar de Hurlingham Club ging om te tennissen, en zag dat ze diep in slaap was. Hij stond naar haar te kijken, en bedacht in hoeverre zijn tennis zou worden bedorven door het feit dat Carole misschien niet wist waar hij was. Tenslotte was hij gewend dat ze altijd precies wist waar hij uithing. Ze hadden al bijna dertig jaar samen een bedrijf gehad, en in die jaren was het nodig geweest om van elkaar te weten waar je was, met als resultaat dat Connor afhankelijk was geworden van die gewoonte. Hij voelde zich eerlijk gezegd niet op zijn gemak om weg te gaan zonder dat Carole wist waar hij was en hoe lang hij weg zou blijven, want als ze dat allemaal niet wist, hoe kon ze dan aan hem denken en hem in haar gedachten zien op de manier die hij, ja, die hij eigenlijk wilde?

Hij boog zich iets voorover. Carole lag heel netjes met haar hoofd op een brokaatkussentje dat in de hoek van de oorfauteuil was gepropt. Haar handen lagen gevouwen op haar schoot, haar enkels waren gekruist en haar mond hing niet open. Haar haar, dat een chique, blonde kleur had die deed denken aan het blonde haar dat ze had toen ze elkaar pas leerden kennen, was nauwelijks in de war geraakt. Terwijl hij naar haar keek, vroeg Connor zich af of hij niet al bij het ontbijt tegen haar had gezegd dat hij ging tennissen, en of hij zich inderdaad kon herinneren dat Carole had geantwoord: 'O, leuk. Met Benny?' Maar misschien verbeeldde hij zich dat maar. Misschien dacht hij dat het zo was gegaan. Tenslotte had Carole in de *Financial Times* zitten lezen, die ze nog steeds uit gewoonte las, en had ze daardoor niet goed gehoord wat hij haar had gezegd over het tennissen. Connor boog zich nog iets dichter naar haar toe en legde een hand op haar arm.

Ze opende haar ogen. Ze glimlachte.

'Sorry dat ik je wakker maak,' zei Connor, 'maar ik ga nu naar de Hurlingham.'

Ze glimlachte nog steeds.

'Dat weet ik, schat.'

'Ik ben om een uur of zes terug. Misschien gaan we na de wedstrijd nog wat drinken.'

'Leuk.'

Hij gaf even een klopje op haar arm.

'Slaap maar lekker verder...'

'Mm,' zei ze. Ze deed haar ogen weer dicht.

'Tot een uur of zes,' zei Connor.

Hij kwam overeind en tastte in zijn zak naar de autosleutels. Hij vroeg zich af of hij, voor hij wegging en Carole weer in haar middagslaap viel, haar niet moest zeggen dat Martin had gezegd dat hij langs zou komen. Hij deed zijn mond open.

'Dag, schat,' zei Carole verrassend duidelijk. 'Veel plezier. Succes. Doe de groeten aan Benny.'

'Ja,' zei Connor. Hij rammelde met zijn sleutels. 'Ja.'

Hij deed een stap achteruit. Caroles gezicht zag er nu sereen en overtuigend gesloten uit. Hij overwoog om haar te vragen of de openslaande deuren niet open moesten nu de zon was gaan schijnen, maar hij bedacht zich. Hij deed nog een stap achteruit en zuchtte. Toen vermande hij zich en verliet de kamer zo vastberaden als hij kon in zijn tennisschoenen.

Zijn Mercedes stond in de garage onder het flatgebouw. Die garage was een van de dingen die hem hadden aangetrokken aan de flat. De andere dingen waren dat de flat in West-Londen redelijk centraal lag, en dat de erkerramen van de zitkamer en de ouderslaapkamer uitzicht boden op prachtige gemeenschappelijke tuinen met volwassen bomen en struiken, en dat die tuinen werden onderhouden door welgemanierde tuinmannen in groene overalls.

'Alle voordelen van het platteland,' zei Connor tegen zijn gasten, die zich verwonderden over de mooie tuinen op amper drie kilometer van Marble Arch, 'en zonder al het werk en de lasten.'

Carole had ook een gezellig terras gemaakt voor de openslaande deuren van de zitkamer. Ze had er Italiaanse potten neergezet. Een blauweregen vlocht zich door een blauwgrijs geverfd hekwerk. Connor zou het nooit gekozen hebben, maar toen hij het zag, moest hij erkennen dat het precies goed was. Zo ging het nu altijd met Carole. Ze besloot iets, maakte een keuze, hij was een en al twijfel, maar dan zag hij voor de zoveelste keer dat ze gelijk had, dat alles precies goed was. Hij dacht altijd dat ze het daardoor samen zo goed hadden gedaan in hun bedrijf, door het contrast tussen zijn voorzichtigheid en degelijkheid – wat kon je anders verwachten van iemand die de beste cijfers kreeg voor al zijn boekhoudtentamens – en haar durf en fantasie. Samen hadden ze de zaak opgebouwd tot iets wat de verkoop meer dan waard was toen Connor zestig werd en vond dat hij wel wat rust kon gebruiken, recht had op tijd voor zijn hobby's, zijn tennis en zeilen en het verzamelen van prenten. En Carole had ook wel ergens recht op. Daar was hij zich heel goed van bewust; hij wist heel goed wat hij aan haar te danken had, aan zijn vrouw, zakenpartner, moeder van zijn kinderen. Hij had er dan ook voor gezorgd dat hij haar publiekelijk eer betoonde, dat hij tijdens het diner om de verkoop van het bedrijf te vieren, in zijn toespraak sterk de nadruk legde op Caroles bijdrage.

'Ik wil duidelijk stellen,' had hij gezegd, toen hij was opgestaan van de tafel in de privé-zaal van een duur restaurant in Chelsea, 'dat dit alles – en dan bedoel ik ook álles – niet mogelijk zou zijn geweest zonder Carole. Ik aarzel niet om te zeggen dat ik, en dit bedrijf ook, alles aan haar te danken hebben.'

Onderweg naar huis had Carole gehuild. Ze had naast hem in de Mercedes gezeten onderweg naar dit nieuwe, prachtige tuinappartement en elegant gesnikt in zijn witlinnen pochet. Toen was hij dankbaar geweest, overtuigd dat ze zo ontroerd was door zijn welgemeende erkenning van alles wat ze voor hem had gedaan, als vrouw en als collega, en dat ze die ontroering alleen kon uiten door tranen. Pas later, toen ze onbegrijpelijk afwerend was toen hij met haar wilde vrijen, begon iets van twijfel hem te bekruipen. Als ze niet uit dankbaarheid en emotie huilde, waarom huilde ze dan wel? Toch niet om het bedrijf? Na al die tientallen jaren van werk en onrust en opoffering kon ze het toch niet erg vinden dat het bedrijf was verkocht? Niet nu de vrijheid wenkte. Nee, dat kon niet.

Connor stak de sleutel in het contactslot en reed de Mercedes vaardig achteruit de helling op naar de straat. Carole reed er natuurlijk niet in, ze had haar eigen stadsautootje waar ze de voorkeur aan gaf omdat je hem overal kon parkeren. Hij had eraan toegegeven, zoals hij haar in zoveel dingen toegaf. Hij vond het fijn om haar te verwennen, hij vond het fijn dat ze kreeg wat ze graag wilde. En meestal, dacht hij toen hij de auto Ladbroke Grove instuurde, had ze gekregen wat ze wilde; daar had hij voor gezorgd, dat hij alle rotdingen die haar vroeger waren overkomen, compenseerde. Alle ellende met mannen, met onzekerheid. Hij had haar eigenlijk gered, dat wist hij. Hij had haar gered en haar alles gegeven wat een vrouw nodig had om gelukkig te zijn: een goed huwelijk, een comfortabel leven, bevredigend werk (Connor ging er prat op dat hij geloofde dat een intelligente vrouw werk nodig had) en... kinderen.

Kinderen. Connor pakte zijn zonnebril uit het vak in het portier en zette hem op, ook al scheen er maar een flauw zonnetje. Hij was er zeker van geweest, overtuigd, dat Carole kinderen nodig had. Hij wilde ze zelf natuurlijk ook, altijd al, hij stond erom bekend dat hij goed met ze overweg kon, met zijn nichtjes, met de kinderen van vrienden, maar Carole had ze nog meer nodig dan hij omdat Carole een speciaal geval was. Tenslotte was Carole, toen hij haar leerde kennen, een vrouw met een verleden, een bijna tragische jonge vrouw met een verbijsterend kille jeugd, die door haar ouders was verstoten nadat een slapjanus van een vriend – op wie ze dol was geweest op de manier waarop meisjes nu eenmaal dol schijnen te zijn op aantrekkelijke rotzakken – erop had gestaan dat ze abortus zou laten plegen. Caroles ouders waren katholiek, vroom katholiek, met ideeën over seks en abortus die zelfs Connor, wiens vrienden hem plaagden omdat hij zo conservatief was, volslagen uit de tijd vond. Carole had de abortus laten uitvoeren om haar vriend gunstig te stemmen, en natuurlijk keerden zowel de vriend als haar ouders haar de rug toe en wilden niets meer met haar te maken hebben. Dus had Connor de scherven bijeengeraapt. Hij had die mooie, gekwetst uitziende blondine ontmoet bij een besloten tentoonstelling in een galerie in Cork Street, en hij had haar opgepikt, bijna letterlijk, uit alle verwarring en hopeloosheid en bijna-armoede waarin ze zich bevond.

Hij moest toegeven dat na de eerste roes van liefde en galantheid het niet mee was gevallen. Hij had gedacht dat hij het niet erg vond van de abortus, van haar wanhopige passie voor de vriend, maar hij merkte dat het moeilijker te verteren was dan hij had verwacht. Hij had echt de strijd met zichzelf moeten aangaan, hij had zichzelf streng toegesproken dat hij zich volwassen en meelevend diende op te stellen, en tijdens die strenge innerlijke vermaningen was de gedachte bij hem opgekomen dat een baby misschien niet het antwoord op hun problemen zou zijn, maar in elk geval wel een belangrijk deel van het antwoord. Een baby zou Carole iets geven om van te houden dat van haarzelf was, iets wat de geaborteerde baby zou vervangen. Nietwaar? Een baby, *zíjn* baby, zou Carole vaster aan hem binden en tegelijkertijd helpen om de pijnlijk aanwezige jaloezie te verdrijven die hem nog steeds kwelde als hij bedacht dat een andere man de vrouw had gepenetreerd die nu Connors echtgenote was.

En dus werd Martin geboren. Blond, met blauwe ogen, innemend. Martin, de eerste kleinzoon van Connors ouders, de juiste persoon om alle herinneringen aan die eerdere, verloren baby uit te wissen. Alleen... nou ja, dacht Connor terwijl hij gebiedend toeterde naar een zwarte jongen in een Vauxhall Vectra, zo had het niet gewerkt, zo was het niet gegaan. In moderne termen, veronderstelde Connor, heette het dat Carole geen emotionele band had gekregen met Martin. Ze had hem niet willen voeden, hem amper willen vasthouden. Iedereen had Connor verteld over postnatale depressie, maar hij was er niet op voorbereid dat Carole het hardste huilde toen de kraamhulp wegging. Hij schudde zijn hoofd, alsof hij een soort galm in zijn oren wilde kwijtraken. Hij kon niet terugdenken aan die tijd, had het nooit gekund. Hij kon er niet aan denken omdat het feit er lag, het onaangename, nare, vervelende feit dat het er niet beter op was geworden. Nooit. Martin was nu achtentwintig en je kon jezelf niet wijsmaken dat hij en Carole het ooit over iets eens waren. En hoe Connor Carole ook bewonderde en haar probeerde te steunen, hij kon zich niet aan het gevoel onttrekken, hij *wíst* zelfs, dat Carole hard was voor Martin, op het onvriendelijke af. Hard en kritisch en niet bemoedigend. En Martin kon er niet tegen, hij was niet relaxt en makkelijk zoals zijn jongere broer Euan. Martin was lichtgeraakt en afwerend, en steeds als hij iets had verknald, wat helaas vaak gebeurde, schoot hij uit zijn slof, bijna alsof hij eventuele kritiek wilde afketsen voor die ook maar geuit kon worden.

Het zielige was dat Martin Caroles goedkeuring wilde, ernaar snakte, verlangde dat ze tegen hem zou zeggen dat ze trots op hem was, dat ze achter hem zou staan ook al verknalde hij dingen. Zelfs nu Martin de zogenaamd volwassen leeftijd van dertig naderde, zag Connor hem af en toe naar zijn moeder kijken als een spaniël die niet wist of hij een schop zou krijgen of een koekje. En dan zag Connor dat Carole iets onderdrukte, dat ze op een doordachte manier reageerde, zonder zich schijnbaar bewust te zijn dat alles wat ze deed zo doorzichtig als glas was. Ze kon beter overweg met Euan, maar Euan was dan ook makkelijker in de omgang, minder behoeftig, minder prikkelbaar.

Connor zuchtte. Hij had een naar voorgevoel over de reden waarom Martin die avond langs wilde komen. De manier waarop de jongen het had gevraagd, deugde niet: te brutaal, te achteloos. Hij zuchtte weer en reed de Mercedes het parkeerterrein van de club op. Zes meter verder zag hij meteen de bemoedigend bekende, forse gestalte van Benny Nolan, die zijn tennistas uit de kofferbak van zijn BMW tilde. Connor klaarde op. Goeie ouwe Benny. Goeie, ouwe, opgewekte, normale Benny.

Toen Carole Latimer wakker werd, was de kamer in schemer gehuld. Door de openslaande deuren kon ze een glimp van de bleke lenteavondlucht onderscheiden achter de zwarte contouren van daken en schoorstenen en bomen. Toen ze nog werkte, had ze uit haar kantoorraam uitzicht gehad op daken en schoorstenen en bomen. Uit dat raam had ze duizenden zonsondergangen gezien, duizenden en duizenden. Ze kwam iets overeind, pakte het kussen weg achter haar nek en legde het op haar schoot. Het had geen zin om nu aan die zonsondergangen te denken. En ook niet aan dat raam en die kamer of het kantoor. En niet aan dat heerlijke werk. Het had gewoon geen zin om te dénken.

Ze boog zich voorover en legde haar ellebogen op het brokaten kussen. Ze moest meer dan twee uur, bijna drie, hebben geslapen. Erg, eigenlijk. Dat had ze vroeger nooit gedaan, hele middagen verspild met slapen op deze deprimerende manier, als een bejaarde. Maar toen had ze nooit haar vlucht gezocht in slaap, zoals de afgelopen weken en maanden. Toen had ze het nooit als een toevlucht beschouwd.

Ze stond langzaam op en rekte zich uit terwijl ze het kussentje op de vloer liet vallen. Zei men niet dat, als je gestrest of ongelukkig was, je ofwel jezelf volpropte of helemaal ophield met eten? Waarschijnlijk gold dat ook voor slaap, dat je of geen oog meer dichtdeed, of alleen maar wilde slapen. Ze had zichzelf nooit beschouwd als iemand die zichzelf nooit durfde te laten gaan uit angst om in welke kolkende heksenketel van genotzucht of zelfkwelling dan ook te vallen. Behalve die gevoelens voor Rory lang geleden – en ze had nooit meer in haar leven iets meegemaakt dat ook maar in de verste verte leek op de waanzin en intensiteit en verleiding van die gevoelens – had ze zich weten te schikken, haar verlangens en behoeften en angsten zo weg te stoppen dat ze haar niet belaagden of in donkere hoeken wachtten om haar te bespringen. Nee, haar leven met Connor, haar werk met Connor, was bevredigend en overzichtelijk en zonder bedreiging geweest.

Tot het ophield. Carole bukte zich, raapte het kussen op en gooide het in de richting van de bank. Ze miste. Natuurlijk was het leven met Connor niet opgehouden, maar het werk wel. Ze had nooit kunnen denken dat het werk zoveel voor haar betekende, tot het ophield. Ze had altijd gedacht, altijd gezegd, dat mannen zich manifesteren door wat ze doen, en vrouwen door hun relaties. Maar wat was er met haar gebeurd? Het werk was opgehouden toen Connor zestig werd en zij twee jaar jonger was, en bijna van de ene dag op de andere, zo leek het, was ze van een plek vol veiligheid en zekerheid beland in een woeste wildernis waar allerlei gebeurtenissen en mensen waarvan ze had gezworen dat ze er nooit meer aan zou denken – en er inderdaad in was geslaagd om er amper nog aan te denken – zich op haar stortten als vleermuizen uit een grot. Toen begon het slapen, het verlangen naar vergetelheid, om de geest te bevrijden en te sussen. Op sommige dagen, als ze 's morgens hun bed onberispelijk opmaakte zoals ze altijd had gedaan, moest Carole zich bijna fysiek inhouden om niet verlangend terug te kruipen in de omhelzing van de kussens en het dikke Amerikaanse dekbed en de zoete vergetelheid.

Ze hoopte dat ze, behalve het slapen, vooral Connor niet had laten blijken hoe ze zich voelde. Ze hoopte dat ze net zo prettig in de omgang en kalm was als hij graag wilde, als hij verdíénde. Dat was het probleem juist, dacht Carole, haar plichtsgevoel ten opzichte van Connor, die emotionele schuld aan hem die ze zo lang geleden op zich leek te hebben genomen, bijna zonder het te weten, en waarvan ze vermoeid was gaan inzien dat ze die nooit helemaal kon inlossen. Soms voelde ze wrok, opwellingen van pure, verblindende woede over de oneerlijkheid van sommige emotionele verplichtingen die zo sterk in stand worden gehouden door sociale regels, sociale verwachtingen. Soms dacht ze dat ze elke dag van haar leven gestraft zou blijven worden voor iets wat in beginsel heel simpel een sterk, natuurlijk, menselijk instinct was geweest.

Ze liep de zitkamer uit, door de gang met de geboende, lichte vloer en opvallende, moderne kleden, naar de keuken. Ze zou de waterkoker aanzetten. Eigenlijk had ze niet echt zin in thee, bedacht ze, maar ze hoorde het wel te hebben, dat hoorde zo, net zoals ze zich dankbaar hoorde te tonen voor haar leven en comfort. Ze tilde de koker van de sokkel. 'Dat hoorde zo.' Haar hand beefde. Als ze eens wisten, al die mensen die Carole Latimer beoordeelden naar wat ze zagen en hoorden. Ze liet de waterkoker bijna vallen. Als ze eens wisten van de brief die nu in haar kousenlade lag, onder het vloeipapier, uit het zicht, de brief die daar nu al tien dagen lag en waarover ze met geen woord tegen ook maar iemand had gerept.

Een sleutel werd omgedraaid in het slot van de voordeur aan de andere kant van de gang. Carole greep de waterkoker stevig beet en deed gedecideerd een paar stappen naar de gootsteen.

Ze riep opgewekt: 'Hallo, schat! Goed gespeeld?'

'Ik ben het,' zei Martin.

Carole draaide zich vlug om. Martin kwam door de gang naar de keuken. Hij droeg een spijkerbroek en een leren jack. Zijn haar moest nodig geknipt worden.

'Hallo, lieverd...'

'Sorry dat ik nogal vroeg ben.'

'Vroeg?'

'Ik had het tegen pa gezegd,' zei Martin. 'Dat ik om een uur of zeven hier zou zijn.'

Carole hief haar wang op voor een kus.

'Daar heeft pa niets over tegen me gezegd. Hij zei niet dat je zou komen...'

'Maakt het wat uit?'

'Nee,' zei Carole. 'Nee, natuurlijk niet.'

'Ik wil wel weggaan, hoor,' zei Martin. 'Dan kom ik straks wel terug. Komt dat beter uit?'

Carole zei op vermoeide toon: 'Doe niet zo raar.'

Martin pakte de waterkoker uit haar handen en liet er slordig water in lopen boven de gootsteen.

'Het hoort toch niet uit te maken hoe laat ik kom? Dit is toch mijn thuis?'

'Natuurlijk...'

'Of krijg ik dadelijk weer een lesje over mijn onvermogen om orde op zaken te stellen en op mezelf te gaan wonen en onafhankelijk te zijn?'

'Hou op,' zei Carole.

Martin nam de waterkoker mee en zette die met een klap op de sokkel.

'Ik heb eigenlijk niet zo'n zin in thee,' zei Carole. 'Ik weet niet waarom ik de waterkoker wilde vullen. Zullen we een borrel nemen?'

'Ik hoef niet.'

'Goed van je.'

'Wat moet dat betekenen?'

'Het betekent,' zei Carole strak, terwijl ze het kastje opende om een whiskyglas te pakken, 'dat ik je bewonder om je matigheid.'

'Sorry,' zei Martin. Hij pakte het glas uit haar hand. 'Ik schenk wel in.'

'Dat hoeft niet...'

'Ik doe het wel,' zei Martin. Hij liep door de keuken naar waar de flessen stonden op een laqué dienblad. Carole keek hoe hij whisky in het glas goot. En langs de buitenrand.

'Water of soda?'

'Water graag,' zei Carole. Ze probeerde te glimlachen. 'Dat hoor je inmiddels wel te weten.'

Martin pakte een fles met mineraalwater.

'Ik hoor een heleboel dingen te weten. Nietwaar?'

'Lieverd,' zei Carole, 'probeer alsjeblieft te vergeten dat ik niet wist dat je zou komen. Neem het me niet kwalijk. Je weet dat je altijd welkom bent. Waarom zou je anders nog een sleutel hebben?'

Martin liet zijn schouders een beetje hangen. Hij overhandigde haar het glas zonder haar aan te kijken.

'Sorry.'

'Er is vruchtensap in de koelkast,' zei Carole. 'Neem het mee naar de zitkamer.' Ze reikte langs Martin en scheurde een vel keukenpapier af van de rol aan de muur. Martin zag hoe ze het om haar natte whiskyglas wikkelde.

'Wanneer komt pa terug?'

'Hij kan er elk moment zijn.'

'Dan wacht ik wel...'

'Waarop?'

'Met zeggen wat ik te zeggen heb.'

Carole keek naar hem. Ze nam een slokje whisky.

'O.'

Martin haalde zijn schouders op. Hij ging naar de koelkast en trok de deur open.

'Is het belangrijk?' vroeg Carole.

Martin draaide zich niet om.

'Dat kun je wel zo noemen.'

'Als het belangrijk is, lieverd,' zei Carole, 'dan wordt het een beetje moeilijk om over iets anders te praten terwijl we op je vader wachten, denk je niet?'

Martin zette een pak sap op het aanrecht, tilde het op om er zo uit te drinken, bedacht zich en opende een kastje om een glas te pakken.

'Dat zal wel.'

'Nou dan.'
Martin draaide zich langzaam om en leunde tegen het aanrecht. Hij kruiste zijn enkels en keek naar zijn voeten. Hij droeg rare, moderne sportschoenen, zwart canvas met golvende zolen en rekbare inzetstukken. Carole vroeg zich af hoeveel ze hadden gekost.
'Mam,' zei Martin. 'Het is niet gelukt.'
Carole verschoof het stuk keukenpapier om haar whiskyglas.
'Wat niet?'
'Danny's bedrijf.'
Carole verstrakte.
'Je vriend Danny? Waar je geld in hebt gestoken?'
'Ja.'
'Het is niet gelukt. Bedoel je dat het is mislukt?'
'Hij heeft zijn best gedaan. Hij heeft dag en nacht gewerkt. Maar het komt door de beurs en 11 september en zo. Alles zat hem tegen.'
'Dus je bent je investering kwijt?'
Martin knikte. Zijn hoofd was nog steeds gebogen.
'Was... was het veel?'
Martin knikte weer.
'Hoeveel?'
Het bleef even stil. Martin kruiste zijn enkels andersom.
'Alles.'
'Wat bedoel je met alles?'
Martin zuchtte. Carole zette haar glas neer.
Ze zei weer: 'Wat bedoel je met alles?'
Hij mompelde iets.
'Wat zeg je?'
'Mijn flat. Alles.'
'Je flát?'
'Ik had er een nieuwe hypotheek op genomen om hem het geld te geven.'
'Dat meen je niet!' zei Carole.
Opeens kwam Martins hoofd met een ruk overeind en hij schreeuwde: 'Mam, Danny is een vríénd!'
'Sorry,' zei Carole. Ze draaide zich om en pakte haar glas weer op. 'Sorry.'

'Ik weet dat het best een schok is. Dat is het voor mij ook.'
'Ja.'
'Ik weet het sinds een week. Een hele week. Ik weet dat ik niets meer heb behalve mijn baan, en je weet hoe ik dáár over denk.'
'Ja,' zei Carole. Haar handen beefden weer.
'Het spijt me, mam.'
Ze schudde haar hoofd. Ze stak een hand naar hem uit.
'Het is wel goed, lieverd. Alleen...'
'Ik weet het.'
Carole liet haar hand zakken. Ze nam een slok whisky.
'Wat jammer.'
'Wat een verspilling, bedoel je,' zei Martin.
'Ook dat.'
'Ga je niet beginnen over mijn opleiding en wat je van me gehoopt hebt en in me hebt geïnvesteerd?'
'Nee,' zei Carole.
'Nou, daar ben ik in elk geval blij om.'
Carole deed haar ogen dicht.
'Je zegt dat alles weg is. Of weggaat.'
'Ja.'
'Juist.' Ze haalde diep adem en deed haar ogen weer open. 'Kunnen je vader en ik iets doen om te helpen?'
Martin zei gemelijk: 'Zeg het ten minste alsof je het meent.'
'Ik meen het ook.'
'Nou, eigenlijk wel.'
Carole wachtte.
'Wat dan?'
'Je zult het niet leuk vinden.'
Ze glimlachte. Ze voelde haar lippen strak tegen haar tanden.
'Dat zien we dan wel.'
'Mag ik weer hier intrekken?' zei Martin. Hij hief zijn hoofd op en keek haar recht aan, recht naar haar strakke glimlach. 'Mag ik weer thuis komen wonen tot ik de boel weer wat op orde heb?'

Door een kier in het gordijn kon Connor de rode gloed van de lucht boven Londen zien. Af en toe ging er een lichtje doorheen, een ster misschien, of een vliegtuig. Of hij beeldde het zich in. Hij vond het maar niets wat zijn verbeelding kon doen als hij niet kon slapen, hoe onbeheersbaar die werd, hoe die hem voor de gek hield en hem bang probeerde te maken. Meestal zocht hij dan zijn troost bij Carole, die warm en kalm naast hem lag te slapen, een tastbare herinnering aan de realiteit en betrouwbaarheid van alles. Maar vanavond was het anders. Anders, omdat Carole ook niet sliep en daardoor spanning en ongelukkige gedachten uitstraalde in plaats van rust en geruststelling, en deze stille onrust werd op Connor overgebracht op een manier die hij bijna ondraaglijk vond.

Het was een afschuwelijke avond geweest. De afgelopen achtentwintig jaar hadden ze sowieso al te veel afschuwelijke avonden doorgebracht met Martin of vanwege hem, maar deze keer was het wel heel erg geweest. En het was zo vreselijk geweest omdat – Connor kon het gewoonweg niet ontkennen – Carole zelf haar zelfbeheersing had verloren, haar verstand. Connor was teruggekomen van Hurlingham in het voldane besef dat hij Benny Nolan nét had weten te verslaan in drie sets. Toen hij thuiskwam, had hij Carole en Martin in de keuken gevonden terwijl ze vol afkeer naar elkaar keken. Hij had diep ademgehaald, hen naar de zitkamer geloodst, Caroles glas bijgevuld, voor zichzelf een gin-tonic ingeschonken en Martin het hele onvermijdelijke, pathetische verhaal van Danny's mislukking en Martins aandeel erin laten herhalen. En toen had hij Martin uitgehoord over zijn meelijwekkend armzalige plannen voor de toekomst, die – zelfs Connor zonk de moed in de schoenen – inhielden dat hij zes maanden weer thuis wilde komen wonen, en Connor had juist zo kalm en beheerst mogelijk willen antwoorden toen Carole compleet over de rooie ging. Binnen een seconde was ze van een toonbeeld van zelfbeheersing één brok razernij geworden.

Echtgenoot en zoon hadden alleen maar met open mond naar haar gekeken terwijl ze schreeuwde en gebaarde en haar whisky morste. Connor had nog nooit zoiets meegemaakt, nog nooit gezien dat iemand zo zijn zelfbeheersing verloor, en al helemaal Carole niet. Wat het nog erger maakte, was dat hij niet begreep waarom ze zo tekeerging, waarom ze kennelijk zo'n woede koesterde. Het was natuurlijk vervelend dat Martin terug zou komen en hun gevestigde routine weer zou verstoren, en natuurlijk was het erg dat hij zoveel geld had verloren en nog wel door te investeren in iemand van wie iedereen bij een eerste oogopslag had kunnen vertellen dat het vanaf het begin gedoemd zou zijn te mislukken, maar zelfs Martins gebrek aan inzicht en het feit dat hij er altijd een zootje van maakte, konden geen reden zijn voor een dergelijke uitbarsting. Het was afschuwelijk, schokkend. Het had iets, dacht Connor nu, terwijl hij naar de kier met roodachtig licht staarde, onaanvaardbaar primitiefs.

Hij draaide zijn hoofd om op het kussen en wierp voorzichtig een blik op Carole. Ze lag recht en strak op haar rug, en in de duisternis kon hij zien dat haar ogen open waren. Hij zag de glinstering van haar ogen. Hij vroeg zich af of ze weer had gehuild. Ze had die avond zo gehuild dat haar gezicht rood zag en glom en ze amper nog iets kon zeggen omdat haar keel zo verkrampt was. Toen Martin weg was – hij had zich in de gang even aan zijn vader vastgeklampt, iets wat hij sinds hij zeven was niet meer op die manier had gedaan – had ze zich in de badkamer opgesloten en Connor, die vol ellende voor de deur heen en weer liep, kon horen dat ze nog steeds huilde, huilde met een intensiteit die volgens Connor betekende dat ze geen woorden meer had voor wat haar dan ook bezielde. Toen ze eindelijk uit de badkamer kwam, deed hij geen poging om iets tegen haar te zeggen. Hij nam haar alleen maar mee naar hun slaapkamer, alsof ze ziek was, en liet haar daar alleen met een slaapmutsje en Radio 3 aan, terwijl hij wat orde ging scheppen in de zitkamer en in zijn eigen gedachten.

Maar dat laatste bleek onmogelijk. Drieënhalf uur later lag hij hier, klaarwakker en nog net zo van slag als toen hij was thuisgekomen. Zijn tenniswedstrijd met Benny leek zich in een heel andere tijd, in een ander leven te hebben afgespeeld. Hij haalde diep adem.

'Mag ik je iets vragen?'

'Natuurlijk,' zei ze. Haar stem klonk nog schor na al die tranen.

Hij aarzelde.

Toen zei hij: 'Ik wil je niet verder van streek maken en ik weet dat Martin een grote teleurstelling voor je is – voor mij ook, in veel opzichten – maar vind je niet dat je vanavond wel erg hard tegen hem bent geweest?'

Het bleef even stil. Carole wreef met een papieren zakdoekje over haar neus.

Toen zei ze, verrassend duidelijk: 'Ja.'

Connor kwam overeind en leunde op een elleboog. Hij glimlachte naar haar in de duisternis.

'Zo ken ik je weer.'

Carole wreef weer over haar neus. Ze keek niet naar hem.

Ze zei: 'Het kwam niet door Martin.'

'Wat niet?'

'Dat ik vanavond zo'n uitbarsting heb gehad. Ik bedoel, eerlijk gezegd wil ik liever niet dat hij hier terugkomt en jij ook niet, denk ik, en het is typisch iets voor hem om alles te riskeren voor een onbetrouwbaar iemand, maar dat... nou ja, dat kan ik wel aan. Het is tenslotte niets nieuws, alleen weer eens meer van hetzelfde, helaas.'

Connors glimlach verdween.

Hij zei, meer gespannen: 'Nou, als het niet door Martin kwam, waardoor dan wel? Wat heeft je er in hemelsnaam toe gebracht om je zo te gedragen?'

Carole legde haar armen langs haar zij, als een beeld op een graftombe.

'Het verleden,' zei ze.

'Het verleden? Wat kan er in hemelsnaam in ons verleden zijn...'

'Niet ons verleden, maar dat van mij.'

Connor ging rechter zitten. Hij merkte dat hij bewust waardigheid probeerde uit te stralen, net als wanneer hij op zijn werk iemand moest berispen.

Hij zei, op een toon die hopelijk kalmer was dan hij hem vond klinken: 'Dan kun je het misschien beter vertellen. Misschien moet je het maar eens uitleggen.'

'Ja,' zei ze. 'Dat moet ik. Ik had het je eigenlijk jaren geleden moeten vertellen.'

'Maar ik dacht dat je dat had gedaan,' zei hij. Zijn stem beefde door iets wat veel op angst leek. 'Ik dacht dat je me alles had verteld, over Rory, over de abortus...'

'Er is geen abortus geweest,' zei Carole.

Connor keek door de donkere kamer langs Carole, langs wat altijd zo zeker had geleken, naar iets waar hij helemaal niet naar wilde kijken. Hij wilde iets zeggen, op een manier waardoor alles weer als vanouds zou worden, maar hij kon het niet. Hij kon niets uitbrengen, alleen maar wachten, hulpeloos, overgeleverd aan Caroles genade. Ze bewoog zich en zuchtte even.

'Er is geen abortus geweest,' zei Carole weer. 'De baby is geboren.'

9

Betty en Don hadden al twintig jaar een bed&breakfast. Ze waren ermee begonnen toen Don dat ongeluk had gekregen in de fabriek en invalide werd verklaard. Betty zei dat, als ze haar werk moest opgeven om voor hem te zorgen, ze beter konden nadenken over iets wat ze samen konden doen in plaats van thuis te zitten treuren, hun hand op te houden bij de Sociale Dienst en elkaar het leven zuur te maken.

'Ik ben niet van plan om je slechte rug tot middelpunt te maken,' zei Betty. 'Ik wil niet hebben dat je er steeds over denkt en over praat. Het is al erg genoeg dat we er allebei mee moeten leven.'

Don, die destijds veel pijn had omdat hij bijna verbrijzeld was door een vorkheftruck die werd bestuurd door een jongen die zo'n kater had dat hij amper uit zijn ogen kon kijken, overwoog haar erop te wijzen dat hij niets kon doen aan zijn rug, maar bedacht zich. Het was tenslotte moeilijk voor Betty om weg te gaan bij de winkel terwijl ze het verkopen zo leuk vond, moeilijk om thuis de verpleegster te moeten spelen. Hij trok de riem van het korset dat hij nu zelfs in bed moest dragen, een gaatje strakker aan en zei met enig sarcasme dat hij zijn best zou doen om niet te vergeten dat hij eigenlijk net zo fit was als toen hij nog halfback was bij de Northsea Rugby Club.

Cora was met het idee gekomen om een B&B te beginnen. Cora, Betty's jongere zus, die haar kostje bijeenscharrelde door cursussen pottenbakken en keramiek voor volwassenen te geven. Cora was de artistiekeling van de familie. Ze had oog voor kleur en totaal geen verstand van cijfers of praktische zaken. Betty werd vaak tot wanhoop gedreven door de manier waarop Cora haar leventje leidde, zonder een spaarpot voor de toekomst, zonder verzekering, en met de neiging om geld waar ze een maand eten van had kunnen kopen, uit te geven aan iets zogenaamd kunstzinnigs dat alleen goed was voor de rommelmarkt. Maar af en toe had Cora goede ideeën die van een verrassende vindingrijkheid getuigden, en toen ze opperde om van Woodside nummer 9 een B&B te maken en het Balmoral te noemen vanwege Betty's fascinatie met het Koninklijk Huis en Dons voorkeur voor Schotland, wisten ze dat Cora een goede ingeving had gehad.

Door de jaren heen was Balmoral een aanzienlijke bron van inkomsten geworden. Ze hadden er redelijk van kunnen leven en, wat belangrijker was, ze hadden iets om handen. Er waren veel vaste gasten, vooral zakenlui, en Betty merkte dat ze het geduld dat ze vroeger nodig had voor klanten in de winkel, kon omzetten in attentheid wat betrof de kussens die haar gasten graag wilden, of ze hun eitje zacht- of hardgekookt wilden hebben. De traplift die ze voor Don lieten installeren, bleek een attractie te zijn en zelfs een bron van goedmoedige grapjes en spelletjes. Het werd allemaal natuurlijk moeilijker toen moeder verzorgd moest worden, maar dat was in elk geval meer een kwestie van aanpassen geweest dan een volslagen verandering. Moeder was ook veel beleefder tegen de gasten geweest dan ooit tegen haar eigen familie, dus op haar manier was ze eigenlijk een aanwinst geworden, wier aanwezigheid een soort stabiliteit en daardoor een huiselijke sfeer gaf. Toen moeder ten slotte stierf – na zes jaar en drie keer vals alarm – viel het Betty moeilijk om haar kamer te verhuren. Je moest toegeven dat het de minst aantrekkelijke kamer was, klein en smal, op de benedenverdieping, naast de keuken. Wat je ook deed, de geur van bakolie drong door de muur en bleef in de gordijnen en de vloerbedekking hangen. Moeder had het natuurlijk prettig gevonden. Echt iets voor moeder om alleen dat prettig te vinden wat niemand anders had willen accepteren. Maar moeder was natuurlijk de perversheid in eigen persoon.

Daar kwam het eigenlijk door, doordat moeder dood was en de kamer vol nadelen en herinneringen, en doordat Betty het gezinsgevoel miste dat moeder ondanks alles had gegeven, dat ze de kamer aan Cora aanbood. Betty had Cora altijd in bescherming genomen, niet alleen omdat ze haar jongere zus was, maar omdat moeder haar zo koeioneerde, vooral na de baby, en omdat Cora niet opgewassen leek te zijn tegen moeder of tegen wie ook. Maar zo was Cora nu eenmaal, aardig en zacht en altijd geneigd zichzelf de schuld te geven, ook al was iets niet haar fout. Ze was ook altijd meelevend geweest, in staat om zich de plaats van een ander in te denken. Als Betty Cora niet had gehad toen ze, na vier miskramen, tot het besef kwam dat ze nooit een kind zou krijgen, wist ze niet wat ze zou hebben gedaan. Het was ongelooflijk hoe lief Cora toen voor haar was geweest, hoe sterk, en met zoveel begrip. En als je naging wat Cora zelf allemaal had meegemaakt, was haar houding nog bewonderenswaardiger. Dat had Betty nooit vergeten. Ze mocht dan moeders scherpe tong hebben geërfd, maar van dat kille hart moest ze niets hebben. Ze zou Cora moeders kamer aanbieden omdat Cora, ondanks haar rare kleren, haar vreemde manieren, het feit dat ze geen benul had van geld en formulieren invullen, haar zus was. Cora was familie.

En in haar achterhoofd was er nog iets wat aan haar knaagde. Ze had het idee – nee, meer dan dat, ze wist het eigenlijk zeker – dat ze niet had geholpen toen Cora haar echt nodig had, met die toestand met de baby. Niet dat Betty niet had meegeleefd, niet op een bepaalde manier had geprobeerd om voor Cora op te komen tegen moeder, maar diep vanbinnen wist ze dat ze niet genoeg had gedaan. Pas later, toen ze wist dat ze zelf nooit een kind zou krijgen, toen ze begon in te zien hoe het voor Cora moest zijn geweest op zestienjarige leeftijd, gedomineerd door anderen, uitgescholden, berispt, omgepraat, overgehaald, bedreigd, tot ze uiteindelijk had ingestemd om de baby af te staan. En toen was Betty niet bij haar geweest, had ze niet echt moeite gedaan om bij haar te zijn. Cora was naar Scarborough gegaan en had een baan als kamermeisje genomen in een hotel, en Betty had niet geprobeerd haar te volgen, haar te zien. Drie jaar lang niet. Niet tot Cora schreef en haar vertelde dat ze een avondcursus pottenbakken volgde en zich beter begon te voelen.

Dat alles had Betty jaren dwarsgezeten. Daardoor had ze Cora nooit gevraagd om haar met moeder te helpen en ze had nooit enige wrok gevoeld. Ze deed juist haar best om moeder weg te houden van Cora, en als moeder weer een van haar tirades over Cora begon, gebaseerd op haar overtuiging dat iemand die buiten het huwelijk zwanger raakt een ziekelijke geest heeft, weigerde Betty te luisteren. Ze kon moeder niet het zwijgen opleggen, maar Betty kon wel de kamer uitgaan, en dat deed ze ook. Soms smeet ze de deur achter zich dicht. Naarmate de tijd verstreek, werd duidelijk wat moeder dwarszat, namelijk dat haar dochter om de een of andere reden er niet in was geslaagd haar een kleinkind te schenken. Als Betty schreeuwde dat ze genoeg had van dit soort kletspraat, schreeuwde moeder terug: 'Meisjes horen braaf te zijn, vrouwen horen echtgenotes te zijn, en echtgenotes horen moeder te zijn!' en dan kon Betty haar wel slaan.

En zo kwam Cora, schuchter en dankbaar, naar Balmoral. Ze hing Indiase spreien aan de naar gebakken spek ruikende muren en maakte een altaar in een hoekje met wierookstokjes en een theelichtje en een afgodsbeeld die met gesloten ogen in kleermakerszit zat. Ze bracht ook voorwerpen mee die Betty moeilijk te accepteren vond, oranje lakens, een Mexicaans kleed in felle kleuren, vreemde lampen die ze zelf had gemaakt van stukken drijfhout of auto onderdelen, en naaktschilderijen.

'Kiezen op elkaar,' zei Don. 'Geen woord.'

Hij was de laatste tijd erg vermagerd, vooral in zijn gezicht, afgemat door jaren voortdurende pijn.

'Die wierookstokjes...'

'Beter dan alcohol,' zei Don. 'Beter dan drugs. En ze is rustig. Je merkt vaak amper dat ze er is.'

Ze was inderdaad rustig. Ze draaide geen muziek in haar bizar ingerichte kamer, en als ze haar televisie al aanzette – je kon het scherm met je hand bedekken, zo klein was het – moest ze het geluid bijna uit hebben gezet. Als Betty binnenkwam – ze klopte altijd eerst op de deur, familie of geen familie – dan zat Cora iets te borduren met wol in primaire kleuren, of ze maakte pentekeningen (die Betty niet mooi vond) of ze zat te lezen in haar bed onder een gestreepte deken waarvan alleen al de aanblik je hoofdpijn bezorgde. Als ze wegging om haar cursussen te geven of les op scholen voor kinderen met leerproblemen, hoorde Betty haar bijna nooit vertrekken. Soms hoorde ze de voordeur opengaan, maar meestal was ze zich er alleen maar van bewust, met dat speciale instinct dat moeders volgens haar hadden, dat Cora weg was. Ze zat bij hen aan tafel tijdens het avondeten, maar dat kwam alleen omdat Betty had gezegd dat ze minstens één fatsoenlijke maaltijd per dag moest hebben, en eens per maand liet Don haar aan de keukentafel haar boekhouding doornemen. Hij had haar een rekeningenboek laten kopen en lijsten van inkomsten en uitgaven laten maken, en elke maand legde hij heel geduldig aan haar uit dat meer uitgeven dan je inkomsten had inhield dat je schulden maakte. Cora wilde maar wat graag al haar inkomsten aan hem geven en een soort zakgeld van hem krijgen, maar dat stond hij niet toe.

'Ik ben hier niet eeuwig,' zei Don. 'Ik kan niet steeds voor jou denken.'

'Ze is net een kind,' zei hij naderhand tegen Betty. 'Wat geld betreft kan een slim kind van vijf jaar er nog beter mee uit de voeten.'

'Maar ze is intelligent,' zei Betty, denkend aan de boeken in Cora's kamer, de manier waarop ze dingen kon bedenken en tot uiting brengen, haar talent om uit te leggen hoe je je handen kon gebruiken om een pot te vormen, een knoopsgat te naaien.

'Maar niet wat cijfers betreft,' zei Don. 'En die heb je altijd nodig.'

In bepaalde opzichten beschouwde Betty Cora inderdaad nog als een kind, als iemand van wie je niet kon verwachten dat die het leven van een volwassene aankon. En misschien was er lang geleden iets gebeurd, in dat traumatische jaar toen ze zestien was, dat haar ontwikkeling had geblokkeerd, waardoor ze op een bepaald niveau niet langer in staat was om zich te ontwikkelen, of zich niet verder wilde wagen in een wereld vol verwachting en gevoel, die alleen maar nog meer pijn kon brengen. Ze had bijvoorbeeld nooit echte relaties gehad, geen vriendjes, zelfs niet de mannelijke metgezellen die sommige vriendinnen van Betty hadden, die hen vergezelden naar de pub of bingo, of op uitjes met de bus, en verder geen eisen stelden. Niet dat Cora iets tegen mannen had, maar meestal leek het of ze hen niet zag, laat staan dat ze hen nodig had. Soms merkte Betty dat een van haar gasten peinzend naar Cora keek, verbaasd maar ook benieuwd door haar onverschilligheid, haar vervaagde maar nog steeds duidelijke aantrekkelijkheid. Dan wilde ze zeggen: 'Laat haar met rust. Je maakt haar anders alleen maar van streek.' En dat zou ook gebeuren, als ze aandrongen. Betty wilde niet dat Cora ooit nog van streek zou raken, en zolang ze Cora veilig bij zich had tussen haar godenbeeldjes en dekens, in het kamertje naast de keuken, dan zou ze er wel voor zorgen dat het nooit zou gebeuren.

Cora zat in de wachtkamer van de huisarts. Het was een nieuwe wachtkamer, aangebouwd aan de voormalige praktijkruimte, geverfd in valse, kinderlijk vrolijke kleuren, en vol posters over voeding en seksueel overdraagbare ziekten. Cora keek er niet naar. Eten interesseerde haar niet en seks, dat haar tot het dieptepunt van haar leven had gebracht, was iets waaraan ze niet eens wilde denken. Waarom zou ze? Tenslotte deden nonnen dat blijkbaar ook niet, en zij gingen er toch ook niet aan dood?

Ze verlegde haar handen op haar schoot. Haar handen waren de reden waarom ze hier was, haar handen en armen en nu, als ze eerlijk was, ook haar heupen en knieën. Haar vader had tenslotte artritis gehad, hij was er bijna invalide door geworden. Zijn handen hadden wel een kloppende bundel wortels geleken. Cora kende dat kloppende gevoel. Soms deden de botten en gewrichten in haar handen 's nachts zo'n pijn dat ze ze het liefst uit haar huid had willen halen en ze op het Mexicaanse kleed leggen opdat ze daar, ver van haar vandaan, in hun eentje pijn konden lijden. Ze wilde er niet aan denken wat ze moest als haar handen te stijf en te pijnlijk werden om er nog iets mee te kunnen doen. Ze keek ernaar. Ze zagen er heel normaal uit, maar ze hoorden bij iemand van in de vijftig, en haar vader had al op jongere leeftijd last van artritis gekregen. Maar haar vader was mijnwerker geweest, en het werk al die jaren diep onder de grond moest wel een van de onnatuurlijkste manieren zijn om je leven te slijten, en een die het meest van je lijf vergde. Daar zou hij het mee eens zijn geweest. Hij vond altijd dat zijn artritis een straf was omdat hij zijn vader had gehoorzaamd toen die wilde dat hij in de mijnen ging werken in plaats van op het land, wat hij graag had gewild. Pa was heel puriteins, hij zag alles altijd als een straf. Cora keek naar haar handen. Misschien was haar artritis ook een straf.

Ze keek op de klok. Ze had al twintig minuten geleden aan de beurt moeten zijn, en er zaten nog steeds mensen in de wachtkamer die er al waren toen ze binnenkwam. Ze pakte het dichtstbijzijnde tijdschrift van het tafeltje, een beduimeld exemplaar van de vele vrouwenbladen die hun lezeressen wilden overtuigen dat ze eigenlijk heel diepgaand waren, ondanks de nadruk op wenkbrauwvormen en seks. Cora bladerde er even door. Meisjes staarden haar aan, volmaakte meisjes in onmogelijke houdingen, meisjes die je nooit op straat zag of in de supermarkt. Cora zuchtte. Er was een artikel over seksueel prikkelend eten, verleidelijke verlichting, vakantieweekends met de nadruk op romantiek. Cora dacht dat ze nog liever in het niets wilde kijken dan verder bladeren. Ze sloeg nog een bladzij om.

'Ruwweg ingeschat,' stond er in grote zwarte letters, 'heeft één op de vijfentwintig vrouwen een kind ter adoptie afgestaan.'

'Denk eens na,' vervolgde het artikel in minder opvallende letters. 'Denk eens na. We kennen geen woord voor de moeder die haar kind ter adoptie afstaat, nietwaar? Komt dat omdat we van haar verwachten dat ze in het niets verdwijnt? Zo is het niet altijd geweest. Tenslotte vond men in de Middeleeuwen niets vreemds aan onwettige kinderen. Door het kapitalisme is het kind afhankelijk geworden, een verplichting, omdat het zichzelf niet kon onderhouden. Dat is alles! Dus wat is er verkeerd gegaan?'

Cora sloeg het tijdschrift dicht. Haar mond voelde droog aan. Ze kon nu, op de omslag, in paarse hoofdletters de woorden DE ONGEHUWDE MOEDER? – DELFT ALTIJD HET ONDERSPIT! lezen. Ze legde het tijdschrift zorgvuldig terug op de stapel waarvan ze het had gepakt en stond op. Ze kon niet blijven, ze kon niet wachten. Op dit moment deed het er niet toe hoeveel pijn ze had aan haar handen. Al zouden ze gewoon van haar armen vallen.

Ze vond een bank in het park waarop gelukkig niemand al humeurig onderuitgezakt zat. Northsea Park, aangelegd door mensen uit de Victoriaanse tijd die het welzijn van de burgers voor ogen hadden, bevond zich op een hoog gedeelte boven het laaggelegen deel van de stad, waardoor je uitzicht had op de grauwe zee boven de oneffen rijen natte leien daken uit, en een gezonde dosis zeelucht kon inademen. De zeewind had de meeste zorgvuldig geplante bomen tegen de helling geblazen, zodat het leek of ze die moeizaam probeerden te beklimmen, en waardoor ze geen beschutting meer boden aan de bankjes die attent voor de bomen waren neergezet.

Cora ging zitten en dook weg in haar jas. Echt iets voor haar om uitgerekend dat tijdschrift te pakken, echt iets voor haar om net een bladzij te veel van al die onzin te bekijken. Haar leven was er zo op gericht geweest om te zorgen dat dit soort ongelukken haar niet overkwam, dat ze niet in situaties verzeild raakte waar ze herinnerd zou worden aan iets waaraan ze gewoon niet kón denken. Op haar werk was eens een collega geweest, een vrouw die was afgestudeerd in maatschappijwetenschappen en die lesgaf in staatsburgerschap, die er steeds op aandrong dat Cora haar hart zou uitstorten, aan elk woord en elke daad uit die donkere tijd zou terugdenken, zodat ze meer kon doen dan alleen maar de jaren door zien te komen, dat ze weer echt kon gaan leven.

'Ontkenning,' zei ze tegen Cora, 'is alleen maar een manier om in stand te blijven, meer niet. Geloof me.'

Maar Cora ontkende niets. Cora was op een privé-plek, waar alle dingen waarvan ze wist dat ze waren gebeurd, die ze had gevoeld, die waren gezegd, veilig opgeborgen waren en niet blootgesteld aan nieuwsgierige blikken, zoals spullen op een rommelmarkt. Het was heel pijnlijk om terug te gaan naar die privé-plek – privé, niet geheim – waar al die herinneringen lagen opgeslagen, en daarom had Cora ervoor gekozen om dat zo weinig mogelijk te doen, maar dat hield niet in dat ze deed of wat er was gebeurd, niet was voorgevallen. Helemaal niet zelfs. Ze ontkende niets, zei ze ten slotte tegen de lerares staatsburgerschap met de energie waarmee Cora nog het meeste kwaadheid benaderde (want ze werd nooit echt kwaad), maar ze bewaakte iets en daar had ze het volste recht toe. Want het was van haar en het was kostbaar, hoeveel hartzeer ze er ook door had. En, voegde ze er nog aan toe, haar persoonlijke groei was haar zaak, en als ze ervoor koos om niet verder te groeien, dan was dat nog alleen maar haar zaak.

'Jij hebt mijn leven niet geleefd,' zei Cora. 'Niemand heeft dat gedaan, alleen ik.'

Maar, dacht ze nu, weggedoken in de kraag van haar jas en over de grauwe daken kijkend naar de lichtergrijze zee en de lucht en de cirkelende zeemeeuwen, je kon het de vrouw niet kwalijk nemen dat ze het had geprobeerd. Tenslotte gaf ze les in staatsburgerschap. Ze was gericht op het gemeenschappelijke, op het collectief. Ze was niet de persoon om te begrijpen hoe veilig het was om je leven in je eentje te leiden, zonder manipulatie of ontwrichting. Eerlijk gezegd had Cora zich altijd zo gevoeld – apart, ingehouden – ook vóór de baby en al die verschrikkingen. Misschien was dat de reden dat ze zich door Craig Thomas had laten meenemen naar dat feest waar ze iets in haar cider hadden gedaan, en waar de zeeman was. Misschien had ze ergens gedacht dat ze onaantastbaar was, dat ze diep genoeg in zichzelf zat opgesloten om veilig te zijn voor de cider en de zeeman. Toen moeder, tussen alle andere beschuldigingen door, tegen haar had geschreeuwd dat ze zo'n slet was dat ze de naam van de zeeman niet eens kende, had het voor Cora geleken of dit gewoon een onderdeel was van haar patroon, van het feit dat ze niet hoorde – niet hoefde te horen – bij een wereld waar alles een naam en een etiket moest hebben. Waarom was het zo belangrijk om iemands naam te kennen als je je amper kon herinneren wat hij met je had gedaan? Of, om eerlijk te zijn, en dat wilde Cora vanwege de baby die erna kwam, wat je samen had gedaan? Cora had de zeeman nooit de schuld gegeven, dat had ze nooit gewild, en ze had ook nooit Craig Thomas of de cider waar ze iets in hadden gedaan de schuld gegeven. Als ze dat had gedaan, zou de baby het immers geweten hebben? Ze wist zeker dat de baby dan had geweten dat ze niet gewenst was, en dat wilde Cora niet. O, nee. Cora was daar altijd heel duidelijk over geweest. Ze had die baby gewild vanaf het moment dat ze wist dat ze zwanger was, en dat was nooit veranderd. Nooit.

Het waren de andere dingen die minder duidelijk waren, dingen die waren gebeurd na de geboorte van de baby, dingen die waren gezegd, dingen die ze te horen kreeg. Ze herinnerde zich hoe ze allemaal op haar ingepraat hadden, maatschappelijk werksters, de mensen van het adoptiebureau, haar ouders, en ze zeiden dat, als ze zo egoïstisch was om de baby te houden, zou blijken dat ze onvolwassen was en niet in staat om een goede moeder te zijn. Toen ze zei dat ze met de nodige steun de baby kon opvoeden en zelfs haar opleiding afmaken, zeiden ze dat haar gevoelens niet meer belangrijk waren, dat ze het in dat opzicht had verbruid met haar zedeloze gedrag. Toen ze opmerkte dat ze gewoon pech had gehad, want hoe zat het dan met die duizenden vrouwen die seks buiten het huwelijk hadden en niet zwanger werden, zeiden ze dat, als ze geen aantekening over haar geestelijke gesteldheid wilde, ze maar beter kon accepteren dat er een prima oplossing was, adoptie, die haar baby de kansen zou bieden die zij, omdat ze ongehuwd en veel te jong was, arm en afkomstig uit de arbeidersklasse, het kind nooit zou kunnen geven. Wilde ze zo gemeen zijn? Wilde ze zo slecht zijn?

'Als je echt van die baby houdt,' zei de maatschappelijk werkster, die daar zat met moeder naast haar, hun ogen leken wel zwarte kralen, 'dan sta je haar af opdat ze een écht thuis en ouders kan krijgen.'

Cora gaf zich gewonnen. Ze was uitgeput, ze had niets meer om mee te vechten, ze was machteloos. Achteraf besefte ze dat er niet eens iemand was geweest met wie ze de mogelijkheden had kunnen bespreken, zelfs Betty niet, hoewel ze moeder en Betty in de keuken als viswijven tegen elkaar had horen schreeuwen, en pa ging naar de pub waar hij geen vrouwenpraat hoefde aan te horen. Alleen in haar slaapkamer, in ongenade, schuldig bevonden, besmeurd, gebroken, hield Cora zichzelf voor dat niets ooit nog zoveel pijn zou doen, dat om in leven te blijven voor... Samantha (alleen haar naam fluisteren als je alleen bent), ook al zou ze haar nooit meer zien, ze zo moest leven dat ze nooit meer hoefde terug te vallen in die kolkende ellende, waar anderen haar konden vertellen wat ze moest doen.

Het begon koud te worden. Cora's handen, verstrakt van de spanning in de zakken van haar jas, begonnen stijf te worden en pijnlijk te kloppen. Iemand op het werk had gezegd dat ze geen kaas en chocola meer moest eten. Iemand anders zei dat ze mosselextract moest proberen. Het kwam uit Nieuw-Zeeland of daar ergens vandaan, en je kon het kopen in de reformwinkel achter de boulevard. Het klonk walgelijk. Cora stond op en strekte pijnlijk haar vingers. Ze zou een nieuwe afspraak maken bij de dokter, ze zou even langsgaan op weg naar huis en meteen een nieuwe afspraak maken. Wat stelde artritis eigenlijk voor, vergeleken bij het andere? Hoe kon lichamelijke pijn, hoe erg ook, ooit heviger zijn dan de pijn in je geest en in je hart? Hoewel Cora die pijn niet zou willen missen. Als die ooit wegging, als ze in haar geest en hart rustig werd, dan zou ze bang zijn dat haar liefde was verdwenen, en juist daar moest ze niet aan denken.

'Ze krijgt nooit brieven,' zei Betty. Ze had de envelop tegen het porseleinen huisje gezet waarin ze de suiker bewaarde, net als moeder altijd had gedaan.

Don zat de krant te lezen, de redactionele pagina waar alle venijnige artikelen hem het gevoel gaven dat hij, gematigd als hij was, er nog best mee door kon.

'Misschien krijgt ze wel een baan aangeboden.'

'In Londen?'

'Waarom niet? Waarom zouden ze in Londen geen mensen nodig hebben die lessen in pottenbakken en zo geven?'

'Niet Cora...'

Don schudde met de krant.

'Dat weet je niet.'

'Natuurlijk weet ik het niet. Maar ik betwijfel het.' Betty keek op de klok. 'Ze had al terug moeten zijn. Ze had om half drie een afspraak.'

'Dat loopt altijd uit.'

'Ik maak me zorgen,' zei Betty. 'Ze heeft vast niet gezegd hoe erg het is. Je hoeft maar naar haar te kijken om te weten hoe erg het is, maar ze zegt er nooit iets over. Ze zegt nooit hoe erg iets is.'

'Dat is dan wel zo prettig, voor de verandering,' zei Don.

Betty pakte de envelop weer.

'Niet getypt,' zei ze. 'Met de hand geschreven.'

'Een vriendje.'

'Doe niet zo raar.'

Don keek op van zijn krant.

'Betty,' zei hij. 'Wat er ook in staat, de brief is voor Cora, en daar valt niets aan te veranderen, goed?'

10

Polly had besloten dat als haar oom David kwam, zoals haar moeder had gezegd, ze op zijn knie zou gaan zitten. Daar had ze de laatste tijd een gewoonte van gemaakt bij alle mannen die in huis kwamen: Titus van papa's kantoor, opa Ray van de Royal Oak, zelfs haar vader als het leek of hij aandacht aan haar moeder wilde besteden. Dan klom ze op hun schoot en eiste hun aandacht op. Haar oom David zei altijd dat hij het leuk vond als ze op zijn knie kwam zitten. Hij zei dat Ellen er nu te groot voor was, Petey te ongedurig en Daniel was een grote jongen, dus bleef alleen Polly over. Polly, veilig in zijn arm, kon dan koel haar moeder gadeslaan met een blik die Nathalie ervan overtuigde dat ze als moeder op dit moment tekortschoot.

'Wat word je zwaar,' zei David.

Hij droeg een groene trui, en de mouw rond Polly was bezaaid met stukjes van takken en gras die in de wol waren blijven hangen. Polly begon er heel geconcentreerd wat van uit te trekken. Nathalie, aan de andere kant van de keukentafel, had een uitdrukking op haar gezicht die meestal werd gevolgd door het verzoek of Polly even in haar kamer wilde gaan spelen. Polly wilde niet in haar kamer spelen. Er hing een bepaalde sfeer in de keuken, en David was er, en haar moeder had wijn ingeschonken ook al was het nog niet eens donker – volwassen drankjes hoorden volgens Polly pas ingeschonken te worden als zij naar bed was – en daardoor wilde Polly niet weg, ze wilde niet buitengesloten worden van wat er misschien ging gebeuren. Als haar moeder keek zoals nu, alsof er iets in haar was dat popelde om uit te barsten, dan was Polly niet van plan om die uitbarsting te missen. Ze begon de stukjes tak uit de mouw van haar oom heel netjes op de tafel op te stapelen.

'Polly,' zei Nathalie, terwijl ze zich over de tafel boog, 'wil jij een poosje met je barbies gaan spelen?'

'Nee,' zei Polly beleefd. Ze balanceerde een veertje op haar stapeltje.

'Polly...'

'Ik zit zo lekker,' zei Polly, terwijl ze zich over Davids mouw boog om heel aandachtig een grassprietje te bestuderen.

'Polly,' zei Nathalie op heel effen toon, 'ik wil dat je vijf minuten in je kamer gaat spelen. Daarna mag je terugkomen en dan krijg je een zakje van de chips die je zo lekker vindt.'

'Of,' zei Polly, 'ik krijg ze nu. Hier.'

Davids arm verschoof. Zijn greep verslapte. Ze voelde zijn mond over haar haar glijden naar het oor dat niet zo goed kon horen.

'Polly...'

Haar blik ging naar opzij.

'Mmm?'

'Doe wat je wordt gevraagd,' zei Davids stem bij haar oor.

Ze begon te wriemelen. Ze stak haar onderlip uit en liet haar hoofd hangen. Het drong tot haar door dat ze misschien ging huilen omdat ze het verloren had, omdat ze haar oom David niet boos wilde maken. Ze snoof.

'Grote meid,' zei David.

Ze voelde zijn arm nog verder wegglijden en toen waren zijn handen onder haar armen. Voor ze het wist, stond ze op de grond. Ze leunde tegen David en duwde haar gezicht tegen zijn mouw.

'Vijf minuutjes, Poll...'

Ze trok haar hoofd weg en stormde de keuken uit. Ze gooide de deur zo hard dicht dat de wijn in de glazen golfde.

'Polly hoef je niets wijs te maken,' zei Nathalie. 'Ze weet dat er iets aan de hand is.'

'Ze heeft gelijk.'

'Ik kan het alleen nog niet uitleggen van die extra oma. Niet tot ik het zelf een beetje heb verwerkt.'

David schoof zijn wijnglas iets opzij.

'Het gaat toch niet om een extra oma...'

'Wel waar!'

'Nee, Nat. Nog niet. Het gaat over moeders.'

Nathalie fluisterde: 'Dat weet ik. Dat weet ik heus wel.'
David verschoof zijn glas weer.
Ze zei aarzelend: 'Ik vind het eigenlijk wel spannend. Ik had niet gedacht dat ik er zo over zou denken...'
'En je vindt het ook eng.'
Hij keek naar haar.
'Ja.'
Ze zei: 'Ik moet steeds denken aan dat gezegde, dat je moet uitkijken voor wat je wenst omdat je het misschien nog krijgt ook.'
Hij stak zijn hand naar haar uit over de tafel.
'Laat me nu niet in de steek, Nat.'
Ze glimlachte.
'Ik peins er niet over.'
Hij zei met verwondering: 'Ze heet Carole. Ik wist niet eens hoe ze heette.'
'Maar ze kende jouw naam wel.'
Hij glimlachte, een innerlijke, verheugde glimlach.
'Die heeft zij me gegeven.'
Nathalie legde haar hand op die van hem.
'Ja,' zei ze. 'Dat heeft ze gedaan.'
'En ze woont in Londen, in een dure flat. En... ik heb twee broers. Twee broers...'
'Die kunnen een zus niet vervangen.'
Hij draaide zijn hand om en pakte die van haar beet.
'Nóóit.'
Nathalie zei: 'Cora is nooit getrouwd.'
'Ben je daar blij om?'
Ze knikte. Er kwam een lichte blos op haar gezicht.
'Ja. Ja, dat ben ik. En zij had een eigen naam voor mij.'
Hij kneep even in haar hand.
Hij zei: 'Samantha.'
'Mam noemde me Nathalie. Naar haar overleden zus.'
'Maar dat is toch lief...'
'Ja. Ja, maar het is fijn om te weten dat we belangrijk genoeg waren...'
'Natuurlijk waren we belangrijk!'
Ze wierp hem een scherpe blik toe.

'Zo dacht je er anders eerst niet over.'
Hij glimlachte weer.
'Toen wist ik toch nog niets van Carole?'
Ze trok zachtjes haar hand weg.
'Laat je niet meeslepen.'
'Ik vind het wel leuk...'
'Dave, de volgende stap is misschien veel moeilijker.'
'Teleurstellend?'
'Misschien.'
'Dat denk ik niet,' zei David. 'Ik vind het opwindend.'
'Tot nu toe,' zei Nathalie voorzichtig, 'is het gemakkelijk geweest. En wij hebben niets hoeven doen.'
David pakte zijn glas en hield het op zodat het licht door de wijn scheen.
'Ik heb een moeder van negenenvijftig die directeur van een bedrijf is geweest!'
De deur vloog open. Daar stond Polly, in haar pyjama en met een uitdagend gezicht.
'Lieve help, Poll, is het al bedtijd?'
Ze keek nijdig.
'Waar hadden jullie het over?'
David glimlachte naar haar. Hij ging iets opzij zitten en klopte op zijn knie.
'Over moeders.'
Polly kwam naar hem toe en liet zich op zijn schoot tillen.
Ze zei achteloos: 'Die wil ik niet.'
'Nee?'
Polly wierp Nathalie een boze blik toe.
'Niet lachen!'
'Waarom niet?'
'Het is onbeleefd,' zei Polly. 'Het is onbeleefd om te lachen als er geen grapje is.'
David zei: 'Maar jij bent toch grappig?'
Daar dacht ze over na. Ze keek weer naar haar moeder.
'Jij bent onbeleefd omdat je lacht.'
'Ik ben blij,' zei Nathalie.
Polly sloeg haar ogen naar het plafond.

'Mag ik niet lachen als ik blij ben?' vroeg Nathalie. 'Mogen we niet allebei lachen?'
'Ik lach niet,' zei Polly ijzig. Ze wees naar haar mond. 'Kijk maar.'
'Nee, schat, niet jij. David en ik. We lachen omdat we blij zijn.' Ze wierp hem een blik toe over de tafel. 'Ja toch?'
'Nou en of,' zei hij.

Steve had geprobeerd zijn schoonmoeder over te halen om koffie te blijven drinken na de lunch.
'Nee,' had Lynne gezegd terwijl ze haar tassen en sjaal pakte. 'Nee, dank je. Ik heb al te veel van je tijd in beslag genomen.'
'Dat is niet waar,' zei Steve geduldig. 'Ik vond het leuk. Ik ben blij dat je hebt gebeld.'
Ze wendde haar blik af.
'Het vergde wel wat moed...'
'Om je eigen schoonzoon te bellen en te vragen of we konden lunchen?'
'Je hebt het zo druk.'
'Niet zó druk,' zei Steve. 'En al helemaal niet nu we in hetzelfde schuitje zitten.'
Toen had ze haar tassen weer neergezet.
'Is dat dan zo?'
'Wordt ons,' zei Steve, 'niet het gevoel opgedrongen dat we hebben gefaald op punten waarvan we dachten dat we het goed hadden gedaan?'
Ze keek hem aan. Hij keek terug naar haar gezicht, naar de ietwat smekende uitdrukking in haar ogen die vroeger zo aantrekkelijk moest zijn geweest voor Ralph, als de ogen van een jong hert.
'Ik heb altijd het idee gehad dat mensen wel medelijden met me moesten hebben,' zei Lynne. 'Omdat ik geen kinderen kon krijgen. En ik haatte het, ik haatte dat medelijden. En ik wil dat niet nog eens meemaken, dat vertik ik.'
'Niemand kan wegnemen wat jij hebt gedaan, wat ik heb gedaan...'
Lynne liet haar blik zakken naar de restanten van haar kipsalade.
'Het ging er niet alleen om dat ik een baby wilde,' zei ze. 'Niet

alleen dat ik daar naar bleef verlangen. Ik was ook bang voor de toekomst. Ik was bang dat mijn privé-leven zou uitdunnen zonder kinderen, zonder kleinkinderen, tot er niets meer van over was en ik zou achterblijven met alleen dat verlangen.' Ze zweeg even, haalde diep adem en zei toen: 'Het is zo afschuwelijk, dat verlangen.'

Steve legde even een hand op de hare.

'Maar je hébt kinderen. En kleinkinderen. Die heb je allemaal.'

Lynne maakte weer aanstalten om op te staan.

'Niet met dit alles. Niet met al deze... ontdekkingen. Ik heb het gevoel...' Ze zweeg weer.

'Wat?'

'Ik heb het gevoel dat ik van de goeie de slechte ben geworden.'

'Lynne...'

'Nathalie zei tegen me dat dit mijn zaken niet zijn.'

Steve zei, bijna bitter: 'Ik weet niet of je er iets aan hebt, maar dat heeft ze mij ook heel duidelijk gemaakt.'

'Dat bedoel je dus met in hetzelfde schuitje zitten.'

'Ja.'

Lynne stond uiteindelijk op en probeerde haar spullen weer bijeen te rapen.

'Ralph zegt dat ik alleen maar kan wachten. Hij zegt altijd dat soort dingen. Leg Ralph een probleem voor, en hij zegt: de enige manier om het achter je te laten is erdoorheen gaan. Ik word gek van dat soort opmerkingen.'

'Hij is niet hetzelfde als jij. Of als ik. Misschien heeft hij minder last van zijn emoties.'

Ze glimlachte even.

'Inderdaad.'

Steve stond ook op.

'Hou je goed.'

Ze gaf even een kus op zijn wang.

'Dank je, lieverd. Dank je dat je hebt geluisterd. Het... niet dat Ralph het niet begrijpt...'

'Nee.'

Ze deed een stap naar de deur.

'Doe de groeten aan Nathalie. En geef Polly een kus van me.'

'Zal ik doen.'

Hij keek haar na toen ze wegging, met haar tassen stotend tegen andere tafels en stoelen. Ze was net iemand die een triest, naar geheim had dat jarenlang was vergeten, maar nu in al zijn ellende weer naar boven was gekomen. Steve had haar altijd als een kwetsbare persoon beschouwd, iemand die je voorzichtig moest behandelen, maar vandaag zag haar rug er verslagen uit, alsof een lange, dappere strijd uiteindelijk op niets was uitgelopen. Hij zuchtte. Hij kon niets anders voor haar doen dan meeleven, hij kon niets doen om Nathalie aan haar terug te geven als háár kind en van niemand anders.

'Wees niet egoïstisch,' had zijn eigen moeder tegen hem gezegd. 'Ga je niet gedragen zoals je vader door over mensen heen te lopen. We zijn allemaal van slag door wat Nathalie aan het doen is, maar ik heb mijn eigen kinderen, net als jij, en Lynne niet. Vergeet dat niet.'

Steve bleef bij de kassa staan om de rekening te betalen. Het meisje dat hem zijn wisselgeld teruggaf, had een lieveheersbeestje op haar jukbeen laten tatoeëren, dun, blond haar dat zo kort was dat het als een laagje poedersuiker op haar schedel lag. Steve had kort haar eigenlijk nooit leuk gevonden bij meisjes, altijd de voorkeur gegeven aan de weelderigheid van bijvoorbeeld Nathalies haar, maar de laatste tijd begon hij iets aantrekkelijks te zien in kort haar, bijna iets uitdagends. Steve grinnikte. Hij stopte drie munten van een pond in de plastic pot naast de kassa waarop in slordige letters was geschreven: FOOIEN. DANK U!

'Tot ziens,' zei Steve tegen het meisje en hij ging naar buiten.

Justine kon zien dat Titus poppetjes zat te tekenen. In plaats van aandachtig voorovergebogen voor zijn scherm te zitten, hing hij onderuit met een hand in zijn zak en de andere op het bureau uitgestrekt, de achteloze bewegingen makend die mensen die goed kunnen tekenen maken als ze hun best niet doen. Het leek ook of hij zat te mokken, niet omdat ze zijn gezicht kon zien, maar omdat zijn hele houding humeurigheid uitstraalde, nijdig onderuitgezakt, een stuurse nek en schouders.

Ze keek om zich heen door het kantoor. Steve was nog niet terug van de lunch, en Meera zat facturen uit te pluizen met een concentratie die haar bijna bovennatuurlijk deed lijken. Ze stond op, streek haar haar in de nek glad en hoopte dat het in leuke piekjes lag en niet kinderachtig opkrulde, zoals het vaak deed sinds ze het had laten knippen. Ze trok haar spijkerbroek een centimeter naar omlaag zodat de ring in haar blote navel te zien was, en slenterde naar Titus.

'Het lijkt net of ik met het licht uit moet proberen te werken,' zei ze. 'Met dat humeur van jou.'

Titus was een olifant aan het tekenen met een lange slurf en oren als vleugels.

'Sorry.'

Justine ging met één been op de hoek van zijn bureau zitten.

'Wat is er?'

Titus slaakte een lange, verveelde zucht.

'Ik heb gewoon het gevoel dat nergens meer energie in zit...'

Justine zwaaide met haar been.

'Dat heeft iedereen weleens.'

'Ik niet,' zei Titus. 'Ik heb bij wijze van spreken de energie uitgevonden!'

'Eigenlijk,' zei Justine, 'kan ik me geen slome kleine man voorstellen.'

'Ik ben niet klein.'

'Nee?'

'Nee. Kort, maar niet kléín.'

Ze grinnikte.

'Nee. Dat ben je niet.'

'Ik ben kort,' zei Titus, 'en breed. En het zit me tot híér.'

'Wat?'

'Alles.'

'Zoals Sasha, bedoel je.'

Titus gooide zijn potlood zo, dat het in een boog wegvloog en keurig in Steves prullenbak belandde.

'Waarom denken meisjes altijd dat het met liefde te maken heeft?'

'Omdat,' zei Justine, 'het meestal zo is.'

'En de sfeer in dit kantoor dan? Steve, die de hele tijd een rothumeur heeft zodat we allemaal op onze tenen moeten lopen voor het geval dat we op de ontsteking trappen en de verdoemenis in worden geblazen?'

Justine boog zich naar hem toe.

'Je hoeft het niet op mij af te reageren, hoor.'

'Nee,' zei hij.

'Doe het dan ook niet.'

Titus pakte een ander potlood en begon zijn olifant van engelenvleugels te voorzien.

'Waarom moet Sasha zo geobsedeerd zijn door dat adoptiegedoe van Nathalie? Waarom denkt ze dat zij de enige persoon is met wie Steve kan praten?'

'Misschien komt het door die scriptie...'

'We hoeven toch niet allemaal te leven volgens een scriptie? Scriptie is werk, leven is een spel. Steve krijgt een kink in zijn perfecte werk-spelevenwicht en we moeten er allemaal onder lijden. Wat een vervloekte regelneef is hij toch.'

'Je hoeft toch niet voor je te laten regelen...'

Titus keek naar haar. Hij keek naar haar door spijkerstof omsloten dijbeen op het bureau, naar de reep huid tussen haar spijkerbroek en haar topje, waar de navelring glinsterde, naar de ritssluiting in haar topje die tot haar kin reikte, die er anders uit leek te zien nu ze kort haar had.

'Ik vind het leuk om vrolijk te zijn,' zei Titus met zijn blik op haar kin gericht. 'Ik hoor me ook vrolijk te voelen, zo zit ik in elkaar, en als ik dat niet ben, word ik niet goed.'

Justine wachtte even, en toen zei ze: 'Wat ben jij toch een zak.'

'Dat is een jongenswoord.'

'Je bent toch een jongen?'

'Jij niet. Dat is een woord dat jongens gebruiken.'

'Je bent niet alleen een zak,' zei Justine, 'maar een zielige, achterhaalde, rijkeluiszak.'

Hij grinnikte naar haar.

'Ik hou wel van schelden. Dat vrolijkt me op. Ga door.'

'Ik kan veel hebben,' zei Justine, 'maar ik kan zelfmedelijden niet uitstaan.'

Titus wees met het potlood naar haar en deed één oog dicht.

'Ik ben het ook zat.'

Vanaf haar bureau riep Meera liefjes: 'Horen jullie niet te werken?'
Titus draaide zich om in zijn stoel.
'Kop dicht, Indiaas schatje van me.'
'Wat jammer,' zei Meera, haar blik nog steeds op haar werk gericht, 'dat een dure Engelse opleiding zo verspild blijkt te zijn.'
'Daar gaat het juist om,' zei Titus. 'Dom zwartje van me.'
Justine stond op.
'Ik snap niet hoe ze het met je uithoudt. Hoe íémand het überhaupt met je uithoudt.'
'Geldt dat ook voor jou?'
'Jazeker.'
Titus draaide zijn kruk weer terug en boog zich voorover. Hij keek op naar Justine.
'Door jou voel ik me stukken beter.'
Ze zei niets. Haar hand ging naar haar nek.
'Ga iets met me drinken,' zei Titus. 'Of wil je liever een mooie bos bloemen?'
Justine wierp een blik op Meera. Ze had haar koptelefoon weer opgezet en zat een gedicteerde brief te typen. Justine deed een stap weg van Titus en stak haar kin in de lucht. Op een zo verveeld mogelijke toon zei ze: 'Allebei.'

Uit het keukenraam kon Ellen recht door de hellende tuin naar de heg kijken met het groene hek erin naar het golfterrein. Halverwege de tuin aan de linkerkant stond een heel oude appelboom, een overblijfsel van een oude boomgaard uit de tijd dat dit deel van Westerham uitsluitend uit fruitkwekerijen had bestaan. David had een boomhut voor Ellen gebouwd toen ze zes was, met een touwladder die kon worden opgetrokken om te voorkomen dat Daniel haar volgde. Naast de touwladder, om Daniel te sussen, had David twee oude autobanden op verschillende hoogten gehangen, en in de meest linkse ervan, ineengedoken in de kleine cirkel, zat Marnie. Ze zat met haar rug naar Ellen en ze schommelde heel zachtjes. Een in een gymschoen gestoken voet duwde ritmisch tegen de kale grond eronder.
Ze zat er al heel lang. Ellen wierp een blik op de keukenklok. Het was over drieën en Petey lag bijna een uur te slapen, uitgeput door

zijn eigen woedeaanval. Hij lag op de bank in de keuken, als een lappenpop tussen de kussens. Zijn lichte haar waaierde uit en zijn mond hing een beetje open. Ellen was in een slechte bui teruggekomen van de tennisclub omdat ze door niemand daar voor de lunch was uitgenodigd, en ze had Marnie en Petey in de keuken gevonden en de vloer lag bezaaid met broccoli en spaghettirondjes. Petey schreeuwde en Marnie huilde. Niet als een volwassene, zachtjes en steeds beleefd haar neus snuitend, maar echt helemaal overstuur, met haar hoofd in haar handen en snakkend naar adem. Ellen had haar tennisracket op tafel gelegd, was voorzichtig over de rommel gestapt, had Petey van de vloer opgetild en hem tot zijn grote verbazing in de gootsteen gezet. Toen had ze een glas met water gevuld, dat aan haar moeder gegeven en Radio Een aangezet, zodat Atomic Kitten het lawaai kon overstemmen.

Dat moest nu anderhalf uur geleden zijn geweest, anderhalf uur sinds Marnie Ellen even zwijgend had omhelsd, het water had gedronken en naar buiten was gelopen, naar de autobandschommel. Ellen verwachtte dat ze daar een poosje zou zitten en dan naar het golfterrein zou gaan. Maar dat had ze niet gedaan. Ze bleef daar maar ineengedoken zachtjes zitten schommelen. Haar vlecht hing troosteloos over haar rug. Intussen had Ellen Petey, die nu zacht snikte, uit de gootsteen getild, hem naar boven gedragen, een schone luier gegeven – hij wilde nog steeds luiers dragen – hem weer naar de keuken gedragen en hem vastberaden maar niet onvriendelijk op de bank gelegd met de doek die hij als knuffel gebruikte. Al die tijd had ze geen woord tegen hem gezegd en hij, nog nahikkend, had met zijn grote, blauwe ogen naar haar gekeken alsof hij diep in zijn tweejarige hartje vol ellende wist wat ze dacht. Toen hij sliep, liep Ellen door de keuken en ging bij het raam staan.

Over drie dagen begon gelukkig de school weer. En dan bleef het veilig school in april en mei en juni, en daarna kwam Canada. In juli en augustus gingen ze gelukkig altijd naar Canada, eerst een paar weken naar Winnipeg bij oma en Lal, en daarna naar het huisje waar het zo heerlijk was, op de kriebelmuggen na. Maar ja, dat was de prijs die je voor al het andere moest betalen. Misschien ging het beter met Marnie als ze in Winnipeg was, dacht Ellen. Misschien werd ze dan weer de persoon van wie je wist dat ze niet over de rooie ging, Petey aankon, eten kookte en zorgde dat Daniel iets anders las dan Wisden. Pap zou niet naar Winnipeg komen. Misschien een week of twee naar het huisje, maar niet de hele tijd. Dat deed hij nooit, vanwege zijn werk. En misschien, omdat het blijkbaar door pap kwam dat Marnie zich gedroeg als iemand die duidelijk prozac nodig had – Ellen wist alles van prozac omdat Zadie en Fizz uit haar klas moeders hadden die prozac slikten alsof het M&M's waren – zou het goed zijn voor Marnie om een poosje uit zijn buurt te zijn. Misschien was het beter als ze allemaal een poosje uit zijn buurt waren, weg van Engeland, van de ongelijkheid in het gezin, waar sommigen volgens Ellen veel meer energie in staken dan anderen.

Persoonlijk gaf Ellen het schaken de schuld. Ze kon Daniels passie voor cricket wel begrijpen, omdat Daniel tien jaar was en een jongen, en hij moest íéts doen met die rare jongensenergie van hem, hoe vervelend het ook was. Maar met pap lag het anders. Pap was een volwassen man, een volwassen vader, en het klopte niet dat hij twee avonden per week ging schaken en dan al die uren achter de computer in zijn werkkamer ook nog eens aan het schaken was. Het was niet normaal; andere vaders deden dat niet, het was niet éérlijk. Ze had er Marnie een keer naar gevraagd en Marnie had van alles gezegd, dat Ellen niet begreep dat schaken een spel was, dat het mensen het gevoel kon geven dat ze niet machteloos waren, maar Marnie had afwezig geklonken toen ze het zei, alsof ze het zelf eigenlijk niet geloofde, alsof, ook al was het waar wat ze zei, het haar moe maakte om eraan te denken omdat het haar strijd kostte. Ellen had toen aan Zadie gevraagd, die heel goed was in IT, om met haar op internet te kijken, en ze hadden een heleboel gevonden over de psychologie van schaken, over spelers die van nature niet anarchistisch waren en hun wereld niet wilden ontwrichten maar het leven toch niet aankonden en zich ervan terugtrokken, zelfs van hun familie of gezin, in de wereld van het schaken waar altijd een oplossing was. Ellen had het niet allemaal begrepen, maar wel de strekking ervan, genoeg om het vermoeden te krijgen – argwaan zelfs – dat het schaken in de ogen van haar vader zelfs opwoog tegen zijn kinderen, dat David op een bepaalde manier de voorkeur gaf aan schaken boven zijn kinderen, omdat hij dat makkelijker vond.

Zadie vond het allemaal onzin, maar Zadies vader deed alleen maar trucjes met kaarten, dus Zadie hoefde niet op te boksen tegen een rivaal als schaken. Dat was vervelend, want over de meeste dingen kon je goed met Zadie praten. Ze had een heleboel ideeën en energie en ze liet je denken op een manier die niet eerder bij je was opgekomen. Maar al dat gedoe over schaken verveelde haar, net zoals Ellens verblijf in Canada haar verveelde omdat Canada haar niet aantrok zoals alles wat Amerikaans was.

Ellen leunde met haar ellebogen op de vensterbank en dwong zich langs Marnies langzaam schommelende gestalte te kijken, over het gazon naar de heg. Nu ze erover nadacht, schoot haar opeens te binnen dat Daniel waarschijnlijk net zoals zij dacht over hun vader en het schaken, dat het de reden was waarom hij, die dol was op sport, op wedstrijden, zo koppig bleef weigeren dat ene spel te leren wat hun vader hem zo graag wilde leren. Natuurlijk kon Ellen er niet met Daniel over praten. Je kon gewoon niets tegen Daniel zeggen behalve heel alledaagse, zakelijke dingen, maar omdat hij niet met je kon praten, wilde dat niet zeggen dat hij niets kon voelen. Een van de problemen met jongens – Ellen en Zadie en Fizz spraken daar vaak over – was juist hun onvermogen om zich te uiten, zodat ze helemaal geblokkeerd raakten en er gek van werden en dan iets kort en klein sloegen. Misschien gold dat ook voor mannen. Misschien was schaken een manier om jezelf ervan te weerhouden iets kort en klein te slaan.

Ellen zuchtte. Een diepe vermoeidheid bekroop haar, net als de vermoeidheid als je een flinke ruzie had gehad of op je kop kreeg voor iets. Ze vond het niet erg om Petey in het gareel te krijgen, want dat was eigenlijk geen enkel probleem. Maar ze wist niet of ze het nog langer aankon met Marnie, en met pap, die deed of hij zich nergens mee hoefde te bemoeien, en met Daniel die als een idioot op zijn bed de namen van de Nieuw-Zeelandse cricketteams lag op te dreunen. Dit was niet, vond ze, de manier waarop iemand van twaalf hoorde te leven, al dat onderdrukte gedoe en al die onuitgesproken dingen, en iedereen die deed of ze in een ander huis woonden in plaats van met hun vijven in een en hetzelfde huis. Maar het zag er niet naar uit dat iemand zou merken hoe oneerlijk het was, alsof iemand er iets aan zou doen, en als Ellen ergens een hekel aan had, dan was het wel aan iemand die nooit iets deed aan iets wat hij vervelend vond, maar er alleen maar over liep te zeuren.

Achter haar hoorde ze Petey bewegen. Ze draaide zich om en keek naar hem. Hij had zijn hoofd iets opgetild van de kussens en keek slaperig naar haar, met een blik die haar voldoening schonk, ondanks zijn eerdere gedrag. Hij zwaaide even met zijn knuffel.

'Vark?' zei hij hoopvol.

Ellen liep naar de bank en ging naast hem zitten. Misschien moest ze haar vader confronteren, hem vragen naar dat schaken van hem, vertellen wat het met Marnie deed. Wat het ook was. Ze prikte in Peteys buik.

'Je bent een dik varkentje.'

Hij giechelde. Ze legde haar hoofd naast dat van hem. Hij rook naar slaap en vochtige kleverigheid. Ja, dacht ze, dat zou ze doen, ze zou met haar vader praten.

'Vark!' zei Petey weer, nog steeds giechelend.

11

David parkeerde zijn auto op de gebruikelijke plek voor het huis van zijn ouders, met twee wielen op de schuine grasrand om hem van de weg te krijgen. Lynne vond het altijd vervelend als hij dat deed omdat zijn banden bij nat weer sporen achterlieten, maar Ralph vond het niet erg. Ralph, dacht David dankbaar terwijl hij uitstapte en het portier op slot deed, vond nooit iets erg als de reden ervoor praktisch was.

Hij keek over het dak van zijn auto naar de gevel van het huis, naar de metalen raamsponningen waarvan Ralph altijd zei dat hij ze alleen zou vervangen als het nodig was, naar het stenen portiek waar Lynne elke dag een krat met omgespoelde lege flessen zette voor de melkboer, naar de rijk bloeiende clematis waarvan David zich kon herinneren dat Ralph hem had geplant en er een scheut gin bij had gegoten uit een kristallen glas. 'Clematis houdt van gin,' had Ralph gezegd. 'Zelfs nog meer dan ik.'

Hij liep om de auto heen en over het gras naar het hek. Nathalie had op dat hek heen en weer gezwaaid, herinnerde hij zich, ondersteboven, zodat haar onderbroek te zien was, tot ze helemaal duizelig was. Zijn eigen versie om duizelig te worden was zijn fiets tot boven aan de steile, doodlopende straat honderd meter verderop mee te nemen en dan naar beneden te roetsjen zonder de remmen aan te raken. Jammer dat het, als je ouder werd, zo moeilijk was om die pure sensatie te ervaren, je dwong om aan uiterlijkheden te denken, met alle bijbehorende twijfels en vragen. Onwillekeurig bracht hij zijn hand naar zijn mond. Als hij nu langs Mortimer Close naar beneden roetsjte, zou hij als de dood zijn om zijn tanden te breken.

Het licht was aan in de werkplaats opzij van het huis. Ralph had die zelf gebouwd, het jaar nadat hij er met Lynne was gaan wonen, het jaar waarin ze het langdurige, langzame, nauwgezette proces begonnen om Nathalie te adopteren. Maandenlang had Ralph onder alle weersomstandigheden in zijn overall aan zijn werkplaats gebouwd, terwijl Lynne binnen gordijnen naaide en in gedachten kinderkamers inrichtte. David wist niet anders of Ralphs werkplaats was een vluchthaven geweest, een plek waar elk dilemma op te lossen leek met de draai van een schroevendraaier, het schuren van ruwe randen. Hij liep nu vlug over het gras voor het huis – misschien stond Lynne wel op de uitkijk – en opende de deur van de werkplaats.

Ralph zat aan zijn werkbank onder de felle tl-buis, met zijn bril op. Voor hem lag een handleiding open met diagrammen van de positie van een v-snaar in een automotor.

'Hallo, pap.'

Ralph glimlachte naar zijn handleiding.

'Pure afzetterij.'

'Wat?'

'Wat garages rekenen om deze dingen te repareren.'

David keek over Ralphs schouder.

'Moet je zien,' zei Ralph. 'Zo simpel als wat.'

'Alleen als je het juiste gereedschap hebt.'

'Precies,' zei Ralph. Hij stond op en zette zijn bril af. 'En zou Peugeot mij het juiste gereedschap verkopen? Nee dus.' Hij sloeg een arm om Davids schouders. 'Hoe gaat het, jongen?'

David sloeg zijn ogen neer.

'Dat weet ik eigenlijk niet.'

'En met de kinderen?'

'Hmm...'

'En Marnie?'

'Pap,' zei David. 'Het gaat op dit moment niet bepaald van een leien dakje.'

Ralph haalde zijn arm weg. Hij vouwde zijn bril op en stak die in het borstzakje van zijn overhemd.

'Vreemd dat we zo hulpeloos zijn als we ons bedreigd voelen.'

'Er is geen dreiging.'

'Het gaat niet om hoe het is, maar hoe het overkomt. En je weet niet wat dat is tot het je raakt.'

David zuchtte.
'Ik beschouw het als gewoon feiten achterhalen.'
Ralph wierp hem even een blik toe.
'O?'
'Mijn adoptie is een deel van mijn leven dat altijd heeft ontbroken. Ik wil gewoon bepaalde dingen weten.'
Ralph keek naar het plafond van de werkplaats, waar zijn zagen hingen als een kartelige rij drakentanden.
'Zo simpel dus?'
'Ja.'
'Alleen is het dat niet, jongen. Het gaat toch niet alleen om feiten? Het gaat om gevoelens.'
David liet zijn schouders hangen. Hij wendde zich af en boog zich over de werktekening.
'Pap, je moet uitkijken dat dit niet onverwacht knapt. Dan gaat de motor naar de knoppen.'
'Ik ben niet helemaal gek, hoor,' zei Ralph goedmoedig.
David duwde nijdig tegen de handleiding.
'Ik ook niet. En ik word er niet goed van dat iedereen denkt dat mijn gevoelens voor hen zullen veranderen omdat ik alleen maar wil weten wie mijn biologische moeder is.'
'Iedereen?'
'Mam,' zei David. 'Marnie.' Hij zweeg even en zei toen vol ellende: 'Márnie!'
'Marnie,' zei Ralph langzaam. Hij draaide zich om en keek naar David. 'Ik vraag me af wat haar bezielt? Ik dacht dat ze je juist aanspoorde.'
'Dat deed ze ook. En nu vindt ze het maar niets. Het... het lijkt wel een soort verraad, alsof ik iemand anders wil dan haar.'
'Hm,' zei Ralph.
David wierp hem een scherpe blik toe.
'Ben je het met haar eens?'
'Nee,' zei Ralph. 'Maar ik begrijp het wel. We hebben toch allemaal onze onzekerheden? We hebben allemaal wel iets waardoor we in paniek raken.'
'Behalve jij.'
'Wees daar maar niet zo zeker van.'

'Nou, jij bent voor zover ik kan zien de enige die deze hele toestand niet persoonlijk opvat.'

'Dat doe ik ook niet. Ik bedoel, ik hoop van harte dat alles goed zal gaan voor je, maar ik ben niet bang dat je niet langer mijn zoon zult zijn.'

'Nou, zie je wel.'

'Nee,' zei Ralph. 'Nee. Het komt omdat dit niet iets is waardoor ik in paniek zou raken.'

'Pap?'

Ralph pakte zijn bril uit zijn borstzakje en begon hem langzaam op te poetsen aan zijn mouw.

'Als je moeder ooit bij me weg zou gaan,' zei Ralph met onvaste stem, 'dan zou Marnie niets zijn vergeleken bij mij.'

'Maar, pap...'

'Goed,' zei Ralph. 'Goed. Je kunt me vertellen dat daar geen enkele kans op bestaat, maar dan nog zou ik zeggen dat ik dat niet zou kunnen verdragen.'

David legde een hand op Ralphs arm.

'Pap...'

'Ouwe saaie vent die ik ben,' zei Ralph. 'Loopt maar te rommelen, dingen te repareren, maakt zich nooit druk, verrast haar nooit.'

'Je bent niet saai.'

'Probeer jij mij maar eens te zijn,' zei Ralph.

David zei onhandig: 'Nat en ik vinden je fantastisch.'

'Ik frustreer jullie niet,' zei Ralph. 'Ik stel jullie niet teleur. Een saaie vader is prima, een saaie vader is een goede stimulans voor kinderen.'

David legde een arm om Ralphs schouders.

'Maar mam kan zo vreselijk irritant zijn.'

'Ja.'

'Ik bedoel,' zei David, 'dat ik hier ben omdat ik me zo schuldig tegenover haar voel dat ik Carole ga zoeken. Ik voel me zo schuldig.'

'Je bent niet de enige,' zei Ralph. Hij deed een stap opzij, weg van Davids arm. 'Je bent een goede jongen. Een goede zoon. Je bent hier niet gekomen met de bedoeling dat ik me zou aanstellen als een jankend wicht.'

'Dat heb je niet gedaan...'

'Het is aardig van je dat je bent gekomen. Dat je aan je moeder denkt.'

David aarzelde.

'Is Nat geweest?'

'Ze heeft het geprobeerd.'

'O.'

'Je moeder is... nou ja, niet altijd eerlijk geweest tegen Nathalie. Ze is harder tegen haar.'

'Pap,' zei David, 'vind je dat Nathalie en ik hier verkeerd aan doen?'

Ralph zette zijn bril op.

'Nee.'

'Vind je dat we er juist aan doen?'

'Ja.'

'Waarom voel ik me dan zo schuldig ten opzichte van mam?'

Ralph zuchtte.

'Haar leven draaide om jullie, om jou en Nathalie. Ze heeft altijd alleen maar kinderen gewild, ze heeft jullie alleen maar willen teruggeven waarvan ze dacht dat jullie kwijt waren.' Hij keek naar David en haalde zijn schouders op. Toen zei hij, bijna onverstaanbaar: 'Dat is heel veel om een kind mee op te zadelen.'

'Dus het is niet mijn schuld?'

'Nee,' zei Ralph. 'Je zult ermee moeten leren omgaan, maar het is niet jouw schuld.'

David keek naar de deur van de werkplaats.

'Ga je met me mee naar binnen?'

Ralph keek naar zijn handleiding.

'Over vijf minuten.'

'Pas over vijf minuten...'

Ralph legde zijn handen op de werkbank aan weerskanten van de handleiding. Hij leunde op ze en keek naar beneden.

'Als je met je moeder praat, jongen, probeer er dan aan te denken wat je voor Marnie betekent.'

'Marnie?'

'Ja,' zei Ralph zonder op te kijken. 'Marnie.'

'Sorry dat ik zo laat ben,' zei Steve in de deuropening van de woonkamer. Nathalie zat op de vloer voor de gashaard met de nephoutblokken die hij niet mocht weghalen van haar, met haar armen om haar knieën. 'Slaapt Polly al?'

Nathalie knikte. Ze zat half van hem afgewend en hij kon alleen een deel van haar jukbeen en haar voorhoofd zien onder de verwarde haren.

'Je zit hier nooit,' zei Steve, op te joviale toon. 'Je noemt dit altijd de voorkamer. Waarom zit je hier?'

'Omdat ik er zin in had,' zei Nathalie.

'Is er iets?'

'Ik had er zin in. Om de haard aan te steken.'

Steve liet zijn tong langs zijn tanden glijden. Hij rook ongetwijfeld naar wijn, dus een kus was riskant.

'Sorry dat ik zo laat ben,' herhaalde hij.

'Dat heb je al gezegd.'

'Ik had Polly willen voorlezen. Het kwam door dat contract met Gardentime. Daar heb ik je over verteld.' Hij zweeg. Het was niet echt een leugen, maar ook niet de hele waarheid. Het contract met Gardentime was op de een of andere manier en – dat wist Steve zeker – zonder opzet uitgedraaid op een glas wijn met Sasha. Door het glas wijn, en door Sasha, had Steve even het gevoel gekregen dat hij alles in het leven, zowel op persoonlijk als zakelijk vlak, goed onder controle had, alle ingewikkelde zaken in aanmerking genomen.

'Ik ben onder de indruk,' had Sasha gezegd. 'Heel erg onder de indruk. Het moet veel van je vergen.' Ze droeg zwarte vingerloze handschoenen die haar duimringen verhulden en waardoor haar blote vingers er vreemd verleidelijk uitzagen, als miniatuurbenen in kousen. 'Maar je kunt het goed aan. Heel goed.'

Nathalie liet haar knieën los.

'Polly wilde niet voorgelezen worden.'

'O nee?'

'Ik mag tegenwoordig niets voor haar doen als ze denkt dat ik het leuk vind.'

Steve aarzelde. Hij bracht een hand naar de sjaal die hij om zijn hals had gewonden voor de fietstocht naar huis. Hij was de laatste tijd sjaals gaan dragen, tot zijn oren opgetrokken op de manier waarop Franse filmsterren dat deden, hoopte hij.

'O, wat leuk geïmiteerd!' had Titus gezegd. 'O, wat voel ik me nu gevleid!'

'Zal ik aan het eten beginnen?' opperde Steve.

Nathalie krabbelde overeind. Ze had geen schoenen aan en Steve zag dat er een gat aan de voorkant van een van haar sokken zat. Het was niets voor Nathalie om een gat in een kledingstuk te hebben.

'Ik was het van plan...'

'Geeft niet,' zei Steve. Hij ontspande zich. 'Dan doen we het toch samen.'

Nu stond Nathalie overeind. Ze zag er opeens klein en weerloos uit in haar sok met gat op het kleed voor de haard.

Ze flapte het eruit: 'Ik heb haar gebeld.'

Steve hield op met zijn sjaal afwikkelen.

Nathalie zei: 'Ik was het niet van plan, ik zou de tijd nemen en jij zou erbij zijn, en ik zou er eerst over nadenken en het op een volwassen manier doen, maar dat heb ik niet gedaan, ik heb haar gewoon opgebeld.'

Steve trok de sjaal van zijn hals en liet die op de rug van de bank vallen.

'En?'

Nathalie zei schuchter: 'Ze had een noordelijk accent.'

'O ja?'

'Newcastle, leek het.'

'Ja. Zo.'

Nathalie legde haar handen tegen elkaar alsof ze ging bidden.

'Ze huilde.'

Steve schrok op.

'O ja?'

'Ze bleef maar huilen. Ze zei dat ze elke dag aan me had gedacht. Ze zei dat ze me Samantha had genoemd.'

'Dat wist je al.'

'Het was anders,' zei Nathalie, 'toen ze het zei.'

'O, Nathalie,' zei Steve.

Nathalie beefde licht. Ze vouwde haar handen in elkaar.

'Ze bleef maar huilen. Ze vroeg of ik kwaad op haar was.'

'Wat zei je?'

'Ik zei nee.'

'Ben je dat niet? Was je dat niet?'
'Nee,' zei Nathalie. 'Niet op haar.'
'Juist.'
'Ze was pas zestien toen ze me kreeg. Stel je dat eens voor!'
Steve haalde even zijn schouders op.
'Dat moet heel moeilijk zijn geweest...'
'Ja,' zei Nathalie. 'Ja.'
Ze haalde haar handen uit elkaar en liep om de bank heen tot ze voor hem stond. Hij keek op haar neer.
Hij zei: 'Hoe voel je je?'
'Ik weet het niet...'
'Beter?'
Ze knikte even. Ze legde haar wang tegen zijn borst, tegen de ruwe wol van zijn jack. Hij sloeg zijn armen om haar heen.
'Daar ben ik blij om.'
Ze knikte weer.
'De eerste stap...'
'Ja.'
'Al dat huilen,' zei Nathalie. 'Ik heb hier zitten denken hoe het zou zijn als het Polly was geweest, als ik Polly had moeten afstaan.'
Steve klemde zijn armen om haar heen.
'En ik dacht ook,' zei Nathalie, 'dat vooral voor vrouwen liefde op de een of andere manier alles is wat we kennen, maar dat we die nog steeds niet echt vertrouwen.'
Steve slikte.
Hij zei, weer op die overdreven joviale toon: 'Je zou het kunnen proberen.'
'Heeft het iets te maken,' vroeg Nathalie, 'met gewenst willen zijn?'
Steve aarzelde. Hij had Sasha verteld over zijn vreemde en ontroerende lunch met Lynne, en Sasha had het voor Lynne opgenomen.
'Het is een mythe,' zei Sasha terwijl ze haar vinger in haar glas rode wijn stak, 'dat adoptiefouders krijgen wat ze willen. Kijk naar de realiteit. De realiteit is geen zwangerschap, geen voorbereiding, en een leven vol angst, doen alsof, en verwachting. Is dat krijgen wat je wil? Is dat wel wát je wil? Waarom moet Lynne dit alles doormaken terwijl ze het allemaal al heeft doorgemaakt?'

'Het klinkt,' zei Steve nu voorzichtig, 'alsof zíj jou wel wilde.'
'Ik... ik durf te gaan denken dat het zo is.'
'Mooi.'
'En nu heb ik honger.'
'Ook mooi.'
Nathalie hief haar hoofd op en keek naar hem. Ze glimlachte.
'Dank je,' zei ze.
'Waarvoor?'
'Dat je het allemaal hebt geslikt van me.'
Hij zei, niet op zijn gemak: 'Maar het was niet...'
'Ik heb het je niet makkelijk gemaakt.'
'Nat,' zei Steve. 'Ik wil dit niet hebben.' Hij liet zijn armen zakken. 'Eten. Het is tijd om te eten.'
Hij ging opzij om Nathalie voor te laten gaan. Ze liep langzaam langs hem, alsof ze nog verdiept was in iets anders.
'Ik kan het niet geloven,' zei ze terwijl ze even bleef staan in de gang. 'Echt niet. Ze húílde.' Ze klonk diep onder de indruk.

De kapper zei tegen Carole Latimer, terwijl hij keurige pakketjes aluminiumfolie vouwde over sliertjes van Caroles pas ingekleurde haar, dat ze was afgevallen. Ze keek naar zichzelf in de spiegel, belachelijk met de folieversiering in haar haar, en vond dat, als hij gelijk had, het alleen in haar gezicht was en dat het haar niet stond. Ze zag er eigenlijk oud en moe en uitgeput uit, vond ze, en dat was niet zo vreemd, want zo voelde ze zich ook.
Caspar, die uit Klagenfurt in Oostenrijk kwam, de middelste van zeven kinderen was en het lievelingetje van zijn moeder, zei dat hij om de drie uur iets probeerde te eten zodat zijn lichaam nooit in paniek hoefde te raken dat het nooit meer eten kreeg en vet begon op te slaan.
'Werkt dat zo?' vroeg Carole zonder enige belangstelling. Ze was niet van streek omdat haar lichaam misschien in paniek zou raken, maar haar geest, de geest waarvan ze zo zeker was geweest – hoe dom – dat ze die onder controle had.
'Bijna geen koolhydraten,' zei Caspar, vaardig vervend en vouwend. 'En heel veel eiwitten.'
Carole wist wat ze moest zeggen.

'Het Atkinsdieet.'

'Het werkt bij iedereen. Íédereen. Ze hebben het allemaal geprobeerd.' Hij wierp een blik op Carole in de spiegel, zijn jonge en toch oude gezicht verhard door een gemillimeterd kapsel. 'Maar geen fruit. In fruit zitten te veel koolhydraten.'

Carole zuchtte.

'Dan is het niets voor mij.'

'Je leert je eigen metabolisme kennen, nietwaar?'

'Dat denk ik wel,' zei Carole. 'Als het je tenminste interesseert.'

Caspar keek lichtelijk geschokt. Hij stopte het laatste haarsliertje in het stuk folie en vouwde het dicht.

'Tijd voor het warmteapparaat.'

Carole sloot haar ogen.

'Dank je.'

'Twintig minuten, schat,' zei Caspar. Hij gaf een klopje op haar schouder. 'Lekker rustig.'

Carole kromp ineen. Toen ze bijna twintig jaar geleden voor het eerst naar deze kapsalon kwam, was de tijd in de stoel een heerlijke luxe geweest, tijd zonder telefoontjes of vragen, tijd die haar zelfs door Connor werd toegekend als háár tijd, de tijd die vrouwen met zelfrespect regelmatig ongevraagd toegekend hoorde te worden. Maar nu... alles was zo anders en tegelijkertijd zo angstwekkend bekend uit de twee volkomen gescheiden werelden van haar verleden. De drie uur in de kapsalon waarin ze – voor welk doel eigenlijk, behalve uit gewoonte? – werd getransformeerd van blond naar een anders soort blond, leek niet zozeer een heerlijke periode om even bij te komen, als wel een poging om vast te houden aan alle kleine rituelen die haar de illusie gaven dat ze niet aan het verdrinken was. Vrouwen die aan het verdrinken zijn, laten hun haren immers niet kleuren, ze leggen niet de handdoeken op grootte in de linnenkast en ze zorgen er immers niet voor dat er altijd genoeg sinaasappels zijn om te persen voor het ontbijt?

Ze voelde de aangename halve cirkel warmte op haar achterhoofd.

'Dank je,' zei ze zonder haar ogen te openen.

Caspars hand bleef heel even op haar schouder rusten.

'Geniet er maar van.'

Ze knikte. De folie ritselde.

'Zal ik je komen halen?' had Connor geopperd toen ze wegging uit de flat. 'Neem een taxi erheen, dan kom ik je wel halen.'

'Nee, dank je,' zei ze. 'Ik weet nooit hoe lang het gaat duren met verven.'

Dank je. Dat was het enige wat ze de laatste tijd tegen hem leek te kunnen zeggen, dank je, en sorry. Sorry dat ik van iemand anders heb gehouden, dat ik met iemand anders seks heb gehad, dat ik een baby van een ander heb gekregen. Sorry dat ik heb gelogen over de abortus, dat ik die baby ter wereld heb gebracht, dat ik je nooit heb verteld dat de baby leefde. Dank je dat je je over me hebt ontfermd toen Rory me liet barsten, dank je dat je met me bent getrouwd en een dame van me hebt gemaakt, dat je een echtgenote en moeder van me hebt gemaakt. Dank je dat je me de gelegenheid hebt gegeven om een carrière te maken, dat je me hebt aangemoedigd, dat je vol lof over me hebt gesproken tegen andere mensen. Sorry dat ik niet van je kon houden zoals ik van Rory heb gehouden, dank je dat je me niet hebt willen uithoren zodat ik je niet hoefde te vertellen hoe ik het die baby kwalijk heb genomen dat hij Rory heeft weggejaagd, sorry dat ik niet van Martin hou, sorry voor al die scènes de laatste tijd, dank je dat je me niet uit huis hebt gezet, sorry, dank je, sorry... Mijn hemel, dacht Carole terwijl ze haar ogen zo stijf dichtkneep dat ze bijna elke wimper apart voelde, is er dan geen enkel hoekje van mijn leven waar ik me in kan verbergen zonder dat ik er een prijs voor moet betalen?

Connor was, sinds die afschuwelijke nacht waarin ze eindelijk de waarheid over Rory's baby had verteld, een en al minzaamheid geweest, dat was het goede woord. Hij was natuurlijk ontzet en verbijsterd en geschokt. Hij had daar in de fauteuil gezeten in zijn wollen kamerjas met de brief van ene Elaine Price in zijn handen waarin Carole werd verteld dat haar zoon, David, graag met haar in contact wilde komen, als zij het goedvond. Hij had daar gezeten terwijl hij de brief bij de rand vasthield, hoofdschuddend, met zijn ogen vol tranen. Het leek of ze naar iemand keek die langzaam het nieuws van een sterfgeval verwerkte in plaats van een nieuw leven. Ze had ineengedoken gezeten op het puntje van de bank en hem gadegeslagen, zich afvragend wat hij zou doen en wat zij zou doen als hij een besluit had genomen. Het leek net als destijds, toen Rory tegen haar zei dat hij niet opgezadeld wilde worden met een baby, alsof, ondanks al haar pogingen om haar leven weer op te pakken en zich niet als een slachtoffer te gedragen, een sterke, grillige macht elk moment van achter de horizon kon komen aanzeilen en haar neermaaien. Maar het was natuurlijk geen grillige macht. Het was liefde, de hartstochtelijke, kwetsbare, verlangende liefde die niemand die maar een beetje bij zijn verstand was, ooit zou willen, maar die als je hem eenmaal had meegemaakt, met succes alle andere, beter hanteerbare soorten liefde deed verbleken. Ze kon Rory nu als een soort monster beschouwen, ze wist dat hij egocentrisch en destructief was geweest, hoe achteloos hij andere mensen behandelde, hoe bijna misdadig grillig hij was geweest. Maar hij liet haar niet koud, net zomin als de herinneringen aan hem. Als ze aan hem dacht, verstikten brokken intensheid – ze deed niet langer moeite om ze te definiëren – haar geest en haar keel. Ze wist dat ze nooit meer zou kunnen verdragen om met hem in dezelfde ruimte te zijn. Ze zou het niet hebben gedurfd. Ze zou zichzelf niet kunnen vertrouwen, ook al wist ze maar al te goed wat voor man hij was, ook al kon hij er misschien niets aan doen dat hij nu eenmaal zo was.

En Connor? Connor was betrouwbaar, in die zin dat hij haar niet steeds in de kou liet staan, niet steeds met haar gevoelens speelde, niet steeds misbruik van haar maakte. Maar zelfs Connor wilde dat ze begreep dat, door wat er met haar was gebeurd, door wat ze had gedaan, hij in de morele positie was om voortaan te bepalen wat er moest gebeuren. Nadat hij wel een eeuwigheid naar de brief van Elaine Price had zitten staren, als een geschokte figuur uit een Victoriaans melodrama, was hij opgestaan en naast haar op de bank komen zitten. Ze had naar haar knieën gekeken onder de blauwe wol van haar ochtendjas, en bleef ernaar staren alsof ze het bewijs vertegenwoordigden van haar bestaan nu alles zo onbeheersbaar was geworden dat het bestaan moeilijk te onderscheiden was.

Connor had haar niet aangeraakt. Hij had de brief – beleefd en zonder zichtbare kwaadheid – op de salontafel voor de bank gelegd en vervolgens ernstig gezegd: 'Ik zal je niets verwijten.'

Toen was er een kleine, afschuwelijke stilte gevallen. Carole keek nu kwaad naar haar knieën en vocht tegen opwellingen van woede en lachbuien. Haar niets verwijten! Haar niets verwijten voor iets wat gebeurd was lang voordat zij elkaar hadden ontmoet, iets wat een deel van haar leven was waar hij geen enkel recht op had! Hoe durfde hij?

'Heb je me gehoord?'

Ze had geknikt.

'Ik denk,' zei Connor terwijl hij het koord van zijn kamerjas strakker aantrok, 'dat ik begrijp waarom je me niet de waarheid hebt verteld.'

Ze beet op haar lip. Wat de waarheid nu ook was – wat de waarheid ooit ook mocht zijn – de waarheid tóén was geweest dat ze tegen niemand iets over de baby had gezegd om de wrede, onaanvaardbare reden dat ze de baby niet had gewild. Ze had zijn vader gewild. Met de hulp van een vriendin was ze naar een klein klooster in East Anglia gegaan om daar te bevallen, een plek waar je bijna geen naam hoefde te hebben, een plek waar gewone menselijkheid in mensen als vanzelfsprekend werd beschouwd. Ze herinnerde zich het duinstrand achter het klooster, de ondoorzichtige, schuimende Noordzee, de meeuwen, en haar angst om naar haar baby te kijken, omdat ze anders misschien...

Ze vocht tegen haar gevoelens.

'Ik heb je gehoord,' zei ze tegen Connor. 'Dank je.'

Toen haalde hij cognac voor hen, in ouderwetse bolglazen, en drong aan dat ze die van haar dronk, alsof het een geneesmiddel was. Hij was steeds voorkomender geworden, bijna bezitterig, en praatte tegen haar zoals, herinnerde ze zich, hij tegen haar had gepraat toen ze elkaar pas kenden, op die diepe, zelfingenomen toon van iemand die zichzelf als de redder van de gewonde en gevallen engel beschouwt.

'Ga je de jongen zien?' had hij gezegd, met zijn hand op de hare.

'Ik weet het niet.'

'Ik vind dat je het moet doen.'

'Ik weet niet of ik het wil...'

'Ik vind dat je het moet doen.'

'Ik kan niet nadenken...' zei Carole.

'Nee, nee. Natuurlijk niet. Nu natuurlijk niet. Maar als je het kunt, vind ik dat je het moet doen.'

En toen volgde natuurlijk wat altijd volgde als Connor er weer eens zeker van was dat hij de touwtjes in handen had, weer verzekerd was van zijn ware macht, die hij goedgunstig liet blijken. Carole had seks altijd fijn gevonden, ze was blij dat ze er goed uitzag en gezond was en lust kon voelen. Maar die nacht, toen ze in het echtelijk bed lag en naar het plafond staarde van onder Connors energieke en triomfantelijke schouder, had ze zich afgevraagd of ze ooit nog het nut van seks zou kunnen inzien.

De timer op het warmteapparaat liet een kort, beleefd 'ping' horen en de warmte in Caroles nek begon af te nemen. Ze deed haar ogen open en zag Caspar vier spiegels verder geanimeerd praten met een meisje in een leren broek, wier lange, koperkleurige haar hij zorgvuldig, bijna eerbiedig, gladstreek. Ze zuchtte, boog haar hoofd naar voren en voelde de afkoelende stukjes folie tegen haar nek ritselen. In de tas aan haar voeten ging haar mobiele telefoon over. Ze overwoog het te negeren omdat het toch alleen maar Connor zou zijn, die van plan was met de Mercedes langs de stoep voor de kapsalon op haar te wachten om als verrassing een glas champagne in de Ritz te gaan drinken of de galerie in St.-James te bezoeken om weer de een of andere zeeprent te bekijken die hij zo mooi leek te vinden. Toen schoot haar te binnen dat Connor negeren alleen maar inhield dat ze weer een verklaring moest geven, het recht moest praten, zich verontschuldigen. Ze zocht in haar tas en pakte de telefoon.

'Hallo?'

Een mannenstem zei: 'Spreek ik met Carole Latimer?'

Ze ging iets rechter zitten.

'Ja...'

'Ik hoop dat ik u niet heb laten schrikken,' zei de man, 'maar Elaine zei dat ik kon bellen. Ze vertelde dat u had gezegd dat ik kon bellen.' Er viel even een stilte, en toen zei hij: 'Ik ben David.'

Caroles greep om de telefoon verstrakte. Ze kon niet naar zichzelf kijken, ze kon niet naar die groteske persoon in de spiegel kijken met dat verwrongen gezicht. Ze opende haar mond om hem tegen te houden, om iets onbelangrijks te zeggen waardoor ze even een moment kreeg om tot zichzelf te komen, en ze hoorde zichzelf zeggen met een stem die ze amper herkende: 'Wat wil je?'

Het werd stil aan de andere kant. Carole slikte. Ze kon niet meteen sorry zeggen, ze kon niet opnieuw beginnen met dat gedoe, niet nu, niet tegen deze volwassen man, deze volwassen... zoon, aan de andere kant van de lijn.'

'Ik hoop dat u niet geschrokken bent,' zei David. 'Elaine zei dat u had gezegd...'

'Ja,' zei Carole.

'Denkt u echt,' had Elaine Price door de telefoon gezegd op die vriendelijke, vastberaden toon waar Carole altijd zo moeilijk weerstand aan kon bieden, 'denkt u echt dat die zoon van u weggaat? Vindt u niet dat hij het recht heeft om te weten waar hij vandaan komt?'

'Sorry,' zei Carole tegen David.

'Het geeft niet,' zei hij.

'O...'

'Ik loop al een hele tijd moed te verzamelen. Ik weet niet waarom, maar opeens kon ik het. Ik leg tuinen aan, ziet u, en ik ben net bezig met een haagbeuk aan te leggen en ik dacht aan u. Dus belde ik.'

'Ja.'

'Ik heb me altijd afgevraagd,' zei David schuchter, 'wie u was.'

Het meisje met de koperkleurige haren stond op en hief haar wang op. Caspar kuste haar. Ze namen lachend afscheid, en toen liep Caspar door de salon naar Carole, terwijl hij met zijn hand over zijn kortgeknipte haar streek.

'Ik kan nu helaas niet praten...'

'Mag ik terugbellen?' vroeg David.

'Misschien...'

'Luister,' zei David. 'Dit gebeurt op uw voorwaarden. Ik weet dat ik niet zomaar iemands leven kan binnenwandelen om te krijgen wat ik wil en dan weer te verdwijnen.'

'Nee.'

'Tenslotte ken ik uw omstandigheden niet. Ik weet niet hoe uw leven eruitziet.'

'Prachtig,' zei Caspar terwijl hij het verwarmingsapparaat wegtrok. 'Prachtig. Goed gelukt.'

'Een andere keer,' zei Carole tegen David. 'Een andere keer...' Ze klapte de telefoon dicht en glimlachte tegen Caspar in de spiegel.

'Gaat het, schat?' zei Caspar. 'Je ziet helemaal wit.'

12

Meera was blij met haar baan in de studio van Steve Ross. Ze hield van het werk – ze vond het prettig om onmisbaar te zijn en orde te kunnen scheppen – en ze voelde zich prettig aan haar bureau in de hoek, weg van het lawaai op de straat beneden, en met een goed uitzicht op het hele kantoor. Vanaf haar plek, met een muur achter en links van haar, had ze direct uitzicht op de deur naar de trap en op Justine en Titus. Steves bureau was gedeeltelijk uit het zicht door de computer van Titus, maar niet zo dat Meera niet aan de houding van zijn hoofd kon zien of Steve aan het werk was, of aan de telefoon, of aan het nadenken terwijl hij naar de oude, kronkelige plafondbalken zat te staren die Meera foeilelijk vond.

Meera had deze kunst van stille opmerkzaamheid thuis geleerd. Ze had geleerd, in dat lawaaiige en drukke huis achter de bloeiende buurtwinkel van haar ouders, dat je vooruit kon komen in het leven door je afzijdig te houden. Als vierde kind – en derde dochter – in een gezin van vijf, had ze gekeken hoe haar broer en oudere zussen met elkaar om de voordeligste posities vochten terwijl hun ouders het te druk hadden met een zaak waar ook nog overige familieleden werkten en die zestien uur per dag open was. Meera, die op haar grootmoeder van moederskant leek met haar beheerste houding en slanke figuur, verkoos al op jonge leeftijd zich terug te trekken van het lawaaiige strijdveld. Ze was niet echt een boekenfanaat, maar ze had talent voor organiseren en haar mond te houden.

'Mijn god,' had haar vader tegen haar gezegd toen ze twaalf was, in waarschijnlijk het enige compliment aan haar waar hij ooit tijd voor had weten te vinden, 'jij bent de enige in dit gezin waar ik niet gek van word.'

Toen ze veertien was zei ze tegen haar ouders – het was geen aankondiging, alleen iets meer dan een gewone opmerking – dat ze niet in de winkel ging werken. Ze wilde op kantoor werken, zei ze, en daarom ging ze zich concentreren op haar computervaardigheden. Ze wilde graag met de boekhouding helpen, maar ze ging geen vakken vullen of met haar zussen ruziën over wie in de weekends 's avonds moest werken. Ze verwachtte een woede-uitbarsting. Die kwam niet. Ze keek naar de vermoeide gezichten van haar ouders en zag iets van opluchting, iets wat in de verte op bewondering begon te lijken. Haar vader boog zich naar haar toe. Hij stak zijn wijsvinger naar haar uit.

'Maar geen rare ideeën over met wie je gaat trouwen, hè?'

'Natuurlijk niet,' zei Meera.

En zo dacht ze er tien jaar later nog steeds over. Ze was nu onafhankelijk, deelde een flat in Westerham met een vriendin die advocate was, en ging de zaterdagen naar huis opdat haar moeder haar alle drama's kon vertellen die zich die week hadden afgespeeld. Ze zou natuurlijk trouwen, en trouwen zoals haar ouders van haar verwachtten, maar niet met een winkelier. Als Meera trouwde, dan zou ze trouwen met iemand met een hoge opleiding, een man van haar eigen ras en geloof, maar wel een die haar zou helpen door te gaan met het leven dat ze had gekozen. Natuurlijk wilde ze hem graag aardig vinden, maar ze hoefde niet dolverliefd te zijn. Dat soort liefde was iets wat Meera niet alleen onbegrijpelijk vond, maar ook bijna weerzinwekkend. Als je jezelf zo overgaf aan je emoties, dan kon dat alleen maar leiden tot ellende en vernedering.

Ze hief haar hoofd op en keek door de studio. Steve was weg – nooit goed voor de productiviteit van het bedrijf, vond Meera – en Titus en Justine waren overduidelijk via e-mail met elkaar aan het flirten terwijl hun bureaus hoogstens tweeënhalve meter van elkaar vandaan stonden. Titus zat met zijn rug naar Meera, maar die rug was energiek genoeg om Meera te vertellen wat er aan de hand was. En Justine deed niet eens moeite om te verbergen waar ze mee bezig was. Haar gezicht straalde, gebogen naar haar scherm, en de haartjes in haar hals krulden op als in een reactie op haar verrukking.

Meera klakte met haar tong. Ze voelde niet zozeer afkeuring als wel diepe ergernis. Het feit daargelaten dat dit werktijd was, vond ze het pijnlijk te zien dat Justine zo dom deed wat Titus betrof, dat ze niet kon of wilde zien dat het voor Titus alleen maar een pleziertje was. Titus was weliswaar geen slechte man, maar te rechtlijnig, een man die, als hij door iemand werd tegengewerkt in zijn mannelijke verlangens en energie, de gemakkelijkste weg koos om ze elders te bevredigen. Het was duidelijk dat dat heel lange meisje – lange blondines zagen er in Meera's ogen bijna androgyn uit – zich niet liet vangen en dat Titus in zijn frustratie op zijn beurt een makkelijker prooi zocht. En ondanks Justines minachtende woorden voor mannen als Titus, stelde ze zich wel heel beschikbaar op.

Als het maar een spelletje was, vond Meera, en de spelers tegen elkaar waren opgewassen, dan deed het er niet toe, behalve dan dat ze niet op het werk hoorden te spelen. Maar na Justine enkele weken te hebben gadegeslagen, was ze tot de conclusie gekomen dat dit geen spelletje was voor Justine, net zomin als dat wat Steve op dit moment bezighield, voor hem een spel was. Justine liet zich meeslepen door verliefdheid, en Titus was weliswaar niet wreed, maar hij kon heel onverschillig zijn. Misschien dat voor Justine, met haar nogal wrokkige en problematische achtergrond, Titus' achteloosheid en bevoorrechte positie de aantrekkingskracht tussen twee polen betekende. Misschien hield Justine van iets waar Meera een hekel aan had, namelijk gevaar. Misschien – en Meera had vaak dergelijke meisjes meegemaakt – had Justine het nodig dat iemand haar openlijk probeerde te versieren.

Ze stond op. Geen van beiden schonk er enige aandacht aan. Ze pakte haar tas en liep zacht door het kantoor tot ze achter Titus stond. Justine keek naar haar, opgewonden en schuldig.

'Niet erg slim,' zei Meera tegen Titus.

Hij draaide zich niet om. Hij bleef heel stil zitten.

'En beschuldig me niet van spioneren,' zei Meera. 'Dit is een open kantoor.'

'Ik zou niet durven,' mompelde Titus.

'En je zou je niet zo durven gedragen als Steve er was.'

Justine boog haar hoofd. Titus draaide zich iets naar Meera om.

'Probeer niet zo pedant te doen, passiebloem van me.'

'Hou je mond,' siste Justine.

Meera draaide zich om en liep door het kantoor naar de deur naar de trap. Titus keek niet naar Justine.

Hij zei, terwijl hij met opeengeklemde kaken voor zich uit keek: 'Als Steve er was. Alsof hij er ooit is...'

Justine liet haar schouders hangen.

'Waar is hij?'

'Dat wil je niet weten,' zei Titus kwaad. 'En ik ook niet.'

Lynne zat op de rand van de roomkleurige leren bank in de zitkamer boven de Royal Oak, en hield een theekopje en een koekje vast.

'Uit een pakje, helaas,' zei Evie. 'Ik kom tegenwoordig niet meer aan bakken toe.'

Lynne nam een hap van haar koekje en keek vlug naar het tapijt om te zien of er geen kruimels op waren gevallen. De bloemen en de ruitvormen onder haar voeten zagen eruit of ze pas gestofzuigd waren.

'Ik denk dat ik geen cake meer heb gebakken sinds de kinderen uit huis zijn...'

'Als ik er een zou bakken,' zei Evie, 'zou Ray die alleen maar opeten en hij is al te zwaar. Let niet op de kruimels. Ik had je een bordje moeten geven.'

Lynne legde haar koekje op haar schoteltje.

'Het is aardig van je dat ik kon komen.'

Evie keek naar haar. Ze was heel verbaasd geweest toen Lynne belde, en nog verbaasder toen Lynne haar vroeg of ze langs mocht komen. Niet dat zij en Lynne niet met elkaar konden opschieten, maar meer omdat ze zich bewust was dat Lynne niet het verschil kon vergeten tussen wonen boven de Royal Oak en wonen in een vrijstaand huis aan Ashmore Road. Ook – en Evies antennes waren hier nog scherper op gericht – had Lynne Evie altijd laten voelen dat zij, als moeder van de moeder van het kleinkind, onbetwistbaar op de éérste plaats kwam als grootmoeder.

Maar Evie voelde alleen maar medelijden nu ze Lynne op de rand van haar bank zich zorgen zag zitten maken over kruimels op het tapijt. Wie van Evies weinige bezoekers had ooit de beleefdheid gehad om zich met zulke details bezig te houden? Vergeet het verleden, vergeet de weinig subtiele strijd over wie het belangrijkste was voor Polly, of uit onzekerheid voortkomende dwaasheden. De vrouw die op Evies bank zat, zag er verloren en ongelukkig uit, en dat vond Evie erg. Ze boog zich naar voren.

'Ga toch lekker makkelijk zitten.'

Lynne keek twijfelend naar de bank.

'Als je eenmaal tegen de leuning zit,' zei Evie, 'is het veel prettiger.'

Voorzichtig schoof Lynne achteruit over het leren oppervlak. Evie sloeg haar gade met de toegeeflijkheid waarmee ze naar Polly had gekeken toen die voor het eerst op de trap van de glijbaan in de speeltuin achter de Royal Oak probeerde te klimmen.

'Zo.'

'Je bent zeker wel benieuwd,' zei Lynne terwijl ze tegen de ontoegeeflijke glanzende kussens leunde, 'waarom ik ben gekomen.'

'Ach,' zei Evie. 'Ik heb wel een idee...'

'Ik weet het zelf eigenlijk niet,' zei Lynne. 'Ik bedoel, ik wist wel dat ik wilde praten met iemand die op de hoogte is van de situatie. Maar ik weet niet goed wat ik ermee wil.'

'We zijn allemaal een beetje gespannen,' zei Evie. Ze tilde het deksel van de theepot naast haar en keek erin. 'Nou ja, met allemaal bedoel ik niet ook Ray. Ray is nooit gespannen, tenzij het iets met de zaak te maken heeft. Ray is in een goede of een slechte bui, klaar. Dat hangt af van de dagelijkse omzet.'

Lynne boog zich naar voren en zette het kopje een halve meter verder op de bank.

Ze zei opeens: 'Ralph heeft er geen idee van.'

'Nee.'

'Hij ziet het gewoon niet...'

'Nee.'

'Hij kan het niet.' Lynnes stem klonk abrupt luider. 'Hij kan gewoon niet inzien hoe ik me voel nu allebei mijn kinderen dit doen, samen, tegelijk. Hij ziet niet wat het me doet als ik hen zo opgewonden zie. Evie,' zei Lynne terwijl ze zich naar haar omdraaide, 'ik kan me niet herinneren dat ik ze ooit zo gelukkig heb gezien. Gelúkkig.'

Evie deed het deksel weer op de theepot.

'Het is nog een beetje vroeg...'

'Voor wat?'

'Om gelukkig te zijn,' zei Evie. 'Ze hebben die moeders nog niet ontmoet.'

'Moeders,' zei Lynne. 'Móéders. Hoe kan ik wedijveren met twéé moeders?'

Evie stond op. Ze liep over haar gestofzuigde tapijt naar de leren bank en haalde Lynnes theekopje weg. Toen ging ze zitten.

'Het is geen wedstrijd, lieverd,' zei Evie.

Lynne zuchtte.

'Jij hebt die twee grootgebracht,' zei Evie. 'Jij hebt ze in je huis gehaald en voor ze gezorgd en ze opgevoed en geleerd hoe ze moesten leven. Jij hebt ze bemóéderd. Niemand kan dat van je afnemen.'

'Maar ik heb ze niet op de wereld gezet. Ik heb niemand op de wereld gezet.'

'Dat is maar het begin,' zei Evie. 'Het telt wel, maar niet voor alles. Wat erna komt telt, wat je voor Nathalie en David hebt gedaan.'

Lynne zocht in haar zak naar een papieren zakdoekje.

'Het is niet hetzelfde als horen bij. Ze zullen mij nooit zo toebehoren als hén.'

'Onzin,' zei Evie.

'Dat kun jij makkelijk zeggen...'

'Dat dacht ik niet,' zei Evie. 'Neem mijn Verena bijvoorbeeld. Gewoon Verena. Ik heb haar inderdaad op de wereld gezet, maar als je haar nu zou vragen of ze vindt dat ze mij toebehoort, zou ze je in je gezicht uitlachen. Uiteindelijk behoren we niemand toe. Alleen onszelf.'

Lynne boog haar hoofd.

'Het doet me weer aan alles denken...'

'Natuurlijk.'

'En ik vind het moeilijk als ik ze zo opgewonden zie...'

'Nou,' zei Evie, 'probeer je dan alleen daaraan te ergeren. Beschouw het als kinderachtig gedrag. Laat je er niet door van streek maken.'

'Nee.'

'Ze zijn nog niet op de helft. Nog niet eens op een kwart.'

'Nee.'

'Ze hebben hun namen gehoord. Door de telefoon. Het lijkt wel een kennismakingsadvertentie.'

'De een geeft les in kunstvormen,' zei Lynne. 'De ander is een gepensioneerd directeur van een bedrijf. In Londen.'

Evie haalde haar neus op.

'Dat kan van alles betekenen...'

'Het betekent in beide gevallen iets heel anders dan wat ze hebben gekend. Ik ben niet artistiek. Ik zou nooit een bedrijf kunnen leiden.'

'Ik heb toch gezegd,' zei Evie, 'dat dit geen wedstrijd is.' Ze keek Lynne recht aan. 'Jij bent hun moeder, jij hebt hen grootgebracht, en daarmee uit.'

'Maar Polly...'

'Polly woont hier. Wij wonen hier. We kennen Polly sinds ze vier uur oud was.'

'Ja.'

'Ik zal je één ding zeggen,' zei Evie terwijl ze zich naar voren boog. 'Als er ooit gesold wordt met Polly, dan krijgen ze met Ray te maken en dat zullen ze niet leuk vinden. Niemand.'

Lynne glimlachte weer flauwtjes.

'Lieve help...'

'Je moet ophouden met je zorgen te maken.'

'Ik weet het.'

'Het gaat allemaal wel over,' zei Evie. Ze stak een hand uit en gaf een klopje op die van Lynne. 'Ze gaan alle blanco stukjes invullen waardoor ze zo geobsedeerd zijn en dan gaat het over. Wacht maar af.'

Lynne keek op. Ze draaide haar hand om zodat ze die van Evie kon pakken.

'Dank je,' zei ze. 'Dank je.'

Evie glimlachte naar haar. Ze drukte Lynnes hand even. Het was fijn dat ze er beter uitzag, maar het was ook tijd voor een kleine overwinning.

'Zaterdag komt Polly,' zei ze. 'Dat is al de tweede zaterdag. Twee zaterdagen achter elkaar.'

Petey zat in bad. Hij vulde langzaam een lege shampooflacon met badwater en spoot die gevaarlijk dicht bij de rand van het bad leeg, zodat het water af en toe heel spannend in een boog op de badkamervloer terechtkwam. Tenslotte was er op dat moment niemand die op hem lette. Daniel moest hem in de gaten houden en in het begin had hij meegedaan. Hij had naast het bad geknield en tegen Peteys navel gespoten zodat hij het uitgilde van pret. Maar toen had Petey drie van Ellens glinsterende haarclips in het zeepbakje zien liggen en hij had ze in zijn eigen haar willen doen. Daniel had dat willen verhinderen om een reden die Petey niet begreep en niet accepteerde. Petey had volgehouden en Daniel had nee gezegd. Petey was gaan gillen. Daniel was tegen hem uitgevallen en kwaad weggegaan uit de badkamer. Toen hij weg was, had Petey de speldjes in een onhandige kluit boven zijn voorhoofd bevestigd en was verder gaan spelen met de shampooflacon.

'Waar is Daniel?' zei Ellen. Ze stond in de deuropening in een spijkerbroek en een roze sweater die Petey heel mooi vond, met een capuchon en in glittertjes 'Sugababes' op de voorkant gedrukt.

Petey keek scheel en stopte de hals van de shampooflacon in zijn mond.

'Je mag geen badwater drinken!' zei Ellen terwijl ze de flacon afpakte.

Petey keek stralend naar haar op. Hij bracht ondeugend zijn hand omhoog en streek over de haarclips.

'Je ziet er belachelijk uit,' zei Ellen. Ze draaide zich om en schreeuwde over haar schouder: 'Daniel!'

David zei vanaf de overloop: 'Die is in de keuken.'

'Hij hoort op Petey te letten.'

'Kun je het dan niet beter zelf doen?'

Ellen zuchtte.

'Daar gáát het niet om...'

David kwam de badkamer binnen. Hij bukte zich en gaf een kus op Peteys hoofd.

'Je lijkt net een elfje.'

Petey sloeg zijn ogen neer.

'De vloer is drijfnat...'

'Ik dweil het wel op,' zei David.

Ellen begon een washandje in te zepen.
Ze zei, op een toon die sterk aan haar moeder deed denken: 'Onder de wastafel is een dweil.'
'Dat weet ik.'
'Ik zeg het maar...'
'Ik wéét het,' zei David.
Ellen pakte Peteys hand. Die zat onder de groene en paarse strepen van zijn viltstiften.
'Ik mag het altijd opknappen,' zei Ellen. 'Ik vind het niet erg, want ik kan het, maar ik vind het wel erg dat iedereen er maar van uitgaat dat ik het toch wel doe.'
David knielde naast haar op de vloer met de dweil.
'Bedoel je helpen met Petey?'
'Petey!' riep Petey. Hij liet de haarclips rammelen.
Ellen pakte zijn andere hand.
'Ja, maar ook andere dingen.'
David trok de dweil door de plassen water op de vloer.
Hij zei voorzichtig: 'Wat voor andere dingen?'
'Dat weet je best,' zei Ellen terwijl ze Peteys hand boende. 'Je weet wat ik bedoel. In elk geval zou je het weten als je ooit aan iets anders dacht dan alleen maar aan schaken.'
David stond op en wrong de dweil uit boven de wastafel.
Hij zei, met zijn rug naar Ellen toe: 'Je bedoelt mam.'
'Ja.'
'Wat precies, eigenlijk?'
Ellen trok Petey overeind om zijn lijf in te zepen.
Ze zei nijdig: 'Moet ik het nog uitleggen ook?'
'Nee,' zei David. 'Maar je hoeft ook niet brutaal te zijn.'
Ellen draaide zich om en keek naar hem, terwijl ze met een hand Petey vasthield.
'Ik ben het zat!' riep ze. 'Ik ben het zat dat niemand enige aandacht voor ons heeft, omdat jij zo verdiept bent in het schaken dat je aan niets anders meer kunt denken, en omdat mam door jou zo van slag is dat ze van een moeder die ons altijd op de nek zit, is veranderd in iemand die helemaal geen moeder meer is! Ik ben het zat dat ik steeds maar de boel moet redden!'
Petey liet de shampooflacon vallen en begon te huilen. Ellen

zuchtte geërgerd en liet zijn hand los. Hij ging abrupt in het bad zitten, snikkend.

David kwam met een handdoek – niet die van Petey – en bukte zich om zijn zoon uit het bad te tillen.

'Dat is zijn handdoek niet.'

'Dat geeft niet.'

'Mam...'

'Het gééft niet!' zei David. Hij kwam overeind met Petey onhandig in de handdoek gewikkeld.

Ellen zei met gebogen hoofd: 'Het was niet mijn bedoeling om brutaal te zijn, maar ik meende het wel.'

'Dat weet ik.'

Ze keek op naar haar vader.

Ze zei, een stuk minder zelfverzekerd: 'Wat is er met mam?'

David ging op het dichte deksel van de toiletpot zitten met Petey op zijn knie. Petey jammerde nu zacht, met zijn vingers in zijn mond.

'Hij wil zijn knuffel hebben,' zei Ellen.

'Hij kan wachten.'

'Dat kan hij niet,' zei Ellen. 'Je wil toch niet dat hij weer een driftbui krijgt? Ik zal het wel halen.'

'Dank je,' zei David. Hij begon de haarclips uit Peteys haar te halen. Peteys ogen werden even groot, klaar om fel te protesteren, maar toen herinnerde hij zich op wiens knie hij zat en hij ging door met zachtjes jammeren.

'Hier,' zei Ellen. Ze gaf hem de knuffel. 'Pap?'

'Ja.'

'Wat is er met mam?'

David wikkelde Petey dicht in zijn handdoek en hield hem tegen zich aan.

'Ik had het je willen vertellen. Ik was van plan om het te vertellen...'

'Wat?' zei Ellen op scherpe toon.

'Het gaat niet om het schaken.'

'O nee?'

'Nee,' zei David. 'Ik weet dat ik veel te vaak speel en dat jullie er allemaal genoeg van hebben, maar daar komt het niet door.'

Ellen leunde tegen de muur. Ze reikte achter haar hoofd en trok met een ruk de capuchon van haar sweater naar voren tot die over haar haren viel en haar gezicht in de schaduw was.

'Wat dan?'

David legde zijn gezicht tegen Peteys hoofd.

'Je weet dat ik geadopteerd ben. Dat heb je altijd geweten.'

'En?'

'Weet je heel zeker wat adoptie betekent?'

Ellen zuchtte.

'Natuurlijk.'

'Vertel het dan.'

'Het betekent,' zei Ellen op verveelde toon, 'dat je moeder je niet kon houden en je dus weg moest geven en ze heeft je aan meneer en mevrouw King gegeven en die gingen dood bij een busongeluk in Frankrijk, en toen werd je daarna aan oma Lynne en opa gegeven, en die hebben je opgevoed en zij zijn je ouders. Einde verhaal.'

David deed zijn ogen dicht.

'Niet helemaal.'

Ellen speelde met de glitters op de voorkant van haar sweater.

'Nathalie was er ook.'

'Ja, maar dat is niet alles. Er is nog iets. Mijn moeder, de moeder die me op de wereld heeft gezet, leeft nog.'

Ellens handen werden stil.

'Ze heet Carole,' zei David terwijl hij Petey omklemde, 'en ze woont in Londen.'

Het bleef even stil.

Toen vroeg Ellen: 'Hoe weet je dat?'

David deed zijn ogen open.

'Ik heb haar gesproken.'

'Je hebt haar gespróken?'

'Ja,' zei David. 'Door de telefoon.'

Ellen ging langzaam achteruit tot haar rug de muur raakte, en toen liet ze zich omlaag glijden tot ze op de vloer zat.

'Waarom?'

'Waarom wat?'

'Waarom heb je haar gesproken?'

'Omdat ik het wilde,' zei David.

Ellen legde haar hoofd tegen haar gebogen knieën zodat haar stem gesmoord klonk.
'Maar ze heeft je weggegeven.'
'Dat weet ik.'
'Ik zou niet met iemand willen praten die mij had weggegeven.'
'Ik wilde de reden weten,' zei David. Hij begon Peteys tenen droog te wrijven, door de handdoek heen. 'Er moet een reden zijn voor zoiets. Stel je eens voor' – hij klonk gekscherend – 'dat we Petey weggaven.'
'Dat is niet grappig,' zei Ellen.
'Nee. Dat is het niet.'
'Wie heeft je haar telefoonnummer gegeven?'
'Iemand die Elaine Price heet. Iemand die geadopteerde mensen helpt hun moeders, hun ouders, te vinden als ze dat willen.'
Ellen draaide haar hoofd iets naar hem toe.
'Waarom wilde je het?'
'Ik wilde het gewoon weten.'
'Wat weten?'
'Waar ik ben geboren, wat er is gebeurd, wie mijn vader was.'
'Waarom?'
David tilde Peteys arm met de knuffel erin op om zijn oksel af te drogen.
'Zou jij dat niet willen weten?'
'Ik weet het toch?' zei Ellen.
'Precies. En als dat niet zo was, zou je het dan niet willen weten?'
Ellen leunde langzaam opzij tot ze op haar zij op de grond lag.
Ze zei als een klein kind: 'Maar je hebt ons toch.'
David zuchtte.
'El, dit was lang vóór jullie tijd. Toen ik nog kleiner was dan Petey nu. Dit verhaal gaat over toen ik baby was.'
Ellen trok aan haar capuchon.
'Hoe heette je vader?'
'Dat weet ik niet.'
'Weet je moeder het dan niet?'
'Ik heb haar maar heel even aan de telefoon gehad. Zover zijn we niet gekomen.'
'Hoe klonk ze?'

'Zenuwachtig,' zei David.
'Waarom?'
'Ik denk dat ze niet wist wat ik wilde.'
Ellen liet zich naar hem toe rollen. Ze stak een hand op en pakte een van Peteys voeten. Hij keek op haar neer, sabbelend aan zijn knuffel.
'Wat wilde je?'
'Dat heb ik verteld,' zei David. 'Ik wilde mijn verhaal horen.'
Ellen ging langzaam zitten. Haar capuchon gleed achterover en trok haar haren uit haar gezicht.
'Wat gaat er gebeuren?'
'Dat weet ik niet.'
Ze zei onzeker: 'Zul je het ons vertellen?'
'Natuurlijk. Ik had het jullie waarschijnlijk veel eerder moeten vertellen. Misschien. Toen Nathalie op het idee kwam.'
Ellens hoofd ging omhoog. Ze liet Peteys voet los.
'Nathalie...'
'Ja. Die vrouw van het bureau heeft Nathalies moeder ook gevonden.'
'O.'
'Wil je weten hoe ze heet?'
'Nee,' zei Ellen. Ze stond op. Ze zei met onvaste stem: 'Ik wou dat het wél door het schaken was gekomen.'
Hij keek neer op Petey.
'Sorry.'
Ellen deed een stap terug. Ze zag er opeens heel jong uit, echt als het kind van twaalf dat ze was in plaats van dat van veertien zoals ze zich voor de buitenwereld voordeed.
'Ik ga mam zoeken,' zei ze.

Daniel trok zijn rechterbeen onder Ellens slapende gewicht vandaan en legde het onhandig over zijn linker. Hij was stomverbaasd geweest toen ze in zijn slaapkamer was gekomen, toen alle lichten uit waren en hij lag te luisteren naar de Test Match Special in Adelaide, onder de deken, en nog verbaasder toen ze bij hem in bed wilde kruipen en hij in het licht van de zaklamp naast zijn bed kon zien dat ze had gehuild.
Het was inderdaad een rotavond geweest met al dat gedoe over

paps echte moeder. Daniel was het liefst uit de kamer weggegaan tot het allemaal voorbij was en ze het weer over normale dingen konden hebben. Niet dat hij van streek was door het feit dat pap een moeder had – zelfs Daniel begreep dat alles, tot hamsters toe, een moeder moest hebben gehad om geboren te worden – maar door de uitdrukking op paps gezicht toen hij er tijdens het avondeten over had verteld. En de uitdrukking op mams gezicht, die heel anders was dan die van pap. Ellen had in haar gepofte aardappel zitten prikken tot die een melige massa was die niemand zou lusten, tenzij je zo uitgehongerd was dat je bereid was om alles te eten. Er was gewoon iets helemaal verkeerd aan het feit dat pap opgewonden was door iets waar zij niet in konden delen, iets wat alleen van hem was, en wat hij heel belangrijk vond. Daniel moest niets hebben van zijn moeders gepreek over loyaliteit en saamhorigheid in het gezin, maar hij had er wel van opgestoken dat gezinnen samen dingen doen, dat een gezin een club is waar je altijd terechtkunt. Pap had tijdens het eten eerlijk gezegd iemand geleken die een gezellige club in zijn eentje vormde.

Ze waren allemaal vroeg naar bed gegaan. Daniel geloofde niet dat iedereen echt moe was – hij in elk geval niet – maar er viel weinig meer te doen of te zeggen. En hij lag nog maar een uurtje of zo in bed te wachten tot Jonathan Agnew aan de beurt was om het cricket in Australië te verslaan, toen de deur openging en Ellen binnenkwam en, zonder een woord te zeggen, over hem heen was gestapt en naast hem onder het dekbed was gekropen.

'Au,' zei hij. 'Je voeten zijn ijskoud.'

'Ik ben in Peteys kamer geweest,' zei Ellen. 'Ik heb er op de grond gezeten.'

'Waarom heb je je dekbed dan niet meegenomen?'

'Dat wilde ik niet.'

'Je hebt er niet aan gedacht.'

'Ik wílde het niet.'

Ellen draaide zich op haar zij tot ze naar Daniel kon kijken. Hij liet de zaklamp in haar gezicht schijnen.

'Je hebt gehuild.'

Ellen deed haar ogen dicht. Ze haalde diep adem en zei toen fel: 'Ik wíl haar niet.'

'Wie?'

'Dat mens, die moeder van pap.'

Daniel liet de zaklamp op het plafond schijnen, op de roestige vlek waar hij op een warme dag, met succes, met een plastic liniaal een smeltend stukje chocola tegen had gegooid.

'Dat hoeven we ook niet.'

'Wat?'

'Ze heeft niets met ons te maken,' zei Daniel. 'Helemaal niets.'

'Wel waar,' zei Ellen. 'Vanwege pap. Daardoor wordt ze ook iets van ons.'

Daniel zei flink: 'Niet van mij.'

'Dat moet wel.'

'Nee. Ik ga naar Canada.'

'Ja hoor,' zei Ellen sarcastisch. 'Zwaai maar met je Harry Potter-toverstafje en vlieg maar naar Canada.'

'Jij kunt ook mee. En Petey.'

'En mam.'

'Natuurlijk.'

'Maar,' zei Ellen, 'ik wil niet zonder pap. En ik wil niet dat pap zo doet als nu.'

Daniel deed de zaklamp uit. Hij overwoog om Ellen te vragen waarom hun vader dit wilde, iets wilde waar zij niet aan mee konden doen, en toen bedacht hij dat Ellen net zomin het antwoord wist als hij, en dat de reden waarom ze in zijn bed lag, en te veel ruimte in beslag nam, was dat ze het antwoord niet wist. En dat de vraag haar, net als hem, niet aanstond.

Na een poosje begon Ellen te snuiven. Eerst dacht Daniel dat ze weer huilde, maar toen besefte hij dat ze zachtjes snurkte, dat ze in slaap was gevallen met haar mond open, terwijl ze zijn kussen grotendeels in beslag had genomen en zijn rechterbeen onder het hare lag. Hij zuchtte. Hij kon nu natuurlijk de radio niet meer aandoen, want een verdrietige maar slapende Ellen was beter dan een verdrietige wakkere Ellen, en eerlijk gezegd vond hij het wel prettig dat ze er was, snurkend of niet, en in een toestand waarin haar minachting voor hem en zijn soort niet de boventoon voerde.

Hij trok even met zijn been. Ellen gromde en mompelde iets en bewoog zich net genoeg zodat Daniel zijn been kon wegtrekken.

Hij schatte zijn positie in. Hij lag beter, maar nog niet goed genoeg. Hij stootte Ellen aan met zijn rechterschouder.

'Schuif eens op,' zei hij.

13

Toen de foto kwam, richtte Cora het altaar in de hoek van haar slaapkamer opnieuw in. Ze haalde de kleine boeddha niet weg uit zijn centrale positie – goden hadden iets waardoor ze in de schijnwerpers moesten blijven – maar ze schoof hem iets naar achteren, terug tussen de kaarsen en de zwarte laqué vaas met wierookstokjes, en de zijden orchidee in het op water lijkende blok hars, om de foto vooraan te zetten, waar ze hem kon zien. Eerst zette ze hem tegen de boeddha, maar dat leek van weinig respect voor beide te getuigen, dus deed ze de foto in een lijst die ze jaren geleden zelf had gemaakt uit stukjes oosters brokaat, gelijmd op karton, en zette hem apart, voor de vlammetjes en de bloem en de afstandelijke en tijdloze glimlach van de boeddha.

Samantha – Nathalie – had haar de foto gestuurd. Het was een foto van een donkerharige vrouw en een kind met krullend haar die samen in een leunstoel in een boek zaten te kijken. Het was niet een echt grote foto, maar met genoeg details die Cora met haar ogen verslond: Nathalies oorringen en Polly's rode vest met knopen in de vorm van lieveheersbeestjes, en de contouren van hun wangen en neuzen.

'Ze lijkt sprekend op jou,' had Betty gezegd. 'Sprekend.'

'Ja,' zei Cora, verrukt en vol ongeloof. 'Ja.'

Betty legde de foto neer.

'Maar dat is genoeg.'

'Wat bedoel je met dat is genoeg?'

'Die foto is genoeg,' zei Betty. Ze wendde zich af en begon in het groenterek te rommelen. 'Je hebt haar foto gezien, je weet dat ze een dochtertje heeft, je weet dat alles goed met haar gaat. Laat dat voldoende zijn.'

Cora keek naar de foto, naar de stijlvolle moderne leunstoel, naar Nathalies hand die het boek openhield voor Polly.

'Wat bedoel je?' zei ze weer.

Betty legde twee handenvol wortels op het aanrecht.

Ze zei, met haar rug naar Cora: 'Je zult alleen maar gekwetst worden.'

'Gekwetst?'

'Ja,' zei Betty, terwijl ze in de la naar het schilmesje zocht. 'Als je hiermee verder gaat, word je alleen maar weer gekwetst.'

'Waarom?'

'Omdat,' zei Betty terwijl ze zich snel omdraaide, 'dat gaat gebeuren! Ze is misschien een lief meisje, maar jullie zijn beiden je eigen weg gegaan en teruggaan naar waar ook kan alleen maar verkeerd aflopen.'

'Maar ik ga niet...'

'Natuurlijk wel,' zei Betty. 'Wat ben je anders aan het doen dan proberen goed te maken wat verkeerd is gegaan? Ik snap het wel, Cora, maar het kan niet. Ze is geen baby Samantha meer. Jij bent geen schoolmeisje Cora meer. Ik wou dat ze je nooit had opgebeld.'

Cora zei zacht: 'Ik vond het fijn.'

Betty trok een stoel onder de tafel vandaan en ging tegenover haar zus zitten.

'Ze is niet kwaad op me,' zei Cora, kijkend naar de foto. 'Dat heeft ze gezegd.'

'Waarom zou ze kwaad moeten zijn?'

'Ik ben onvoorzichtig geweest,' zei Cora. 'Zo onvoorzichtig dat ik zwanger ben geraakt, en daardoor ben ik onvoorzichtig geweest met haar leven.'

Betty slaakte geërgerd een zucht.

'Ze hadden iets in je glas gedaan, je bent verkracht..'

'Ik ben niet verkracht,' zei Cora. 'Dat mag je nooit zeggen. Je mag nooit zeggen dat de baby me is opgedrongen. Je mag nooit zeggen dat ik die baby niet heb gewild.'

Betty boog zich over de tafel.

'Ik wil gewoon niet dat je weer pijn wordt gedaan. Je bent een ongehuwde vrouw, Cora, en we weten allemaal dat wat misschien goed is voor een getrouwde vrouw, niet zo goed is voor een alleenstaande.'

Cora legde de foto plat op de tafel en bedekte die met een van haar pijnlijke handen.

'Mijn hele leven,' zei ze zonder veel wrok, 'heb ik de mening van anderen moeten aanhoren.'

'Ja. En?'

'Jullie hebben allemaal een mening over me, altijd al gehad. Het lijkt net of ik allemaal etiketjes opgeplakt heb gekregen, alsof alles aan me weggeredeneerd moet worden.'

'Niet wég, lieverd...'

'Je bent goed voor me geweest,' zei Cora. 'Beter dan wie ook, maar zelfs jij hebt me nooit toegestaan te zeggen wat ík voelde.'

Betty ging rechtop zitten.

'Ik wil je beschermen...'

'Ja, maar soms heb ik steun nodig, geen bescherming. Ik had steun nodig in dat tehuis voor ongehuwde moeder van het Leger des Heils, steun toen ze Samantha van me afnamen, toen ze zeiden dat ik niet in staat was om haar te houden, dat ik niet in staat was om een moeder te zijn. Zal ik je eens wat zeggen?' Cora boog zich over haar foto. 'Ze bedoelden dat het slecht was om vruchtbaar te zijn. Het was slecht om arm te zijn, tot de arbeidersklasse te horen en vruchtbaar te zijn.'

Betty snoof. Ze boog haar hoofd over haar ineengevouwen handen op het tafelblad.

'Dus hoe dan ook,' zei Cora, 'deze foto is niet genoeg voor me. Als Sam... Nathalie me wil ontmoeten, dan doe ik dat. Misschien ben ik dan weer terug bij af, maar dat risico neem ik. Al die jaren heb ik mezelf gekweld met de vraag of ze me haatte. Dat is het enige waar ik ongerust over was, wat me steeds achtervolgde. Zou ze kwaad zijn, zou ze me haten. Nou, ze klonk niet kwaad. Helemaal niet. Ze klonk zelfs heel verbaasd dat ik het vroeg. Dus als ik haar wil ontmoeten om zeker te weten dat ze niet kwaad is, als ik dit moet doen om alle ellende van de afgelopen jaren van me af te zetten, dan doe ik dat, risico of geen risico. Meer pijn dan ik heb gehad kan ik niet meer krijgen, Betty. Maar als ik dit doe, en dat ga ik doen als ze het goedvindt, dan doe ik dat liever mét jouw steun dan zonder. Geen bescherming, Betty. Steun.'

Het bleef even stil. Betty hief haar hoofd op en keek Cora aan. Haar ogen waren rood.

'Ik zal je steunen,' zei ze. 'Maar zeg nooit dat ik je niet heb gewaarschuwd.'

Vanaf de straat buiten haar appartement kon David zien dat Nathalie in de keuken was. Hij stond haar een poos gade te slaan, hoe ze, geleund tegen de tafel en zich niet bewust dat iemand naar haar keek, iets in de plaatselijke krant stond te lezen, met haar armen gespreid om de pagina's vast te houden. Haar haren waren op haar achterhoofd samengebonden met een rode sjaal of band, en er klonk muziek. Hij kon de melodie niet horen, maar het ritme wel.

Hij keek naar de opening die de trap naar het souterrain vormde tussen het trottoir en Nathalies keukenraam. Die was te breed om er overheen te buigen en het raam aan te raken en haar aandacht te trekken. Hij dacht na. Hij kon natuurlijk gewoon aanbellen, maar dat leek niet te passen bij de stemming van het moment, de stemming die hem ertoe had gebracht om een omweg door dit deel van Westerham te maken en Nathalie om elf uur in de ochtend te verrassen. Hij haalde diep adem en sprong in de lucht. Nathalie bleef in haar krant lezen. David sprong nog een keer en nog eens, terwijl hij riep. Nathalie keek op van haar krant en zag hem.

'Je bent niet goed wijs,' zei ze door de ruit heen.

Hij knikte stralend.

'Laat me binnen...'

Ze verdween van het raam en verscheen in de voordeur, nog steeds met de krant in haar handen.

'Waar ben jij mee bezig?'

'Waar ben jíj mee bezig,' zei David, 'dat je tijdens werktijd de krant staat te lezen?'

Ze hief haar armen om en sloeg ze om zijn hals. De krant ritselde. Hij hield haar stevig vast.

'Ik kan me niet goed concentreren.'

'Ik ook niet.'

'Hoe gaat het met Marnie?'

David maakte zijn greep wat losser.

'Eh, kalmer. Heel redelijk. Heel erg redelijk. Ze is tickets gaan kopen voor Canada, voor van de zomer. En Steve?'

'Goed,' zei Nathalie. Ze maakte zich los uit zijn omhelzing. 'Leuk. Aardig.'

'Juist,' zei David. 'Goed of slecht?'

Nathalie ging hem voor naar de keuken.

'Gewoon... gewoon beter. Aardiger.'

'Marnie is altijd aardig. Ze kan me alleen het gevoel geven dat ík helemaal niet aardig ben.'

Nathalie opende de deur van de koelkast.

'Wat bedoel je met aardig?'

'Een goede echtgenoot en vader.'

'Is het nog te vroeg voor een drankje?'

'Ja.'

Nathalie zette een fles wijn op de keukentafel.

'Misschien functioneren we niet zo goed als lid van een gezin.'

'Wat?' zei David. 'Jij en ik?'

Nathalie pakte twee wijnglazen van een plank.

'Ja. Misschien hebben we problemen met intimiteit.'

'O, doe me een lol.'

'Dat is een uitdrukking van Sasha.'

'Wie is Sasha?'

'De vriendin van Titus. Ze is bezig met een scriptie of zo. Ze heeft voor alles een uitdrukking. Psychologische praat.'

'Klinkt nogal vreemd...'

Nathalie schonk wijn in de glazen en schoof er een naar David. Hij pakte het op.

'Ik moet nog rijden...'

Nathalie zei: 'Weet je wat ik heb zitten denken? Over die intimiteit?'

'Zeg eens.'

Ze sloeg haar armen over elkaar.

'Misschien zijn we echt een beetje afstandelijk. Misschien maken we het mensen inderdaad moeilijk om dichtbij te komen. Misschien is dat altijd een afweermechanisme van ons geweest.'

David nam een slokje wijn.

'En?'

Nathalie sloeg haar ogen neer.
'Weet je nog, dat gevoel...'
'Welk gevoel?'
'Dat gevoel dat we altijd hadden, hoe aardig mensen ook waren, hoeveel ze ook van ons hielden, hoe vaak ze ook zeiden dat we hetzelfde waren als alle anderen...' Ze zweeg.
David wachtte. Hij wachtte een poosje en toen stak hij een hand uit en raakte haar schouder aan.
Ze zei langzaam: 'Er is altijd dat onuitgesproken iets, als je niet weet wie je ouders zijn, als je niet weet waar je vandaan komt. Altijd die kleine fluistering, die echo, alsof de maatschappij zegt: "laten we je gewoon laten verdwijnen".'
'Onzin.'
Ze keek naar hem op.
'Niet letterlijk. Maar meer van: laten we vergeten wie je werkelijk bent, laten we je echte naam uitvlakken en opnieuw beginnen, volgens óns patroon.'
'Je echte naam,' zei David.
Ze knikte.
Hij zei: 'Die van jou weet je.'
Ze knikte weer.
'En jij weet die van jou,' zei ze.
'Maar niet,' zei David, 'de naam van mijn vader. Die naam niet.'
Nathalie pakte haar glas wijn op, keek ernaar en zette het weer neer.
'Dus als we achter die dingen komen, achter die namen, die verhalen, dan zijn we misschien in staat om wel mee te doen. Echt mee te doen.'
'Heb je dat zitten bedenken?'
'Ja.'
'Ik wou,' zei David, 'dat ik ook zo kon denken.'
'Daar heb je mij toch voor.'
Hij stak zijn handen in zijn zakken.
'Ik wou dat je met me meeging naar Carole.'
Haar ogen werden groot.
'Je gaat naar haar toe!'
'Ja. Dat kwam ik je vertellen.'

'O, mijn hemel.'
'Ik weet het.'
'Heeft ze het je gevraagd?'
'Nee, ik heb het haar gevraagd. Ik moest het een paar keer vragen.'
'Wilde ze het niet?'
David rammelde met het kleingeld in zijn zakken.
'Ze klonk bang.'
'Ben jij dat dan niet?'
'O ja,' zei David. Hij haalde zijn handen uit zijn zakken en sloeg zijn armen om Nathalie. Hij zei, met zijn gezicht tegen haar haar: 'Ik denk niet dat ik ooit zo zenuwachtig voor iets ben geweest.'

Carole had zich voorgesteld dat ze David in een bar zou ontmoeten, een bar ergens op Portobello Road misschien. Ze had zich iets trendy voorgesteld, ergens waar Davids leeftijd niet zou worden opgemerkt tussen allemaal mensen van dezelfde leeftijd, een plek waar zij de uitzondering zou zijn en daardoor niet gezien zou worden door iemand die ze kende. Ze was er heimelijk op uitgetrokken om zo'n gelegenheid te zoeken en ze had gedacht dat ze er een had gevonden, bij de oude bioscoop, met boven een klein restaurant en beneden iets informeels, een soort bar/brasserie, met jong bedienend personeel dat geheel in het zwart was gekleed. In een dergelijke gelegenheid zou David niet opvallen, en op haar zou niemand letten. De volgende keer dat hij opbelde – en dat deed hij met een regelmaat waardoor ze iedere keer weer in alle staten raakte - zou ze hem zeggen dat ze daar zouden afspreken, en dat zij een bruin suède jasje zou dragen en de *Financial Times* in haar hand.

Maar toen kwam Connor tussenbeide. Zijn minzaamheid sinds haar onthulling was niet veranderd, alsof, dacht ze af en toe wraakgierig als ze naar zijn gladgeschoren gezicht keek, zijn gestreken overhemd, hij een rol had gevonden waarin hij zichzelf kon zien zoals hij altijd al had willen zijn: kalm en verheven, een en al vriendelijkheid en redelijkheid.

'Waar ben je van plan de jongen te ontmoeten?' informeerde Connor, zijn blik op de kruiswoordpuzzel op zijn knie gericht.

'Hij heet David,' zei Carole.

Connor keek op en wierp haar een kalme, veelbetekenende blik toe.
'Ik denk dat je me wel hebt gehoord.'
'Dat heb ik nog niet besloten,' zei Carole. Ze streek met een hand door haar haren. Als ze hem de waarheid vertelde, zou hij proberen haar van gedachten te laten veranderen. 'Ik heb er nog niet over nagedacht.'
Connor zette zijn leesbril af en legde die op de opgevouwen krant.
'Mag ik een suggestie doen?'
Carole wachtte. Twee weken, zelfs een week geleden zou ze misschien verzoenend hebben gezegd: 'Dat zou ik fijn vinden.' Nu, koppig door het vooruitzicht vol hoop en vrees, wachtte ze.
'Carole,' zei Connor. 'Schat, ik denk dat je hem hier moet ontvangen.'
Ze staarde hem aan.
'Hier!'
'Ja,' zei hij. 'Waarom niet?'
'Maar hier wonen we!'
'Dus moet hij je hier zien.'
Ze drukte zich in de kussens van haar stoel.
'Nee.'
'Waarom niet?'
'Omdat... omdat het ergens op neutraal terrein moet zijn, ergens waar we geen van beiden thuishoren...'
'Waarom?'
'Omdat,' schreeuwde Carole bijna, 'ik niet weet hoe het zal gaan!'
Connor schraapte zijn keel. Hij legde de krant en zijn bril op het tafeltje naast hem.
Toen zei hij, op een veel minder gewichtige toon: 'Hij is je zoon, Carole, en daar verandert niets aan. Hij hoort je in je huis te zien, op de plek die je leven weergeeft, en wie je bent. Hij zal toch al nerveus zijn. Waarom zou je het erger maken door hem te dwingen naar een hotellounge of iets dergelijks te komen?'
Carole zei, niet erg verstandig: 'Ik dacht niet aan een hotellounge.'
'Je moet hem hier ontvangen,' zei Connor. 'Je moet hem hier uit-

nodigen en hem een whisky geven.' Hij zweeg even, en toen zei hij: 'Wil je hem niet helpen om zich op zijn gemak te voelen?'

Carole keek naar haar handen op haar schoot, naar haar welgevormde nagels, naar haar trouwring.

Ze zei zwakjes: 'En de jongens?'

'Ik zal wel met ze praten,' zei Connnor. 'Ik zal uitleggen waarom David hier komt.'

'Martin zal het niet leuk vinden...'

Connor zei: 'Martin vindt op dit moment heel weinig leuk.'

'Maar dit is nu zijn thuis...'

'Alleen nu.'

'Connor...'

Connor keek haar recht aan.

Hij zei vastbesloten: 'Je ontvangt hem hier. Een paar uur. Dan kom ik terug met de jongens.'

'Dat kan ik niet!' riep Carole schril.

Connor pakte zijn krant op. Zijn stem klonk weer laatdunkend.

'Je moet wel, schat,' zei hij.

En nu zat ze hier te wachten. Alleen, achtergelaten door Connor en Martin en Euan. Martin woedend, Euan, typisch voor hem, vol nieuwsgierige opgewektheid. Tegen Euan had ze, dwaas, gezegd, gebarend naar haar kleren: 'Zie ik er goed uit?'

Hij had grijnzend naar haar gekeken. Hij had alle zelfvertrouwen in de wereld, alle vertrouwen dat hij door iedereen werd geaccepteerd, het vertrouwen dat Martin altijd totaal had ontbroken. Hij had haar snel een kus gegeven.

'Wat maakt het uit, mam?' En vervolgens plagend: 'Wat had je de laatste keer aan?'

Ze moest lachen. Hij kon haar meestal aan het lachen maken. Ze keek de drie na toen ze naar de garage in de kelder gingen alsof ze hen nooit meer zou zien, alsof alles dat haar wereld bijeenhield, een zekere dood zou sterven. Ze wachtte in de voordeur tot de Mercedes de helling opreed en Ladbroke Grove insloeg, en het brak bijna haar hart – terwijl ze altijd had gedacht dat ze niet sentimenteel was – dat geen van hen eraan dacht om te kijken en naar haar te zwaaien.

En nu wachtte ze. Ze liep van de houten vloer in de gang naar de vloerbedekking in de zitkamer, en luisterde met belachelijke concentratie naar de manier waarop het geluid van haar voetstappen veranderde. Ze keek uit de ramen van de zitkamer naar de witte seringen zonder ze te zien, en toen draaide ze zich om en liep weer terug, langs Connors favoriete stoel, langs de bank, langs de televisie, langs de boekenkast met al die ongelezen boeken, terug naar de gang en het scherpe geluid van haar hakken op het lichte hout. Toen de bel ging, hield ze even haar adem in. Ze stond op het kleed midden in de gang en keek naar de nietszeggende achterkant van de voordeur en dacht: ik kan niet ademen, ik kan niet ademen.

De bel ging weer.

'Één,' zei Carole. 'Twee. Drie.'

Ze voelde haar benen stijf bewegen alsof ze geen gewrichten had, ze zag haar hand op de zware vergulde deurgreep, zag die draaien, en de deur zwaaide open en op de drempel stond een man, een lange man, ouder dan ze zich herinnerde en blonder, maar nog steeds Rory. Rory... Ze slikte. Nee, niet Rory. Natuurlijk niet. De man leek even te wankelen, of misschien was ze het zelf wel, en toen boog hij zich voorover, gaf onhandig een kus op haar wang en zei: 'Hallo, Carole.'

'Ik drink gewoonlijk geen whisky,' zei David. Hij keek naar zijn glas, naar de theekleurige vloeistof die heen en weer bewoog over de bodem.

'Nee,' zei Carole. 'Maar dit is geen gewone situatie.'

Ze zat tegenover hem, niet ver weg maar ook niet dichtbij, zodat hij haar niet goed kon bekijken. En hij merkte dat het moeilijk was om naar iets anders te kijken dan naar deze persoon, deze vrouw, deze Carole Latimer in haar elegante kleren, in haar elegante, volwassen zitkamer met de zorgvuldige verlichting, de zachte kleuren, de afwezigheid van rommel van kinderen of honden. Ze woonden hier nog maar een paar jaar, had ze gezegd, haar... andere zoons waren hier niet opgegroeid, hier hadden ze nooit als gezin gewoond. David had naar de vloer gekeken.

'Ik hoop,' zei hij, 'dat mijn schoenen schoon zijn.'

Toen had ze hem voor het eerst aangekeken, recht aangekeken, en hij had gezien hoe opmerkelijk haar ogen waren, groen, helder, met vlekjes erin, en hij had even een schok in zijn maag gevoeld.

'Het maakt totaal niet uit,' zei ze met een warmte die ze nog niet had getoond, 'of ze wel of niet schoon zijn.' Toen zei ze, iets zachter: 'Je wordt hier niet op de proef gesteld, hoor.'

Nu hield hij zijn glas schuin en liet de whisky heen en weer walsen.

Hij zei, niet naar haar kijkend maar naar de whisky: 'Heb je wel eens aan me gedacht?'

Ze wendde haar blik naar het raam.

'Nee.'

'Nooit?'

'Dat zei ik toch,' zei Carole.

David hield zijn glas zo schuin dat de whisky bijna tot de rand kwam.

'Ik kan er gewoon niet bij dat niemand wist dat ik was geboren.'

'Ik ben weggegaan,' zei Carole. 'Met opzet. Ik zei dat ik rust nodig had, dus niemand lette op de tijd.'

'Wie is niemand?'

'Mijn ouders.'

Er viel een druppel whisky op Davids bovenbeen.

Carole zei niets. Ze bleef uit het raam staren.

'Mijn vader?' drong David aan.

Er viel een stilte, en toen zei Carole: 'Hij wist het niet.'

'Hij wist niet dat ik ben geboren?'

'Nee.'

'Waarom niet?'

Carole draaide met een ruk haar hoofd om.

Ze zei fel: 'Omdat hij het niet wílde.'

'Hij...'

'Nee. Hij wílde het niet. Met welk recht stel je me zulke vragen?'

David zette heel voorzichtig zijn glas neer.

'Omdat,' zei hij, 'hij mijn vader is en jij mijn moeder en zonder jullie twee zou ik hier niet zijn.'

Carole boog haar hoofd. Het was moeilijk te zeggen of ze boos of van streek was of dat ze huilde.

'Ik meende wat ik zei,' zei David. 'Ik meende wat ik zei door de telefoon. Dit gebeurt allemaal op jouw voorwaarden. Ik wil niets overhoophalen van wat je nu hebt, je gezin. Ik wil alleen een paar antwoorden.'

Ze knikte. Ze stak blindelings haar hand uit naar haar glas en nam een flinke slok.

'Zoals?'

'Lijk ik op mijn vader?'

Ze knikte weer, heftig.

'Precies?'

Carole keek langzaam op.

'Blonder,' zei ze. 'Je hebt zijn trekken en mijn haarkleur. Misschien... misschien ben je iets langer.'

David boog zich iets voorover.

'Hield je van hem?'

'Mijn hemel!' riep Carole uit. 'Wat is dat voor vraag?'

'Dus wel...'

'Ja.'

'Dus je hield van de man van wie je mij kreeg?'

'Dat zei ik,' zei Carole. 'Dat zei ik toch net?'

'Maar je wilde me niet.'

'Dat heb ik niet gezegd...'

'Hij wilde me niet.'

'Hij wilde geen baby,' zei Carole. Ze streek met haar handen door haar haren. 'We waren te jong. Hij begon nog maar net. We waren niet toe aan een baby.'

'Maar als er geen baby was geweest, ik bedoel, als niemand behalve die nonnen in Suffolk en je vriendin wisten dat er een baby was geboren, waarom ben je dan niet bij hem gebleven, waarom ben je niet gebleven tot jullie allebei toe waren aan een baby?'

'Hij was weg,' zei Carole.

'Weg?'

'Hij ging weg toen ik wist dat ik zwanger was. Hij zei dat ik een abortus moest laten plegen en... ik had erover nagedacht, maar toen ging hij toch weg. Ik denk... ik denk nu,' zei Carole op luide toon, 'dat hij toch al weg wilde. Dat mijn zwangerschap een soort excuus was, het excuus dat hij zocht.'

David ging verzitten.

'Hij moet een rotzak zijn geweest.'

'Nee,' zei Carole.
'Nee?'
Ze keek op.
'Ik heb de abortus niet laten doen, omdat ik zijn baby wilde. Of toen, in ieder geval. Ik wilde iets van hem. Ik dacht...' Ze zweeg even en zei toen: 'Ik dacht dat hij zou veranderen.'
'En dat gebeurde niet.'
'Ik weet het niet. Ik kon hem niet vinden. Ik heb het geprobeerd, maar het lukte niet. Ik heb hem nooit meer gezien. Ik wil hem niet meer vinden.'
'Misschien is hij naar het buitenland gegaan.'
'Dat is heel waarschijnlijk.'
'Misschien is hij dood...'
Even kwam er een uitdrukking van intense pijn op Caroles gezicht.
'Nee...'
'Ik zei: misschien,' zei David. 'Maar zou dat makkelijker voor je zijn?'
'Niets aan hem was ooit gemakkelijk. Daar gaat het niet om.'
David boog zich verder naar voren en legde zijn ellebogen op zijn knieën.
'Hoe heet hij?'
'Dat doet er niet toe.'
'Voor mij wel.'
'Ik zeg het nooit,' zei Carole bijna wanhopig. 'Ik zeg het nooit hardop.'
David zei zacht: 'Het is een van de dingen die ik kwam vragen. Een van de dingen die ik wil weten. Het is... het is iets wat ik niet héb.'
Ze zei bijna fluisterend: 'Rory.'
'Rory. Rory hoe?'
'Ecclestone.'
David dacht na. Hij boog zijn hoofd en dacht even na. Toen zei hij: 'Dus ik ben David Ecclestone?'
'Nee,' zei Carole. 'Je bent geboren als David Hanley. Hanley is mijn meisjesnaam.'
'Maar Ecclestone was de naam van mijn vader.'

'Ja.'
'En David?'
'Dat was je vaders tweede naam.'
'Juist. Rory David Ecclestone. R.D. Ecclestone.'
'Ja. Maar dat is jouw naam niet. Je heet geen Ecclestone. Je bent ingeschreven als David Hanley.'
David zei, en voor het eerst toonde hij iets van kwaadheid: 'Denk je niet dat dat aan mij is om te beslissen?'
Ze schrok.
'Wat?'
'Dat het nu aan mij is om daarover te beslissen? Heb ik niet lang genoeg namen opgedrongen gekregen die van andere mensen waren? Heb ik niet zonder klagen jaren etiketjes opgeplakt gekregen die niet van mij waren? Wordt het geen tijd dat ik mag zijn wie ik in werkelijkheid ben?'
'Sorry,' zei Carole. 'Sorry...'
'En stel, hoe hij ook was, hoe je ook zégt dat hij was, dat ik liever de normale weg volg en de naam van mijn vader wil dragen? Waarom zou ik dat niet doen?'
Carole stond abrupt op.
'Je moet je kwaadheid niet op mij botvieren.'
'Ik ben niet kwaad...'
'Nee.'
'Maar je was het wel.'
David stond ook op, langzaam.
'Ja.'
'Omdat ik je voor adoptie heb afgestaan.'
'Het is moeilijk,' verzuchtte David, 'om over het feit heen te komen dat je bent afgestaan.'
Carole deed een paar stappen naar hem toe. Ze keek naar hem op. Hij kon haar groene ogen zien, en rook parfum en whisky.
'Ik moest wel.'
Hij zei niets.
'Ik was alles kwijt.'
'Je was hem kwijt, bedoel je.'
'En sindsdien,' zei Carole, en hij kon een glinstering van tranen zien, 'heb ik al die jaren niemand iets erover verteld. Niemand.'

'Je had toch wel vrienden, vriendinnen...'

Ze schudde haar hoofd.

'Ik had iets gedaan wat niet makkelijk geaccepteerd werd. Ik was op de verkeerde persoon verliefd geworden, ik was zwanger geraakt, ik had mijn opvoeding over de balk gegooid, ik had al mijn kansen verspeeld.'

David keek om zich heen. Hij liet even een gesmoorde lach horen.

'Dat lijkt me niet...'

'Het líjkt allemaal in orde,' zei Carole. 'Het lijkt allemaal prachtig, nietwaar?'

'Wat?' vroeg David. 'Je huwelijk? Je zoons?'

Carole deed een stap naar voren. Ze stond nu heel dicht bij David. Ze hief haar handen op en pakte de revers van zijn jasje.

'Ik kan niet tegen vijandigheid,' zei Carole. 'Dat kan ik niet. In geen enkele vorm. Van niemand.'

Hij legde zijn handen over de hare. De huid van haar handen voelde licht en glad en dun aan.

'Nee...'

'Je lijkt zo op hem! Je lijkt zo op hem!'

David pakte Caroles handen en maakte ze zacht los van zijn revers.

Hij zei: 'Ik zal proberen eraan te denken. Aan wat je hebt gezegd.'

Ze deed onvast een paar stappen naar achteren.

'Goed,' zei ze, toen ze zich weer had hersteld. 'Heb je wat antwoorden op je vragen gekregen?'

Hij zei onzeker: 'Dat denk ik wel.'

'Nog een whisky?'

'Nee. Nee, dank je.'

'Er staan nog een paar vragen open.'

'O?'

'Mijn man,' zei Carole. 'Mijn zoons. Je... halfbroers.'

'O. Ja. Misschien ooit...'

'Vandaag,' zei Carole.

'Nu!'

'Dadelijk.'

'Ze komen hier?'

'Ze wonen hier,' zei Carole. 'Ze komen dadelijk terug.' Ze keek even naar hem. Ze had haar afstandelijkheid hervonden, haar zelfbeheersing. Ze glimlachte even. 'Ze willen met je kennismaken.'

14

Sasha had tegen Steve gezegd dat ze in een kraakpand had gewoond. Hij vermoedde dat ze dat tegen een heleboel mensen had gezegd, vooral tegen mannen; dat was de informatie die ze af en toe naar buiten bracht, om indruk te maken. Steve was ook onder de indruk. Zelf was hij iemand die radicaal, zelfs anarchistisch gedrag op zijn best zielig vond en op zijn ergst domweg destructief. Het idee om op zijn zestiende of zeventiende het twijfelachtige voordeel van de achterslaapkamer boven de Royal Oak in te ruilen voor iets veel ergers zou hij volslagen waanzin hebben gevonden. Zelfs vrijheid had een prijs die erbij hoorde, en niet zomaar een prijs.

Na de kraakperiode had Sasha blijkbaar geen vast woonadres gehad. Ze had een poos thuis gewoond om haar moeder te helpen haar stiefvader te verplegen, die op sterven lag; ze had een poos met een Turk samengewoond – over de relatie werd veelzeggend gezwegen – in een bouwvallig houten huis op de Bosporus; ze had een interne – niet afgemaakte – opleiding tot verpleegster in de geestelijke gezondheidszorg gevolgd; een poosje opgepast in een penthouse in de Canal Street-wijk van Manchester; een poosje in een caravan gewoond in een bos in Northumberland met twee hazewindhonden die vroeger aan de rennen hadden meegedaan en een jongen met leerproblemen. Nu was Sasha, in haar ogen, op een vaste plek beland. Nu, met een geheimzinnige mix van toelagen en subsidies en parttimebaantjes in winkels en bars, had Sasha een eigen kamer met een deur die op slot kon, in het huis van een gescheiden moeder met drie kinderen die de huur van een kostganger goed kon gebruiken. Het was een mooie kamer, zei Sasha, groot, met een breed raam, en Della beneden was zo gesteld op haar eigen onbetwiste onafhankelijkheid, dat ze er niet over piekerde om inbreuk te maken op die van een ander. Dat was eigenlijk de reden van haar scheiding, zei Sasha. Della kon gewoon geen middenweg kiezen.

Als je probeerde een beeld te krijgen van hoe Sasha's leven er nu precies uitzag, dacht Steve, was het net of je water wilde beeldhouwen. Hij dacht niet dat ze tegen hem loog of dingen verzon, maar haar prioriteiten waren zo anders dan die van hem, net als haar mening over wat essentieel was, dat het beeld dat hij van haar had op zijn zachtst gezegd ondefinieerbaar was. Ze werkte vrijblijvend voor de universiteit van Westerham, en was, blijkbaar net zo vrijblijvend, bezig met een scriptie. Waar dat toe zou leiden wist Sasha niet, en het leek haar ook niet te interesseren. Als ze niet in de nieuwe en indrukwekkende computerzaal van de universiteit zat, werkte ze in een kleine, op veganistische principes gebaseerde reformwinkel (zelfs geen gelatine was toegestaan), of in een bar die de Rouge Noir heette, of in een tweedehands boek- en muziekwinkel die gespecialiseerd was in vroege rockmuziek, of ze paste op Della's drie kinderen. Ze leek het altijd druk te hebben en tegelijkertijd was ze vrij wanneer ze er zin in had. Aan haar lijst met bezigheden – waaronder ook yoga en een cursus salsa – leek geen einde te komen en tegelijkertijd zat er geen patroon in.

'Ik begrijp niet,' zei Steve, 'dat je niet gek wordt van jezelf.'

Ze keek hem glimlachend aan.

'Ervaring,' zei ze. 'Mijn houding. Vooral mijn houding.'

En het was die houding waardoor Steve steeds weer aangetrokken werd. De makkelijke manier waarop ze omging met afspraken, onconventionele dingen accepteerde, haar vermogen om een prijzenswaardige afstand te scheppen tussen haarzelf en verantwoordelijkheden, waardoor hij zich op een vreemde, opwindende manier bevrijd voelde van alle vermoeiende lasten en beslommeringen van zijn huidige leven. Het had niets met verliefdheid te maken, zei hij tegen zichzelf. Zijn verlangen om bij Sasha te zijn, maakte geen enkele inbreuk op de onvoorwaardelijke echte liefde die hij voelde voor Nathalie en Polly. Bij Sasha zijn was echter niet alleen spannend en intrigerend, maar het bevrijdde hem ook even van hemzelf, van de Steve Ross die op dit moment in een emotionele toestand vol verwarring was waaruit hij zich niet los wist te maken. Als de gedachte bij hem opkwam – en dat gebeurde vaak – dat hij Sasha niet meer moest zien, voelde hij iets van paniek, alsof er een reële dreiging bestond dat een vitale slagader werd afgesloten. En als hij haar zag – de lange jas, de laarzen, dat korte haar als een zeehondenvacht – voelde hij alleen maar pure opluchting.

Toen ze hem vroeg of hij haar kamer wilde zien, in Della's rijtjeshuis dat uitzag op de spoorweg, zei hij nee.

'Waarom niet?'

Hij haalde zijn schouders op. Hij wilde niet zeggen dat hij bang was, bang voor wat er misschien zou gebeuren in Sasha's kamer, en hij wilde ook niet te diep nadenken over die angst en ontdekken dat er ook belangrijke elementen aan vastzaten.

'Ben je bang?'

Hij haalde weer zijn schouders op.

'Ik heb eigenlijk nog nooit,' zei Sasha, 'een kamer gehad die ik aan iemand kon laten zien. Ik heb nog nooit een plek gehad waarvan ik dacht dat die weergaf hoe ik ben. Maar dit is een begin. Ik wil hem graag aan je laten zien.'

Steve stak zijn handen in zijn zakken.

'Komt Titus...'

'Natuurlijk,' zei Sasha. 'Natuurlijk komt Titus daar ook. Hij vindt het afschuwelijk.' Ze lachte. 'Maar hij vindt alles lelijk wat ik mooi vind. Dat vindt hij leuk.'

'Pervers.'

'Het heeft meer met heersen te maken,' zei Sasha. 'Titus wil altijd graag zelf de touwtjes in handen houden.'

'O ja?'

Ze wierp een blik op hem.

'Ja,' zei ze, en ze boog zich iets naar hem toe. 'Kom mee naar mijn kamer kijken,' zei ze.

Ze liet hem binnen door een Edwardiaanse, paars geschilderde deur met glas-in-loodramen. Binnen was alles precies waar Steve een hekel aan had, vol stoffen en voorwerpen. Hij stootte meteen tegen een windgong.

'Niet op letten,' zei Sasha. 'Kom mee.'

Ze ging hem voor naar boven, langs beschilderde spiegels en een vogelkooi vol poppen en een vaas met pauwenveren. Hij keek toe hoe ze een sleutel in een deur op de overloop stak, en toen draaide ze zich om en keek hem aan.

'Haal maar diep adem,' zei ze.

De kamer was bijna leeg. De muren waren rood geverfd, de vloer was zwart en voor het raam hingen witte rolgordijnen. Er stond bijna niets in, alleen een futon.

Steve vroeg: 'Waar leef je?'

Ze wees naar de futon.

'Daar.'

Hij slikte.

'Met alles?'

'Waarom niet? Werk jij nooit in bed?'

'Nee.' Hij keek om zich heen. 'Kleren. Boeken...'

Ze wees naar een stapel canvasdozen.

'Daar.' En toen: 'Herken je me? Herken je me hierin?'

Hij deed een paar stappen de kamer in. Hij keek naar de enige Japanse prent – een vrouw in een kimono die over haar schouder keek – aan de rode wanden, naar de futon, naar het paar joggingschoenen op de vloer, netjes naast elkaar, en hij zei: 'Het klopt.'

'Ga zitten,' zei ze.

'Op dat?'

'Waar dacht je anders?'

'Sasha...'

'Je moet nooit blijven staan als je kunt zitten. En je moet nooit blijven zitten als je kunt liggen.'

'Ik kan niet midden op de dag op een futon liggen...'

Sasha liep langs hem heen en bukte zich om haar laarzen los te knopen. Haar voeten waren gestoken in zwarte sokken met rode tenen. Toen draaide ze zich om en liet zich sierlijk op de futon glijden en keek naar hem.

'Ik kan dit niet,' zei Steve.

'Wat niet?'

'Ik ga niet met jou op je bed liggen.'

'We kunnen hier best praten,' zei Sasha. 'Dit is een goede plek om te praten.'

'Ik hoor hier niet te zijn.'

Sasha zuchtte.

'Misschien,' zei ze, 'ben je je niet bewust wat verschuldigd is in een relatie. Hoe het evenwicht ligt.'

'Wat bedoel je?'

'Ik luister naar je,' zei Sasha. 'Ik luister graag naar je, ik ben geïnteresseerd. Ik luister naar je als je me vertelt over je problemen, je moeilijkheden, dat je niet kunt begrijpen waarom Nathalie haar moeder wil zoeken. Ik luister naar je en ik zeg dat je het goed oppakt, dat Nathalie veel van je vergt terwijl ze je heel weinig vertelt, dat ik je bewonder om je tolerantie en soms om je stoïcijnsheid.' Ze zweeg even en ging verliggen, alsof ze ruimte maakte naast haar op de futon, alsof ze een uitnodigende plek creëerde. 'Maar waarschijnlijk,' zei Sasha, 'is niet bij je opgekomen dat het eenrichtingsverkeer was. Jouw richting.' Ze zweeg weer en toen glimlachte ze naar hem, een directe, heldere, open glimlach. 'Nu ben ik aan de beurt.'

In zijn slaapkamer – ingericht door zijn moeder voor gasten die bijna nooit kwamen – zat Martin voor zijn laptop. Of liever gezegd, hij zat er schuin voor omdat de enige plek voor de laptop een kleine ladekast was. Carole had een lamp op de ladekast gezet en een extra stoel in de kamer gezet. Ze had de laden leeggeruimd en een hangkast opdat Martin er zijn spullen kon opbergen, maar ze had niet, zo voelde hij, geprobeerd om de kamer van hem te maken, ze had op geen enkele manier laten blijken dat deze comfortabele, lichte kamer iets meer was dan een tijdelijk onderkomen voor hem. En het feit dat hij nijdig, agressief, overal zijn spullen had gelegd, zijn kleren had opgestapeld op het tweede bed en dozen, tassen sportartikelen op alle mogelijke oppervlakken en vloerruimte had gezet, leek alleen maar te onderstrepen dat ze ervan uitging dat hij gauw weer weg zou zijn. Hij had één grote rommel gemaakt van de kamer en ze was er heel onaangedaan onder omdat, zo gaf haar kalmte aan, de situatie slechts tijdelijk was. Heel tijdelijk.

Hij staarde naar het scherm van zijn laptop. Die ochtend had hij naar zijn werk gebeld en gezegd dat hij migraine had – sinds zijn puberteit had hij daar last van – en zijn baas, die immuun leek te zijn voor alle soorten hoofdpijn, had gezegd dat het heel jammer was, maar dat Martin dan thuis die berekeningen maar moest afmaken omdat hij het resultaat om vijf uur nodig had voor een vergadering. Het was nu tien over drie en Martin had sinds twaalf uur voor de ladekast gezeten met een knie tegen een ladeknop, terwijl het in zijn hoofd gonsde alsof er een zwerm bijen in rondvloog.

Buiten de gesloten slaapkamerdeur hoorde hij zijn ouders. Hij hoorde zijn vader weggaan, vervolgens hoe zijn moeder de vaatwasmachine in de keuken leegruimde, de telefoon die een paar keer ging, en ten slotte de voordeur die opzettelijk zacht werd gesloten, alsof de persoon die wegging wilde dat het vertrek niet werd opgemerkt. Dat was om half twaalf geweest. Voor die tijd was Carole niet in de buurt van Martins slaapkamerdeur gekomen. Ze had hem niet gevraagd of hij koffie wilde, ze had hem niet gezegd dat ze wegging, ze had niet gezegd wat hij uit de koelkast kon pakken voor de lunch. Ze had alleen de keuken opgeruimd, een kort gesprek gevoerd met een paar mensen die hij niet kende, en was weggegaan. Hij typte drie woorden met nijdige precisie, en vloekte.

Zijn mobiele telefoon had ook de hele ochtend gezwegen, er was niet eens een SMS-je geweest. Zijn broer Euan had de laatste tijd de gewoonte om hem gekke berichtjes en schuine grappen te sturen. Daar was hij blij om, maar tegelijkertijd vervulde het hem met wrok dat hij ze nodig had, wrok dat zijn behoefte zo duidelijk was, wrok dat Euan, die in wezen in dezelfde positie verkeerde als hij, er zo gemakkelijk mee om wist te gaan. Ze hadden er natuurlijk een gesprek over gehad, met pa, en toen nog een, en toen samen in de een of andere afschuwelijke pub in Chelsea nadat ze David hadden ontmoet, waar Martin verscheidene wodka's had gedronken na zijn bier, en hij was geëindigd op de bank in Euans flat, tot afkeer van Euans vriendin Chloe, die maar niet leek te kunnen begrijpen dat Martins toestand veel belangrijker was dan die van haar bank. Hij herinnerde zich dat Euan dingen had gezegd zoals: 'We moeten het accepteren, Mart, we kunnen de klok niet terugdraaien,' en: 'Hij leek me een aardige vent. Vond je niet? Aardige vent,' terwijl hij onsamenhangend en verward tekeerging over alles wat hij kon bedenken, alles wat er wel en niet toe deed, maar het meeste over Carole.

'Ik ben niet de oudste,' had hij gezegd terwijl zijn vingers wit zagen, zo strak omklemden ze het glas. 'Dat ben ik niet, hè? Nooit geweest. Ze heeft me laten geloven dat ik het was, en ik was het niet. Dat verklaart alles, het verklaart hoe ze altijd tegen me is geweest...'

'Gelul,' zei Euan. Hij geeuwde. 'Gezever. Geouwehoer.' Hij keek op zijn horloge. Hij had tegen Chloe gezegd dat ze een uur weg zouden blijven, en het waren er al drie. 'Er verandert niets, alleen moeten we David voortaan incalculeren.'

Euan had ook met Carole gepraat. Hij had gevraagd of Martin erbij kwam, maar iets in Martin stond het zichzelf niet toe, stond zich niet de mogelijkheid toe om het goed te maken, zelfs getroost te worden. Ze waren naar de zitkamer gegaan en hadden de deur op een kier gelaten opdat hij erbij kon komen, en hij was de voordeur uit gestormd en had die zo hard dichtgesmeten dat ze niet konden twijfelen aan hoe hij zich voelde, aan zijn woede. Die avond was hij gewoon gaan lopen, kilometers, verbaasd en beledigd dat de mensen op straat zo gevoelloos net als anders naar huis gingen of naar een bar of naar de bioscoop. Toen hij eindelijk terugkwam, was Euan weg en Carole was in de keuken met zijn vader, en bakte een omelet. Ze had naar hem opgekeken en hij kon zien dat ze weer had gehuild. Ze legde de bakspaan tegen de rand van de omeletpan en kwam naar hem toe.

'Het spijt me,' had ze gezegd. 'O, Martin, het spijt me zo...'

Toen had ze geprobeerd hem aan te raken, om haar uitgeputte gezicht met de rode ogen tegen dat van hem te leggen, tegen zijn beledigde, gekwetste gezicht. Maar hij had het niet toegestaan, hij kon het niet. Hij stond daar met zijn armen langs zijn zij en zijn kin opgeheven, zodat ze niet bij zijn gezicht kon.

'Martin,' had zijn vader gezegd, 'toe nou...'

Hij schudde zijn hoofd. Toen deed hij een stap achteruit, draaide zich om en liep door de gang naar zijn slaapkamer, achtervolgd door de geur van boter die aanbrandde. Hoe kon hij weten dat het zoete gevoel van triomf niet langer dan een paar minuten zou duren?

Ze had het niet meer geprobeerd. Of tenminste – Martin probeerde Euans betoog uit zijn hoofd te zetten – niet zoals hij aanvaardbaar vond. Ze had huishoudelijke dingen gedaan, strijken, koken, de Roemeense werkster gevraagd Martins slaapkamer en de gastenbadkamer schoon te maken, maar ze was niet meer in zijn buurt gekomen, had niet meer geprobeerd hem aan te raken. Ze had zelfs vreemd tegen hem gedaan, niet kwaad, niet om te straffen, maar meer alsof ze bang voor hem was en dat haar angst ervoor zorgde dat ze zich terugtrok. Er waren zelfs momenten dat hij bijna verwachtte dat ze zich verontschuldigend uit een kamer zou terugtrekken als hij binnenkwam, als een kamermeisje uit het Edwardiaanse tijdperk. Hij wist helemaal niet wat hij van haar wilde – volslagen zelfvernedering leek heel aanlokkelijk – maar hij wist dat hij niet dit soort overheersing wilde, dit soort macht die hem, zo subtiel, zo bekend, in het ongelijk leek te stellen.

Hij drukte op de knoppen om de laptop af te sluiten en stond op. Er trok een pijnscheut door zijn knie en zijn schouders waren verkrampt van het scheef zitten. Hij zag zichzelf in de omlijste spiegel boven de ladekast. Hij zag er moe uit, van streek, oud. Zijn haargrens begon terug te wijken. Hij raakte voorzichtig, bevreesd, zijn voorhoofd aan. Zijn haar was dunner beginnen te worden op zijn tweeëntwintigste. Hij herinnerde zich dat hij het in een kleedkamer merkte na een squashwedstrijd: opeens was hij zich bewust van de haarpiek op zijn voorhoofd en de schaduwachtige driehoeken aan weerskanten, waar zijn haar dunner werd. Dat van David was nog niet dun. David was langer dan hij en breder en zijn haar was dik en zag eruit of het altijd dik zou blijven. Dat was een van de eerste dingen die Martin waren opgevallen, een van de eerste dingen die op de lijst van rivaliteit werd genoteerd. Martin wendde zich af van de spiegel en liep vlug zijn kamer uit, door de gang naar de keuken.

Het was er net zo netjes als de keukens in zijn jeugd waren geweest, zo netjes als keukens van vrouwen die niet op de eerste plaats culinair aangelegd zijn, er vaak uitzien. Op de tafel was voor één persoon gedekt, een mes en een waterglas, en naast de fruitschaal een sandwich op een bord onder een stuk huishoudfolie. Het bleek een sandwich met kaas en tomaat te zijn, die hij als kind zo lekker had gevonden, een sandwich die je nu alleen nog maar in ouderwetse zaken kon krijgen, omdat hij zo eenvoudig was.

Martin verwijderde de folie en rook eraan. Toen liep hij door de keuken, trapte op het pedaal van de verchroomde Italiaanse afvalemmer, en wierp de inhoud van het bord erin.

'Vertel,' zei Nathalie. 'Vertel!'

Ze hield de deur voor hem open, klemde zich er bijna aan vast, en haar ogen glansden. Hij bukte zich en gaf haar een kus.

'Hoe was het? Hoe was ze? Wat is er gebeurd?'

'Alles,' zei David. 'Niets.'

'Wat bedoel je...'

'Ik ben zo moe,' zei David. 'Ik ben helemaal kapot. Ik heb fysiek niets gedaan, maar ik ben uitgeput.'

Nathalie pakte hem bij de arm en nam hem mee naar de keuken. Op de tafel stond een mand met gemengde primula's, zo felgekleurd als een Mexicaanse muurschildering. David gebaarde ernaar.

'Leuk...'

'Let nou niet op die bloemen,' zei Nathalie terwijl ze hem naar een stoel duwde. 'Vertel. Wat is er gebeurd? Hoe zag ze eruit?'

David staarde voor zich uit.

'Ze zag er heel goed uit.'

'Hoe goed?'

'Lang, een beetje blond. Nogal chic...'

'Huilde ze? Heeft ze je omhelsd?'

'Nee.'

'Dave...'

'Ze zit erg in de knoei,' zei David. 'Ze heeft een man. En zoons. Twee.'

'Heb je die ontmoet?'

'Ja.'

'En? David, én?'

David sloot zijn ogen.

'Nat, ik heb gekregen waar ik voor was gekomen. Dat en meer. Veel meer zelfs.'

Nathalie stond over hem gebogen. Ze had haar handen voor haar ineengeklemd, bijna alsof ze aan het bidden was.

'Zoals?'

Hij deed zijn ogen open en keek naar haar op.

'Ik weet wie mijn vader was. Ik weet waar ik ben geboren. Ik weet waarom ze me heeft afgestaan, of in elk geval weet ik waarom ze zegt dat ze me heeft afgestaan. Ik weet dat niemand iets over me heeft geweten, zelfs die man van haar niet, Connor. Ik weet dat ze, toen ze me zag, werd teruggeworpen naar iets waar ze nooit meer naar terug dacht te hoeven te gaan.'

Nathalie haalde haar handen uiteen. Ze legde er een op Davids schouder.

'Gaat het?'

'Ik weet het niet.'

'Vond... vond je haar aardig?'

'Als je bedoelt,' zei David, 'of ik het gevoel had dat ze mijn moeder was, dan is het antwoord nee.'

Nathalie tastte naar een stoel, terwijl ze naar David bleef kijken, en ging zitten.

'Was ze aardig tegen je?'

'Niet echt.'

'Bedoel je dat ze vijandig was?'

Davids ogen werden groter.

'Dat woord heeft ze gebruikt.'

'Vijandig?'

'Ja. Ze zei dat ze geen vijandigheid kon verdragen, van niemand. Dat was het enige waar ze absoluut niet tegen kon, zei ze.'

'Heb je dan gezegd dat je kwaad op haar was?'

'Ik zei dat ik het was geweest. Maar ik was het niet toen ik bij haar was. Toen was ik niet kwaad.'

Nathalie boog zich naar voren.

'Hoe vóélde je je? Ik kan me niet voorstellen hoe ik me zal voelen...'

David fronste zijn wenkbrauwen.

'Ik was... gefascineerd, eigenlijk. En bang. Ik wilde de antwoorden horen, maar dat houdt natuurlijk in dat ik er wel mee moet zien om te gaan. Als je alleen maar fantaseert, hoef je achteraf niets onder ogen te zien.'

Nathalie slikte.

'Nee.'

'Mijn vader heette Rory David Ecclestone. Hij ging ervandoor. Voor ik werd geboren. Ze zei dat ik op hem leek.'

Nathalie probeerde te glimlachen.

'Dan bofte ze...'

'Dat denk ik niet.'

'En haar man? Connor?'

'O,' zei David. 'Je weet wel. Ik werk voor honderden van die lui. Geslaagde kerel van in de zestig, heel joviaal, welgesteld. Leest waarschijnlijk de *Telegraph*. Verzamelt prenten van zeegezichten en schepen. Toen hij me een hand gaf, keek hij me recht aan en zei: "Welkom, jongen".'

'Aardig van hem.'

'Dat weet ik niet. Het leek meer of hij iets wilde benadrukken, zorgen dat ik begreep...' Hij zweeg.

'Wat begreep?'

'Waar ik sta,' zei David. 'Wat mijn positie is ten opzichte van zijn zoons. Ik had het gevoel dat hij me duidelijk wilde maken dat hij op de juiste manier handelde.' Hij boog zich naar voren en raakte een blaadje van een primula aan. 'Ze veranderde toen hij binnenkwam.'

'O ja?'

'Iets van haar openhartigheid verdween. Ze was niet echt hartelijk tegen me voor hij kwam, maar in elk geval had ik het idee dat ze eerlijk was. Maar toen hij binnenkwam leek het of ze een masker opzette. Ze was beleefder tegen me, maar ik had niet meer het gevoel dat ze eerlijk was. Ik denk dat ze voelde dat haar familie haar in de gaten hield.'

'Ik kan het me niet voorstellen...'

'De jongste zoon was aardig. Hij wordt later net zijn vader, alleen niet zo hoogdravend. Hij gedroeg zich alsof het heel ongemakkelijk was allemaal, maar ongemakkelijk voor iedereen, dus laten we er het beste van maken. De oudste keek alsof hij me wilde vermoorden. Hij heeft amper iets gezegd. Hij wilde niet gaan zitten, maar bleef bij de deur kwaad naar me staan kijken.'

'Allemachtig,' riep Nathalie uit. 'Je pakt toch niets van hem af?'

'Niets. En misschien had ik hem die vraag kunnen stellen. Ik wil niets van hem, zelfs zijn moeder niet.'

'David!'

Hij draaide zich om en keek haar aan.

'Het is zo.'
'Dat kun je niet zeggen. Niet na één keer...'
'Dat kan ik wel.'
Nathalie zweeg. Ze keek hem aan met grote, ongeruste ogen.
'Weet je nog wat Elaine zei?' vroeg David.
'Wat dan?'
'Iets wat ze tegen jou heeft gezegd. Wat je mij hebt verteld. Dat... dat we allemaal diep vanbinnen weten of we gewenst zijn.'
'Hield Carole dan niet van je vader?'
'O ja,' zei David. 'Dat is het hem juist. Van mijn vader hield ze wél.'
Nathalie huiverde even.
'O.'
'Als ze niet zwanger was geworden, had ze hem misschien kunnen houden.'
'Maar je lijkt op hem.'
'Dat maakt het juist gecompliceerd. Ze raakte erdoor in de war. Misschien ben ik in haar ogen een soort travestie van hem.' Hij stak een hand uit en legde die op Nathalies arm. 'Het gaat wel, Nat. Ik ben doodop, maar het gaat wel.' Hij haalde zijn hand weg en stond langzaam op. 'Ik kan nu beter naar huis gaan.'
'Heb je het Marnie dan niet verteld?'
'Nog niet.'
'Dave...'
Hij bukte zich en gaf een kus op haar voorhoofd.
'Zou ik dat ooit gedaan hebben? Het eerst aan haar vertellen?'
Nathalie kneep haar ogen stijf dicht.
'David, ga naar huis, gá.'
'Ik ga,' zei hij. 'Nu ik het jou heb verteld, ga ik.' Hij deed een stap in de richting van de deur en bleef toen weer staan. 'Marnie wilde haar ontmoeten. Voor ik naar Londen ging, zei ze nog tegen me dat ze haar wil ontmoeten. Wat moet ik daar nu aan doen?'

15

Titus' keuken zag er, zei hij een beetje branieachtig in zichzelf, afschuwelijk uit. Dat was meestal het geval. Het was niet ongewoon, dacht hij terwijl hij op zijn tenen liep, dat je schoenen op de vloer bleven plakken, maar na het koken was het een nog grotere bende dan anders. Op de kastdeurtjes zaten felgekleurde vlekken – kurkuma? chili? bloed? – en de gootsteen stond zo vol dat het onmogelijk was om de waterkoker onder de kraan te houden. Het was echt een geval voor dat televisieprogramma waarin een paar presentatoren een weekend komen om al je rommel weg te halen en die aan zielige koopjesjagers op een rommelmarkt te verkopen.

Voorzichtig schoof hij de stapel borden en pannen in de gootsteen opzij en hield de waterkoker onder de kraan. De koker zat vol kalkschilfers die ronddreven als stukken koraal in een tropische zee. Sasha had een keer een zakje ontkalkingmiddel gekocht, maar ze vertikte het om de gevolgen van Titus' leefomstandigheden op zich te nemen, en omdat Titus de staat van zijn waterkoker geen barst interesseerde, lag het zakje nog steeds waar ze het had weggelegd, nu verscholen onder een zak schimmelende bagels.

Toen Titus de waterkoker inschakelde, herinnerde hij zich dat Sasha een opmerking had gemaakt over het extreme contrast tussen de pietepeuterige nauwgezetheid waarmee Titus zijn werk deed, en de opzettelijk slonzige manier waarop hij zijn huishouden deed, of liever gezegd niet deed. Ze had het gezegd zoals ze al dat soort dingen zei, meer als een constatering dan als kritiek, en met een gebrek aan persoonlijke betrokkenheid die aangaf dat ze geen enkele poging zou doen om er verandering in te brengen. Ze was heerlijk onvrouwelijk in dat opzicht, wonderbaarlijk onmoederlijk, en daardoor voor Titus bijzonder aantrekkelijk. Daarom, dacht hij terwijl hij naar de rommel in de gootsteen keek, was het vreemd dat hem niet alleen was opgevallen dat Justine geen aanstalten had gemaakt om op te ruimen na hun dronken pogingen om te koken de vorige avond, maar dat het hem ook had geërgerd. Hij meende zich te herinneren dat hij haar bijna had gevraagd of ze niet ging afwassen. Of in elk geval had hij ergens in zijn brein die vraag opgemerkt, tussen alle andere mogelijk overheersende gedachten aan seks. Hij zuchtte. Seks. Verbazingwekkend hoe graag je het wilde wanneer je het wilde. En daarentegen – ook al verdween dat gevoel al na een paar uur – hoe, als je in een weerzinwekkende keuken stond met hoofdpijn en het grote risico dat je te laat op je werk zou komen, het je tegenstond als je het niet wilde.

Titus pakte twee bekers uit de chaos op het aanrecht en spoelde ze vluchtig af onder de koude kraan. Zijn moeder had altijd minachtend gepraat over hygiëne, en beweerd dat bacteriën alleen kwamen bij degenen die er bang voor waren en dat het trouwens burgerlijk was om je te veel bezig te houden met schoonmaken. Hij zocht in een kastje en vond een handjevol theezakjes boven in een open pak rijst. 'Rijst met limoenblaadjes en gember' stond op het etiket. Titus keek er even naar. Dat kwam zeker van Sasha's reformwinkel. Hij deed de theezakjes in de bekers en pakte de ketel. Hij had Sasha bijna drie weken niet gezien, en als hij SMS-jes stuurde, kreeg hij alleen laconiek berichtjes terug zoals: 'Druk' en 'Bel nog wel'. Aan de ene kant wilde hij niets liever dan weten wat er aan de hand was, en aan de andere kant juist niet. Als je iets wist, moest je er tenslotte mee om weten te gaan, en dat wilde Titus niet. Hij wilde gewoon terug naar toen hij twee bekers thee – zonder melk, omdat de melk een dikke, zure brij onder in de plastic fles was geworden – mee terugnam naar een bed waar Sasha in lag in plaats van Justine.

Hij pakte de bekers op en schopte de keukendeur open. Het was schemerig in de woonkamer, en het daglicht buiten liet heel duidelijk zien dat er meer gordijn van de rail hing dan eraan. Op de vloer lagen borden en kranten, op de televisie stonden glazen, en een gedeelte van Justines kleren slingerden op de bank die, nu het ochtend was, meelijwekkend leek. Titus zuchtte. Hij stootte met zijn teen tegen een schoen en vloekte.

In de slaapkamer kon hij Justine horen giechelen. Ze had de vorige avond veel gelachen, tijdens de rode wijn en de poging om een kerrieschotel te koken, en zelfs tijdens de seks. Toen had Titus dat lachen nogal uitdagend gevonden, alsof hij van alles moest verzinnen om het te smoren, maar nu was het alleen maar irritant. Justines gegiechel was net zo irritant als haar onvermijdelijke meisjesachtige verwachting dat, omdat ze seks hadden gehad, hij niet alleen iets voor haar moest voelen, maar dat ook moest zeggen. Hij liep de slaapkamer in. Justine zat half overeind tegen het kussen, met het dekbed tot net boven haar tepels opgetrokken. Zelfs in de schemering kon hij haar ogen zien glanzen. Hij zette de thee op een ladekast, buiten haar bereik.

'We komen te laat,' zei hij.

Marnie had overwogen om op te bellen. Ze had gedacht, toen ze de lakens van de kinderen verschoonde en Peteys speelgoed boven in hun mand teruglegde, dat ze een kalm, beheerst telefoontje naar Nathalie zou plegen en vragen, op de vaste toon die ze nu – meestal – tegen en over David wist te gebruiken, of ze naar haar toe kon komen. Maar terwijl Marnie onderdelen van Bob de Bouwer in elkaar stak, bedacht ze dat Nathalie misschien zou vragen waarover ze wilde praten en of ze dat niet telefonisch konden doen. En, in tegenstelling tot wat ze haar normale gedrag vond, haar gewone, kalme, redelijke gedrag, wilde Marnie dit gesprek niet telefonisch voeren. Het moest een persoonlijk gesprek worden als Marnie er enige voldoening aan wilde beleven, en voldoening, dacht Marnie, was nu niet alleen iets waar ze naar snakte, maar iets waar ze op de een of andere manier recht op had.

Ze legde Bob de Bouwer in de mand en sloot het deksel. De oudere kinderen waren naar school en kwamen pas 's middags thuis. Petey, die nu voor de televisie zat met zijn knuffel, ondanks Marnies principes dat zelfs de kleinste kinderen gestimuleerd moesten worden om zelf te spelen, kon mee in de auto naar Nathalies appartement, waar hij op de vloer van haar keuken kon spelen met alle gedweeheid die hij thuis nooit leek te kunnen opbrengen. Ze kon zijn vruchtensap en rijstcrackers meenemen, of ze kon erop vertrouwen dat Nathalie wel iets voor hem had, iets, dacht Marnie opeens woest, wat hij thuis gillend zou weigeren maar bij Nathalie waarschijnlijk enthousiast zou opeten. Marnie hield de mand vast en haalde diep adem. Dit was belachelijk. Het was zelfs nog erger dan belachelijk. Dit was echt gevaarlijk, dit steeds meer redenen verzinnen om kwaad te zijn op Nathalie, terwijl de ware reden – de oorspronkelijke reden – waarom ze kwaad op haar was, bij David lag.

Ze ging naar beneden. Petey zat helemaal verdiept naar een video van Walt Disneys *Doornroosje* te kijken. Met zijn achttien maanden was hij er al achter hoe hij de video moest bedienen, en begon moordlustig te krijsen als hij het niet mocht. Hij was dol op knoppen en pluggen, schakelaars en toetsen, alles wat klikte en zoemde en waardoor lampjes gingen flitsen en geluid kwam. Marnie herinnerde zich dat Daniel alleen met ballen en slaghout had willen spelen en had willen rennen, alles wat maar iets met sport te maken had, zelfs als peuter al, en Daniel was ongevoelig geweest voor alle andere verleidingen.

Marnie ging terug naar de gang en belde Nathalie.

'Hallo?'

'Nathalie, met Marnie...'

Het bleef even stil, alsof Nathalie een antwoord probeerde te bedenken.

'O, hallo.'

'Ben je over een kwartiertje thuis?'

'Ja...'

'Kan ik komen met Petey? Voor een halfuurtje?'

Nathalie schraapte haar keel.

'Natuurlijk. Ik heb Petey zo lang niet gezien...'

Marnie hing op en ging terug naar de kamer.

'Tijd om dat af te zetten.'

Petey rukte zijn vingers uit zijn mond.

'Nee!'

'Ja.'

'Nee! Nee! Nee!'

'Petey,' zei Marnie terwijl ze zich bukte om hem op te tillen, 'we gaan met de auto weg.'

'Gaat het?' vroeg Nathalie.

Marnie keek naar de vloer. Petey zat een soepstengel te eten die Nathalie hem had gegeven, en zette Polly's dieren van de Ark van Noach in een lange, onregelmatige rij.

'Hij heeft de hele weg zitten krijsen,' zei Marnie.

'Dat houdt wel op,' zei Nathalie. 'Ze houden er allemaal mee op. Hoeveel kinderen van twaalf ken jij die uren lopen te krijsen? Wil je koffie?'

Marnie knikte. Nathalie wees op een stoel.

'Ga zitten.'

Marnie gehoorzaamde. Ze voelde haar schouders zakken. De balans van de macht in Nathalies keuken was niet zoals ze zich had voorgesteld, en niet wat haar bedoeling was geweest. Ze vermande zich en rechtte haar schouders.

'Het gaat niet over Petey.'

'Nee,' zei Nathalie.

'Ik neem aan,' zei Marnie, 'dat je enig idee hebt waarom ik hier ben?'

Nathalie, die koffie aan het lepelen was in een kan, keek op.

'David...'

Marnie keek naar het tafelblad. Er zat een kring op, een kring die was achtergelaten door een glas of een beker, een glas of een beker die misschien gebruikt was door degene die hier de laatste keer met Nathalie had zitten praten.

Ze zei abrupt: 'Hoe kon je?'

De koffielepel in Nathalies hand stootte tegen het glas van de kan.

'Wat?'

'Hoe kon je?' zei Marnie weer. 'Hoe kon je hem het jou eerst laten vertellen in plaats van mij? Hoe kon je hem eerst naar hier laten komen?'

Nathalie draaide zich langzaam om en leunde tegen het aanrecht.

'Het was geen kwestie van "laten".'

'Wat?'

'Ik heb hem niet laten komen,' zei Nathalie. 'Ik heb niet, zoals jij insinueert, het hem toegestaan of hem aangemoedigd. Hij kwam gewoon. Hij was er opeens.'

'Net als altijd!' riep Marnie uit. 'Net als altijd, omdat jij dat hebt aangemoedigd! Je hebt hem altijd het gevoel gegeven dat niemand hem zo goed begrijpt als jij, dat niemand zijn innerlijke gevoelens zo goed kan delen als jij!'

Nathalie liep weg van het aanrecht en leunde met haar handen op de tafel.

'Dat is ook zo.'

'Hoe dúrf je...'

'Ik durf niets,' zei Nathalie. 'Ik pak niets af wat van jou is. Maar David en ik hebben iets gemeen, een... een nare wetenschap die je niet zou willen kennen, dat garandeer ik je, iets wat we ongewild delen. Dat weet je. Dat heb je altijd geweten.'

'Je snapt het niet,' zei Marnie. Ze legde haar handen plat op de tafel om het beven tegen te houden. 'Je doet net als altijd of je het niet snapt. Ik word niet goed van je.'

Peteys gezicht verscheen boven de tafel, alleen vanaf de ogen. Hij reikte omhoog en zette een olifant en een stekelvarken op tafel. De olifant viel om.

'Nee,' zei Nathalie. Ze stak een hand uit en zette de olifant recht. 'Nee. Jij bent alleen zo bezitterig dat je niet kunt hebben dat hij ook van iemand anders houdt; je kunt niet hebben dat iemand anders hem beter begrijpt dan jij.'

Marnie zei niets. Ze keek naar de tafel. Peteys ogen, blauw en rond als knikkers, waren met een ondoorgrondelijke intensiteit op haar gericht.

'Als hij hier komt,' zei Nathalie, 'om mij te vertellen over de ontmoeting met zijn moeder, denk je dan niet dat het net zoveel over jou zegt als over hem of mij?'

'Zoals?'

'Zoals waarom je jaloers bent op zijn moeder? En jaloers op mij?'

Peteys ogen verdwenen.

Marnie zei, haar blik nog steeds gericht op de plek waar Peteys ogen waren geweest: 'Zou jij er dan niet van streek door raken?'

'Nee,' zei Nathalie.

'Als Steve naar mij kwam en mij dingen vertelde voor hij ze aan jou vertelde, zou je daar dan niet gek van worden?'

'Jij kent je ouders,' zei Nathalie. 'En Steve ook. Jullie weten allebei precies waar jullie vandaan komen.'

Marnie slaakte een gesmoorde kreet.

'Het komt altijd weer op hetzelfde neer! Altijd weer die band door de adoptie, het gemis, dit... dit díng waardoor jullie zo speciaal zijn, zoveel recht hebben op privileges, op alles wat jullie willen, zelfs als het wettelijk van iemand anders is, omdat niets ooit die vreselijke wond goed kan maken, die wond die jullie is toegebracht...' Ze zweeg, licht hijgend.

Nathalie zei zacht: 'Het is ook een wond.'

'Dus mogen jullie alle anderen straffen?'

'Ik straf niet.'

'Dat doe je wel. Je wil het misschien niet, maar je doet het wel.'

'En jij?'

'Hoezo, ik?'

'Straf jij David dan niet,' zei Nathalie, 'omdat hij niet van je kan houden op de manier die jij wil?'

'Hoe durf je...'

'Zeg dat niet steeds,' zei Nathalie.

De bovenkant van Peteys hoofd verscheen weer boven de rand van de tafel. Zijn blik gleed langzaam naar Nathalie en bleef daar hangen.

'Meer koek,' zei Petey.

Nathalie keek naar omlaag.

'Natuurlijk, schat.' Ze wierp een blik op Marnie. 'Als het mag?'

Marnie maakte een wuivend gebaar. Nathalie draaide zich om naar de kast achter haar en pakte de doos met soepstengels.

Marnie merkte bitter op: 'Die wil hij thuis nooit.'

'Natuurlijk niet.'

Petey pakte met elke hand een soepstengel. Hij keek op naar Nathalie en gaf haar een brede, schattige glimlach.

'Marnie,' zei Nathalie. 'Ik ben zijn vrouw niet of de moeder van zijn kinderen. Maar ik ken hem sinds hij zo klein als Petey was, kleiner nog. Ik ken de schaduw die we allebei vanbinnen hebben, de schaduw die ons ervan weerhoudt om ons helemaal te kunnen laten gaan...'

'Hou alsjeblieft op.'

Nathalie kwam overeind.

'Goed.'

'Jij hebt hem aangespoord om deze zoektocht te ondernemen. Jij hebt hem aangespoord om Carole te zoeken. Maar hou nu op. Hou ermee op! Dit heeft niets meer met jou te maken.'

Nathalie zette de doos met soepstengels neer.

'Ik kan niet verhinderen dat hij komt...'

'Je kunt verhinderen dat hij éérst hier komt. Je kunt verhinderen dat hij je vertelt hoe hij zich voelt.'

'Verhinderen?'

'Ja.'

'Wil je dat? Wil je dat David alleen iets doet wat hem is opgedragen?'

Marnie boog haar hoofd. Ze voelde zich opeens onzeker, het huilen stond haar nader dan het lachen. Ze schudde haar hoofd.

'Nee...'

Nathalie vroeg: 'Wil je Carole ontmoeten?'

Marnie knikte.

Ze zei: 'Heb je een papieren zakdoekje voor me?'

Nathalie pakte een rol keukenpapier en schoof die over de tafel.

'Waarom wil je Carole ontmoeten?'

Marnie snoot haar neus.

'Ze is Davids moeder...'

'Of wil je ook met háár vechten om David? Ga je haar vertellen wanneer ze opzij moet gaan? Ga je haar vertellen dat niemand dezelfde rechten heeft als een echtgenote?'

Marnie keek op.

'Jij bent niet op de proef gesteld! Je weet niet hoe het is!'

Nathalie zei niets. Ze legde een hand op Peteys hoofd.

'Wacht maar,' zei Marnie. 'Wacht maar.'

Als het helemaal donker was in haar kamer, begreep Polly, dan zouden de sterretjes op haar plafond feller schijnen. Maar als ze erop stond dat haar teddybeerlampje aanbleef en haar slaapkamerdeur op een kier openbleef met haar pantoffel ertussen, dan had ze niet alleen gewonnen van Nathalie, maar dan kon ze ook horen wat er allemaal gebeurde in het appartement. Meestal was dat saai, maar soms, en de laatste tijd zelfs vaak, was de sfeer gespannen. Niet dat Polly dat had kunnen beschrijven, zoals bijvoorbeeld dat papa schreeuwde of mamma huilde, maar er hing iets in de lucht waardoor ze vond dat ze beter wakker kon blijven voor het geval dat ze anders iets zou missen. Door dat gevoel werd ze ook rusteloos en een beetje onzeker, zodat het absoluut noodzakelijk was om Nathalie steeds op de proef te stellen door dingen te doen die niet echt stout waren, maar ook niet echt braaf. Polly vond het niet leuk om steeds op die grens te blijven, maar nu het allemaal zo ging, was er geen andere mogelijkheid.

Ze lag te kijken naar haar sterretjes. Ze leken vaag en wazig, en ze kon amper de punten van de maan zien, de punten waardoor de maan op een c leek, de beginletter van cake, en cariës. Polly zei hardop een paar keer genietend 'cariës'. Ze draaide zich op haar zij en deed haar ogen wijdopen om beter te kunnen zien. Als ze ze heel ver opendeed, kon ze haar poppenhuis zien en al haar barbies in een plastic wasmand en haar Ark van Noach in zijn mand. Toen ze die dag thuiskwam uit school, lagen alle beesten van de Ark van Noach over de vloer omdat Petey ermee had gespeeld.

'Dat mag je niet goedvinden,' had ze tegen Nathalie gezegd.

'O nee? En waarom niet?'

'Hij heeft misschien iets gebreekt.'

'Ik was erbij, Polly. Ik heb erop gelet. Hij heeft niets gebroken.'

'Niet de hele tijd,' zei Polly. 'Je hebt niet de hele tijd opgelet.'

Ze had de beesten heel zorgvuldig opgepakt en ze eerbiedig teruggelegd in hun doos.

'Dat heb je netjes gedaan,' zei Nathalie op een toon waar Polly argwaan door kreeg.

Ze keek naar haar avondeten. Dit vond ze altijd lekker, alleen waren de worteltjes nu rond, en niet in reepjes.

'Hoef ik niet!'

'Best,' zei Nathalie.

'Lust niet ronde peentjes.'

'Nee,' zei Nathalie. 'Dat is zo. Ik wil je iets vertellen.'

'Wat?'

'Dat kan ik niet als je niet op je stoel zit.'

Polly zuchtte. Langzaam klom ze op haar stoel en pakte afwezig een blokje ham.

'Ik ga een paar dagen weg.'

Polly liet de ham vallen.
'Twee dagen maar,' zei Nathalie.
'Waarom?'
'Eet je ham op.'
Polly boog zich over haar bord en pakte de ham met haar tanden op.
'Polly!'
Polly keek triomfantelijk.
'Dat is heel vies.'
'Dat doen hondjes ook,' zei Polly.
'Ben jij dan een hondje?'
'Ja.'
'Nou, wees dan een braaf hondje en eet nog een hapje, dan zal ik het je vertellen.'
Polly pakte haar vork en prikte in een stukje wortel.
Nathalie zei: 'Ik ga op bezoek bij een vriendin.'
'Waarom?'
'Omdat ik haar al jaren niet heb gezien.'
'Niet sinds ik er ben?'
'Al heel lang daarvoor niet.'
Polly kauwde op haar stukje wortel.
'Ga je met het vliegtuig?'
'Nee,' zei Nathalie. 'Met de trein.'
'Mag ik mee?'
'Nee. Jij blijft hier bij papa. Papa en de oma's zullen op je passen.'
Polly gooide haar vork over de tafel.
'Nee!'
'Het zijn maar twee dagen. En één nachtje.'
Polly stak haar onderlip uit.
'Net als wanneer je bij Hattie logeert,' zei Nathalie.
'Waarom ga je met de trein?'
'Omdat het ver weg is.'
Polly kneep haar ogen samen.
'Net zo ver als... Australië?'
Nathalie gaf Polly's vork aan haar terug.
'Niet zó ver.'
'Hoe heet je vriendin?'

Nathalie wendde haar blik af. Polly sloeg haar gade. De sfeer was opeens helemaal anders. Polly gaf haar bord een duw en stukjes van de inhoud vlogen over de tafel.
'Ze heet Cora,' zei Nathalie.

Carole vond het moeilijk, bijna angstaanjagend om terug te gaan naar het appartement. Het kwam niet door het huis, het huis waar ze zich vroeger zo op had verheugd, waar ze meubels voor had gekozen, maar het kwam meer omdat ze niet wist wat ze er zou vinden. Voorheen wist ze dat ze er alleen Connor zou aantreffen, Connor, die ze kende en van wie ze wist hoe ze hem moest aanpakken, Connor die terugkwam van de een of andere wedstrijd of een veiling of een gesprek met de zoon van een vriend, die advies wilde over hoe je een eigen bedrijf kon opstarten. Nu was Connor er nog steeds, maar een onvoorspelbare en oplettende Connor, een Connor die wilde controleren of ze nergens was geweest of met niemand contact had gehad zonder dat hij het wist.

En als Connor weg was, dan was Martin er wel. Martin was bezig met zijn werk tot de namiddag, maar hij leek daarna niets anders te doen te hebben dan naar huis komen. Hij zei dat hij geen geld had en dat hij zijn vrienden niet wilde zien omdat hij hen niet onder ogen wilde komen. Carole had gezegd dat vriendschap bestond uit het feit dat het er was als je het nodig had wanneer het niet goed met je ging, maar Martin had haar aangekeken alsof ze niet wist waar ze het over had. Over het algemeen gaf ze de voorkeur aan die blik in plaats van die andere, die versie van Connors argwaan, die er duidelijk op wees dat Carole in alle opzichten werd getest, om te zien of ze anders was geworden sinds ze opeens David had ontdekt en hem aan de familie had voorgesteld.

Daarom vond ze het vermoeiend om steeds hun blik op haar te voelen. Hoewel ze Connors gedrag tot op zekere hoogte terecht vond, ergerde dat van Martin haar en soms vond ze het zelfs verontrustend. Ze had het gevoel dat hij een oordeel over haar had geveld en tot een eigen conclusie was gekomen, en haar alleen maar gadesloeg om bewijs te verzamelen voor wat hij al had besloten. Hij was blijkbaar tot de conclusie gekomen dat David vanwege zijn uiterlijk en afkomst, en het feit dat hij al die jaren haar grote geheim was geweest, zomaar boven aan de lijst was gekomen van degenen die haar het dierbaarst waren. Hij was de eerstgeborene, de oudste zoon. Hij had een eigen bedrijf. Hij had zelf twee zoons gekregen. Hij moest de droom van elke moeder zijn geweest, en Martin zou zijn moeder in de gaten houden zo lang het hem zou kosten om zich te bewijzen.

'Praat het uit met hem,' zei Euan. 'Kom ermee voor de dag. Zég het!'

Carole draaide aan haar trouwring.

'Hij vat alles toch verkeerd op...'

'O,' zei Euan. 'Dat is typisch Mart. Prikkelbaar. Zeg hem dat David er alleen maar bij komt.'

Carole keek hem aan.

'Ga je mee? Wil je me helpen?'

Euan aarzelde. Hij wilde best helpen, hij wilde dat zijn moeder en zijn broer een oplossing zouden vinden voor hun jarenlange onderlinge problemen, maar eerlijk gezegd kon hij het nu niet. Hij had de afgelopen weken al zoveel tijd gestoken in zijn familie met al dat gedoe over David, dat Chloe, die net zo veeleisend was als fantastische meisjes zo vaak bleken te zijn, begon te protesteren, zijn gangen begon te na te gaan, compensatie wilde. De komst van David was al schokkend genoeg geweest, maar het idee dat Chloe er rusteloos van werd, was nog erger. Hij krabde op zijn hoofd.

'Sorry, mam. Het is alleen een beetje moeilijk nu. Zo vaak ben ik niet vrij.'

'Ik begrijp het.'

'Trouwens,' zei Euan. 'Je hoort het alleen te doen. Mart zou het niet leuk vinden als ik jou aan je handje vasthield. En hoe staat het met de jaloezie tussen broers of zussen?'

Carole lachte.

'Je hebt gelijk. Natuurlijk. Alleen...'

'Ik weet het, mam. Zo gaat het.'

Nu ze in de gang buiten Martins slaapkamerdeur stond en vol ergernis de groeiende stapel tassen en dozen bekeek die hij buiten de deur aan het opstapelen was, voelde ze zich vreselijk moe. Het leek alsof ze steeds een berg moest beklimmen, en daarna nog een, en nog een. Daarom hielden mensen dingen geheim, dacht ze. Zodra ze het geheim blootgaven hadden ze geen controle meer over wat dan ook en probeerde iedereen zich ermee te bemoeien en hun mening te geven. Ze deed een stap vooruit en hief een hand op om op Martins deur te kloppen.

De deur ging open. Daar stond Martin, in een joggingbroek, een T-shirt van Manchester United, en op blote voeten.

Carole zei, bijna beschroomd: 'Ik wilde even met je praten.'

'O.'

'Wilde je weggaan?'

'Alleen naar de keuken. Om een sapje te halen.'

Carole zei: 'Dan kan ik daar misschien met je praten. Terwijl je je sapje drinkt.'

Martin liep langs haar heen door de gang.

'Waarover?'

Carole volgde hem.

'David.'

Martin stond bij de koelkast met zijn rug naar haar toe.

'Dat dacht ik al.'

'Lieverd,' zei Carole, 'er is niets veranderd in wat ik voor jou en Euan of je vader voel.'

Martin opende de koelkast en pakte een pak sap uit het deurvak.

'Knappe vent.'

'Wat heeft dat ermee te maken?'

'Vind je het niet fijn,' zei Martin terwijl hij het pak schuin hield om eruit te drinken, 'om zo'n knappe zoon te hebben?'

'Daar heb ik er al twee van.'

Martin snoof minachtend.

'Kom niet met die onzin aan.'

Carole kwam dichterbij.

'Ik heb niet aan hem gedacht. In geen maanden.'

'Maar je hebt wel aan zijn vader gedacht.'

Carole aarzelde.

'Soms.'

'En hij lijkt op zijn vader.'

Carole keek strak naar Martin.

'Lieverd, dat is allemaal voorbij. Júllie zijn mijn zoons, je vader is mijn man, het gaat om nu en om de toekomst. Dat andere is van heel lang geleden.'

Martin zette het pak met een klap terug in de koelkast.

'Maar het is wel gebeurd.'

'Ja,' zei Carole. 'Daar kan ik niets aan veranderen. Ik heb gezegd dat het me spijt, maar dat kan ik niet blijven zeggen. Wat moet ik er nu nog aan doen, wat kán ik doen?'

Martin wierp de koelkastdeur dicht. Hij keek er even naar en draaide zich toen om.

'Zorg dat je van hem afkomt.'

'Zorg dat...'

'Nee,' zei Martin, 'nee, bij nader inzien zorg ik wel dat we van hem afkomen. Ik zal hem zeggen dat hij niet gewenst is.' Hij keek naar zijn moeder. 'Zo is het toch?'

16

Een man iets verderop in de coupé had sinds het vertrek van Birmingham New Street Station naar Nathalie zitten kijken. Niet dat hij er griezelig of bedreigend uitzag, maar hij keek met openlijke belangstelling. Hij had een zwaar, dik boek op schoot, maar hij keek vaker naar Nathalie dan naar de bladzijden. Het leek wel, dacht Nathalie, of hij achter iets probeerde te komen. Alsof ze hem eerst was opgevallen omdat hij haar aantrekkelijk vond, en er naderhand achterkwam dat er iets meer was dan alleen haar uiterlijk, iets waar hij helemaal door in beslag werd genomen. Ze had een keer, heel onverstandig, hem een blik toegeworpen en geglimlacht, maar hij had er niet op gereageerd en evenmin zijn blik afgewend. Hij werd duidelijk beziggehouden door iets heel anders dan alleen maar flirten.

Nathalie keek strak uit het raam. Zij had ook een boek op schoot, maar ze was niet in staat om ook maar één zin te lezen. Eerlijk gezegd verbaasde het haar niet dat de man naar haar keek: het verbaasde haar zelfs dat niet iedereen in de coupé naar haar zat te kijken, dat niemand in de buurt het verschil kon zien, het verschil tussen hen en hun zekere bestaan en haar. Zij naderde de grote verandering in haar leven, de verandering die oplossing en ontknoping en... ontdekking zou brengen. En toch was het in werkelijkheid geen verandering. Die bestond uit alle jaren dat ze niet wist wie haar moeder was, niet wist dat haar moeder zoveel om haar gaf. In gedachten herhaalde ze steeds weer dat eerste telefoongesprek, toen Cora huilde, toen Cora zo... zo ongerust vroeg of Nathalie kwaad was, of Nathalie het haar ooit kon vergeven. Als ze die minuten aan de telefoon in gedachten opnieuw beleefde, kwam er zo'n zuiver en sterk gevoel in Nathalie op dat het niet anders dan vreugde kon zijn.

Elaine Price had aangeboden om mee te gaan naar Northsea. Ze had gezegd dat ze dat vaak deed, meegaan naar de eerste ontmoeting om alles op gang te helpen, om te helpen in die eerste paar minuten waarin het zo angstaanjagend moeilijk was om aan herstel en verzoening te beginnen. Ze zei dat ze daarna zo snel mogelijk wegging, maar omdat deze ontmoetingen vaak een anticlimax waren en geen van beide kanten hun ware gevoelens durfden te tonen, was het meestal prettig om iemand in de buurt de hebben die hen over hun vrees heen hielp.

'Als je je emoties inhoudt,' zei Elaine, 'dan houd je de vooruitgang tegen.'

Nathalie was er heel zeker van geweest dat er geen sprake zou zijn van emoties inhouden. Het was eerder een probleem dat er te veel emotie zou zijn. Ze wist niet of ze Elaine er wel bij wilde hebben als zij huilde en Cora huilde, want ze was ervan overtuigd dat het zo zou gaan. Niet dat ze Elaine niet mocht en niet vertrouwde, maar het moment was zo privé dat niemand anders er getuige van mocht zijn. Er mocht, vond Nathalie, niemand aanwezig zijn bij het moment van wedergeboorte; dat was niet goed, niet natuurlijk. Twee volwassenen die op hun eigen manier het grote verlies in het leven van beiden wilden verhelpen, moesten dat kostbare en bijzondere ritueel in de juiste afzondering kunnen doen.

'Dank je,' zei ze tegen Eliane. 'Het is heel aardig van je, maar ik moet alleen gaan. Ik wíl alleen gaan.'

Ze hoopte dat Elaine het begreep. Ze hoopte dat Elaine meende wat ze zei toen ze uitlegde dat ze niet meer dan een vroedvrouw was die bij een wedergeboorte hielp, dat als het was gebeurd, ze zich zou terugtrekken en verder zou gaan met andere cliënten, de cliënten die er altijd waren, altijd zouden blijven komen. Nathalie hoopte – zonder veel effect, als ze eerlijk was – dat ze in haar opwinding over wat stond te gebeuren, niet zou vergeten om op de een of andere manier Elaine te betrekken in wat ze dacht en voelde.

Ze wendde haar blik af van het raam. De man met het boek was, enigszins tot haar teleurstelling, nu aan het lezen. Hij leek het te lezen – echt iets voor een man – met precies dezelfde aandacht die hij nog maar net aan haar gezicht had geschonken. Ze trok haar manchet op om op haar horloge te kijken en voelde haar maag samentrekken. Over zevenendertig minuten zou de trein op Northsea Station aankomen, waar Cora zou staan wachten op het perron, gekleed in iets roods of oranje, en met een bos bloemen, had ze gezegd.

'Korenbloemen, als ik ze kan vinden,' zei ze. 'Ik ben dol op korenbloemen. Ik heb ze nooit tussen het koren zien bloeien, maar dat zou ik graag willen. Korenbloemen en klaprozen in een korenveld.'

Nathalie deed haar ogen dicht. De afgelopen weken kwam steeds een beeld van haarzelf in haar gedachten, zo duidelijk en helder als een oude foto. Ze was een jaar of zes, zeven, en ze droeg het soort jurkje dat Lynne leuk vond voor haar, met pofmouwtjes, een wijde rok met een gesmokt lijfje en een strik. Het was roze of blauw, pastelkleurig, en haar haar was boven op haar hoofd samengebonden met een lang lint waarvan de uiteinden tot haar schouders vielen. Ze droeg witte sokken en schoenen met wreefbandjes, en ze stond in de achtertuin op Ashmore Road bij een seringenstruik, haar handen netjes voor zich in elkaar gevouwen, zoals bij het begin van haar balletlessen. Ze kon zich niet herinneren waar dat netjes en formeel geklede meisje naartoe ging, maar ze wist waar ze nu naartoe ging. Het was een scène die ze in gedachten steeds opnieuw had gespeeld met het kind met het haarlint in de hoofdrol. Ze stapte uit de trein en hield haar armen op naar een vrouw in een rode jurk die een bos korenbloemen vasthield. Af en toe kreeg ze een brok in haar keel als ze eraan dacht.

Ze deed haar ogen open. Daar kon ze nu beter niet aan denken, ze kon beter niet te veel hopen en plannen. Ze kon beter uit het raam kijken en tot haar verbazing zien dat de blauwgrijze Noordzee slechts op een paar honderd meter van de spoorweg lag te glinsteren onder een bewolkte lucht. Ze moesten er al bijna zijn. Mensen om haar heen begonnen jassen aan te trekken, kranten in tassen te stoppen en de gesloten gezichten te krijgen die nodig waren om weer door te gaan met het dagelijks leven na de ontspannen treinreis.

'Northsea,' kondigde de stem van de conducteur aan door de intercom. 'Het volgende station is Northsea.'

Nathalie stond onvast op. O, de angst van grote momenten, de angst om ze onder ogen te moeten zien en tegelijkertijd de angst dat ze op de een of andere manier weggenomen werden. Ze pakte haar tas uit het rek, de tas met haar overnachtingspullen en een tekening die Polly had gemaakt – ze had er op gestaan om die te maken – van een grote hond naast een klein huis en drie heel kleine mensen, met erboven 'Voor Cora' geschreven, met de r's andersom.

De trein gleed nu langs huizen met grijze muren en grijze daken van leisteen, vervolgens een pakhuis en een garage en een voetbalstadion waarvan de schijnwerpers boven de tribunes uitstaken. Toen nog meer huizen, een park, sporen die langs elkaar en door elkaar heen liepen in een schijnbaar vloeiende volgorde die je duizelig maakte als je ernaar keek. Toen minderde de trein vaart, niets kon hem ervan weerhouden, en gleed onder de glazen overkapping Northsea Station binnen, langs de perrons, stapels postzakken, bagagekarretjes, passagiers, de hond aan een lijn, de krantenkiosk, de bordjes met TAXI en TOILETTEN. En toen, stop.

Nathalie greep haar tas beet. Ze stapte naar voren. In het gangpad stond de man met het boek naar haar te kijken.

'Succes,' zei hij.

Ze knikte. Hij liet haar voorgaan en ze liep onhandig langs hem met haar tas voor zich uit, de coupé door, de treeplank af en het perron op.

Daar stond iemand te wachten, iemand in een los, oranjerood kledingstuk, een soort jas. Ze hield een boeket bloemen vast, maar het waren geen korenbloemen maar iets gewoons, anjers waarschijnlijk, witgroen. En deze persoon was niet groot als een moeder, maar klein. Heel klein. Je kon je armen niet naar haar opsteken, schoot door Nathalie heen. Je moest je bukken om haar te omhelzen.

'Hallo, lieverd,' zei Cora.

Het had moed gekost om Carole te bellen. Marnie had van tevoren alle kalmerende handelingen verricht – de was opgevouwen, haar haren opnieuw gevlochten, gekeken of Petey zijn deken niet van zich af had geschopt tijdens zijn dutje – en toen had ze zich gedwongen om met besliste stappen door de gang te lopen en het nummer te bellen dat David haar had gegeven. Natuurlijk had hij het haar niet willen geven, met als reden dat het geen zin had dat Marnie haar belde omdat er toch geen verder contact in zat. Maar Marnie had aangedrongen. Ze had haar hand opgehouden alsof hij een stout kind was dat iets terug moest geven wat hij had gestolen.

'Als het jou aangaat, gaat het mij ook aan. Dat hebben we afgesproken, van nu af aan. Weet je nog?'

Carole had niet toeschietelijk geklonken. David had haar verteld dat Marnie zou bellen, maar ze slaagde er desondanks in te klinken alsof Marnie haar nummer zonder haar medeweten had achterhaald en dat ze dat niet prettig vond. Marnie probeerde te denken aan alles wat David had gezegd, dat Carole geen confrontaties aankon en dat degene die haar confronteerde, veel geduld moest hebben.

'Ik wil niets van u,' zei Marnie. 'Ik ben nergens op uit. Maar ik ben zijn vrouw, dus ben ik erbij betrokken.' Ze zweeg abrupt. Ze had willen zeggen: 'Ik kan hier niet buiten gelaten worden,' maar dat was precies wat ze zich had voorgenomen om níét te zeggen. Dus zei ze: 'Dit raakt ons allemaal.'

Het bleef even stil, en toen zei Carole aarzelend: 'Dat is zo.'

Ze had gewild dat Marnie naar Londen kwam. Ze had voorgesteld om ergens te gaan lunchen, in het restaurant van een galerie misschien, een plek, bedoelde ze eigenlijk, die acceptabel en toch anoniem was om elkaar in zo'n beladen situatie te ontmoeten. Maar daar was Marnie op voorbereid. Marnie liet zich niet afschepen, niet nu ze Nathalie met uitgestoken nagels had meegemaakt.

'U moet zijn huis zien,' zei Marnie. 'Waar hij leeft, waar zijn gezin is.'

'Goed,' zei Carole tot haar verbazing. Ze klonk, heel irritant, enigszins geamuseerd en helemaal niet van haar stuk gebracht. 'Goed, dan kom ik naar Westerham.'

En nu zat ze hier, in Marnies zitkamer, in een van Marnies blauwbeklede stoelen, met een kopje koffie. Marnies speciaal voor de gelegenheid gebakken koekjes met pecannoten had ze afgeslagen. Ze keek om zich heen op een manier die Marnie niet kon doorgronden, niet nieuwsgierig maar ook niet onverschillig. Ze keek naar de schone muren en geboende vloer en de boeken en schilderijen en het modelkind op het haardkleed met zijn vingers in zijn mond en de onderdelen van een ecologisch verantwoorde houten trein om zich heen. Marnie sloeg haar gade, keek hoe haar blik over de bloemen in de vaas vaan aardewerk gleed, over de foto's, de bank met de onmiskenbare tekenen dat er meer op was gesprongen dan gezeten, en vroeg zich af of ze misschien iets vergeten was.

Carole nam een slokje koffie.

'Leuk. De kamer. En de koffie is lekker.'

Marnie wachtte tot Carole iets tegen Petey zou zeggen. Tenslotte gedroeg Petey zich volmaakt. Hij zat met zijn grote blauwe ogen te staren naar de bezoekster, en zijn in een laarsje gestoken voeten staken zo lief uit tussen de onderdelen van zijn trein. Maar na een korte begroeting leek Carole zich totaal niet van Peteys aanwezigheid bewust. Marnie begon zich zelfs af te vragen of ze vermeed naar hem te kijken omdat ze het niet kon verdragen, omdat de aanblik van een blond jongetje te pijnlijk was en te veel herinneringen opriep.

Petey haalde zijn vingers uit zijn mond en pakte de houten trein op. Hij stak hem uit naar Carole.

'Thomas,' zei Petey.

Carole wierp hem even een blik toe.

'Hij bedoelt Thomas de locomotief...'

'Leuk,' zei Carole weer. 'Leuke trein.'

Petey liet de trein vallen terwijl zijn arm strak omhoog bleef.

'Níét Thomas,' zei hij.

'Nee.'

'Thomas bláúw,' zei Petey minachtend. Hij stak zijn vingers weer in zijn mond.

'Hij is nog maar twee,' zei Marnie.

Carole keek naar haar koffie.

'Ik ben niet meer gewend om leeftijden te kunnen raden.' Ze nam weer een slokje. 'Ik heb al meer dan vijfentwintig jaar geen tweejarig kind meegemaakt.'

Marnie zette haar kopje neer op de vloer naast haar stoel. Ze dronk niet graag koffie uit kopjes. Kopjes waren voor thee, op z'n

Engels. Koffie hoorde in grote bekers. Maar toen ze Caroles kapsel en suède schoenen zag, leek het haar beter om de koffie niet op de Canadese manier te serveren. Net zoals ze op haar besluit was teruggekomen om een spijkerbroek te dragen en de keukenvloer niet te dweilen. De herinnering aan wat David had gezegd over Caroles kleren en haar flat, had haar doen zwichten.

'Ik neem aan dat David u heeft verteld,' zei Marnie, 'dat Petey de jongste is van onze kinderen. Ellen is twaalf en Daniel is tien.' Ze wees naar een foto op een boekenplank, ongeveer een meter van Carole vandaan. 'Dat zijn ze, in Canada vorige zomer.'

Carole draaide haar hoofd om naar de foto. Ze deed geen poging om hem op te pakken.

'Leuk.'

'We brengen elke zomer in Canada door,' zei Marnie. 'Dan logeren we bij mijn familie. Een heerlijk leventje voor de kinderen.'

'Dat geloof ik graag,' zei Carole. Ze wendde haar hoofd weer af. 'Ik ben nooit in Canada geweest.'

Petey stond langzaam en voorzichtig op. Toen draafde hij naar Carole en ging bij haar knie staan terwijl hij aandachtig naar haar keek.

'Hallo,' zei Carole.

Petey zei niets. Marnie keek naar zijn stevige ruggetje in het gestreepte T-shirt, zijn gladde, blonde hoofd, zijn vertederende mollige voetjes, en ze kon zich niet voorstellen dat iemand hem niet wilde aanraken.

'Toen mijn Martin twee was,' zei Carole tegen Petey, 'speelde hij graag met tractors. Vind jij tractors ook leuk?'

Petey deed een stap achteruit.

'Thomas,' zei hij luid.

'Natuurlijk...'

'Thomas!' schreeuwde Petey.

'Niet schreeuwen, schat,' zei Marnie.

Petey draaide zich om en ging terug naar het haardkleed. Hij bukte zich, pakte zijn trein op en draafde er doelbewust mee de kamer uit.

'Hij kan niet ver weg,' zei Marnie, alsof het Carole iets kon schelen. 'We hebben een traphekje.'

Carole stak haar hand uit om haar kopje neer te zetten. Toen leunde ze achterover en legde haar handen op de armleuningen van de blauwe stoel.

'Waarom wilde je dat ik kwam?'

Marnie was verbaasd.

'Maar dat is toch duidelijk...'

'Vind je?'

'Natuurlijk. U bent Davids moeder en ik ben zijn vrouw en de moeder van zijn kinderen.'

'O,' zei Carole terwijl ze een hand ophief. 'Dat begrijp ik allemaal wel. Ik zie dit huis, het gevestigde gezinnetje. Maar dat kon ik al zien toen ik David ontmoette. David ziet er niet uit als een man die niemand heeft.'

'Dat mag ik hopen...'

Carole keek naar haar.

'En je geeft echt om hem, nietwaar?'

Marnie wendde haar blik af. Het schaaltje pecankoekjes, die zacht begonnen te worden in het zonlicht dat er door het raam op viel, zag er opeens verloren uit, meelijwekkend, een amateuristisch gebaar.

'Daar gaat het niet om.'

'Nee?'

'Nee.'

'Waarom dan wel? Waarom wilde je dat ik hier kwam?'

'Ik wilde dat u iets weet. Ik wilde dat u ergens heel zeker van bent.'

Carole leunde met haar ellebogen op de armleuningen en vouwde haar handen onder haar kin.

'Wat dan?'

Marnie haalde diep adem.

'Ik wil dat u weet,' zei ze, 'dat u als Davids moeder van harte welkom bent in ons gezin. Maar denk alstublieft niet dat er hier een leegte was die u nu moet vullen. Want die was er niet.'

Petey verscheen in de deuropening. Hij hield Daniels slaghout, waar Daniel nu te groot voor was geworden, in zijn armen alsof het een teddybeer was. Carole keek niet naar hem. Ze bleef naar Marnie kijken.

'Waarom denk je,' vroeg ze, 'dat een dergelijke gedachte ooit bij me is opgekomen?'

Marnie boog zich naar voren.

'Ik wil alleen dat u het weet,' zei ze. 'Ik wil alleen dat daar geen twijfel over bestaat. U bent welkom, maar op onze voorwaarden.'

'Hout,' zei Petey luid.

'Arm kind,' zei Carole tegen Marnie. 'Arm kind. Je houdt echt van hem, hè?'

Wat was het vreemd, dacht Lynne, om de dingen die je jarenlang getroost hadden in een nieuw licht te bezien, en dat iets waarvan je altijd zeker was dat je er troost in kon vinden, volkomen nutteloos blijkt te zijn. Er was een tijd geweest – een lange tijd, leek toen – dat het idee om een cake te bakken voor het weekend, of dat Davids sporttas met succes gewassen was, haar een gevoel van grote voldoening en rust kon geven. Maar die tijd was natuurlijk voorbijgegaan. Niet alleen vanzelf maar ook, dat wist Lynne zeker, aangespoord door Nathalie, die een eind had willen maken aan afhankelijkheid, een eind aan dat kinderlijke leven vol routine en kleine zoete momenten van vertroosting. Lynne had soms visioenen gehad dat Nathalie opzettelijk deze zorgvuldige structuur die Lynne had samengesteld, uit elkaar trok, deels om de kracht ervan te testen en deels om te zien of ze er zelf buiten kon. Lynne kon het Nathalie diep vanbinnen niet kwalijk nemen dat ze wilde opgroeien en weggaan, maar ze had haar wel altijd kwalijk genomen – heel onredelijk, dat wist ze – dat ze niets had achtergelaten dat haar plaats kon innemen.

En toen, besefte Lynne enigszins beschaamd, kwam de televisie. Ze wist zeker dat er duizenden mensen waren zoals zij, mensen voor wie de televisie een belangrijke metgezel was geworden, een bron van vriendschap en fantasie. Niet dat Lynne hele middagen oude Hollywood-films zat te kijken met wat haar moeder vernietigend kruideniersssherry had genoemd, maar het was meer een toenemende verslaving aan woon- en tuinprogramma's. Ze wilde geen liefde en onwaarschijnlijke romantiek, ze wilde vluchten uit het heden, een vliegend tapijt terug naar de plek toen zij de macht had, de vrouw en moeder, het middelpunt van het gezin. Als ze naar die prullige en theatrale metamorfoses van kamers en stukken grond keek, en de aandoenlijke hoop op de gezichten van de deelnemers dat hun leven er ook door veranderd zou worden, ging Lynne terug naar de tijd toen ze gelukkiger was dan ooit, een tijd waarin twee schone, weldoorvoede, slapende kinderen boven haar een poos hadden doen geloven dat ze niet alleen een doel had, maar dat het een doel was dat zij kon bereiken. Er waren momenten geweest – of misschien meer dan momenten – waarop ze zich bijna verzoend had met haar onvruchtbaarheid, dat ze nooit een zwangerschap zou doormaken. Nu, als ze op het scherm haastig in elkaar geflanste boekenkasten tegen een haastig geschilderde muur gestapeld zag worden, kon ze iets van die gemoedsrust terugroepen, een fantasie als een ballon aan een touwtje omlaaggehaald zien worden tot je hem in je hand kon houden. Het was meelijwekkend, dat wist ze, maar als goedkope onzin, in welke vorm dan ook, je hielp, waarom zou je het dan bagatelliseren?

Ze keek het liefst naar haar programma's als Ralph weg was, echt weg, niet aan het rommelen in zijn werkplaats. Hij was weer lid geworden van een schaakclub, niet die eliteclub waar David speelde, maar een willekeurige club, waar ook diverse asielzoekers uit de voormalige Sovjetrepublieken bij zaten. Ze kwamen bij elkaar in een pub bij Westerham Station en werden daar getolereerd als ze elk maar een drankje per uur bestelden. Ralph zei niet waarom hij weer wilde spelen, en Lynne vroeg er niet naar. Het was juist een opluchting om hem twee avonden per week doelbewust op weg te zien gaan, dan kon zij op haar gemak televisiekijken. Als ze ervoor ging zitten kreeg ze iedere keer het gevoel of ze zichzelf een pauze gunde van iets moeilijks en veeleisends.

'Je kijkt toch niet naar dát,' zei Davids stem in de deuropening.

Lynne slaakte een gilletje.

'David!'

Hij wees naar het scherm. Twee opgewekt kletsende mannen en een fors meisje in een overal waren keien en cactussen aan het plaatsen op een blond tapijt van grind.

'Mam, dat is rotzooi!'

'Dat weet ik.'

'Die tuin blijft misschien tien minuten goed, en waar halen ze die planten vandaan? Dat zijn woestijnplanten! Die horen in Arizona.'

'Je hebt me laten schrikken,' zei Lynne. Ze richtte de afstandsbediening op de televisie en het scherm werd donker.

'Als ik eerst had gebeld,' zei David, 'dan was je het gemeste kalf gaan slachten en de badkamer gaan schoonmaken.'

'Ik vind het leuk om...'

'Maar dat wilde ik niet,' zei David. Hij boog zich over de stoel en gaf haar een kus. 'Ik wilde je spreken en niet koken en dat soort dingen in de weg laten komen.'

Lynne wendde haar blik af.

'O.'

David ging op de bank dicht bij haar stoel zitten.

'Vanavond is het de schaakavond van pap en jij kijkt televisie. Prima.'

'Weet je,' zei Lynne onzeker, 'ik denk niet dat ik nog meer onthullingen aankan.'

'Ik ook niet.'

Lynne keek op.

'Ik zal koffie voor je maken.'

'Nee.'

'David...'

'Nee,' zei David. 'Ik hoef niets. Daar ben ik niet voor gekomen.'

'Ik doe het graag.'

'Dat weet ik.' Hij keek naar het lege televisiescherm. 'Dat weet ik, mam.'

Lynne zei met een klein stemmetje: 'Ik ben zo bang geweest.'

'Dat weet ik ook.'

'Ik dacht...'

'Ja.'

'Ik weet niet wat er is gebeurd. Toen... toen je naar haar toe ging dacht ik dat jij misschien, of Nathalie...'

'Daarom ben ik hier,' zei David.

Lynne knikte.

'Je hoeft niet bang te zijn,' zei David.

Ze kneep haar ogen stijf dicht en klemde haar handen ineen in haar schoot.

Hij zei: 'Ik vond haar wel aardig. Ze is op een bepaalde manier imposant, elegant, heel beschaafd. Ze heeft me veel antwoorden gegeven over mijn vader en zo. Maar...' Hij zweeg.

Lynne deed haar ogen niet open.

'Er is geen band,' zei David. 'Of in elk geval niet de band die ik misschien heb gezocht. Er is wel iets, maar dat is heel zwak, nauwelijks levensvatbaar. Mam,' zei David, en hij boog zich voorover om haar in elkaar geklemde handen aan te raken, 'het is minstens twintig jaar te laat.'

Lynne begon te huilen. David zag de tranen langzaam onder haar oogleden vandaan komen en over haar wangen glijden.

'Ik was zo bang...'

David boog zich naar haar toe.

'Maar nu niet meer. Er is niets om bang voor te zijn.'

Lynne zei met onvaste stem: 'Pak even een tissue voor me. Op het kastje.'

David stond op. Een doos tissues stond op het kastje waarin – nog steeds – Ralphs complete *Encyclopedia Britannica* stond. Hij zette de doos bij Lynne op schoot.

Hij zei: 'Door haar te zien zijn wat vragen beantwoord.'

Lynne snoot haar neus. Ze keek met vochtige ogen op naar David.

'Zoals?'

'Zoals wie mijn vader was. Wat mijn naam is.'

'Je naam is Dexter.'

'Dat is Ralphs naam,' zei David. 'De naam van pap. Niet die van jou of mij of van Nathalie.'

'Waarom is een naam zo belangrijk?'

David ging weer zitten.

'Het is gewoon zo.'

'Dus,' zei Lynne, terwijl ze probeerde te glimlachen, 'je moeder doet er niet toe maar je naam wel?'

'Doe niet zo raar. Jij bent mijn moeder. Dat kwam ik je zeggen. Daarom ben ik hier.'

Lynne pakte nog een tissue.

'Dadelijk begin ik weer.'

'Dat vind ik niet erg.'

'Je bent een goede zoon,' zei Lynne heftig. 'Een góéde zoon.'

David spreidde zijn handen.
'Dat mag ik hopen...'
'En je vader?'
'Pap?'
'Nee, je biologische vader.'
'Ik weet hoe hij heet,' zei David. 'Verder weet ik niets van hem.'
'Zou je het willen?'
'Dat weet ik niet.'
Lynne zei zacht: 'Ik weet hoe pap het zou vinden.'
'Ja.'
'Die schaakclub...'
'Ja.'
Lynne zette de doos tissues op het tafeltje naast haar stoel.
'Er bestaat geen generale repetitie, hè? Er is geen kans om voor iets te oefenen.'
David boog zich naar haar toe en stootte haar even aan.
'Wat filosofisch, mam.'
Ze glimlachte naar hem.
'Dank je dat je bent gekomen.'
Hij pakte haar pols beet.
'Er komen misschien veranderingen, mam, nog meer veranderingen. Maar één ding zal nooit veranderen. Weet je dat? Weet je dat nu?'
Lynne keek naar hem op.
'Nathalie...'
'We hebben het niet over Nathalie,' zei David, 'maar over mij. Ja of nee?'
'Ik zal het proberen,' zei Lynne.
'Dat is niet genoeg.'
Ze keek naar zijn hand op haar pols.
'Ja,' zei ze.

Betty bleef voor Cora's deur staan. Er scheen een streep licht onderdoor, maar er was niets te horen. Betty was op haar gewone tijd naar bed gegaan en had daar meer dan een uur klaarwakker liggen luisteren naar het irritante ritme van Dons gesnurk tot ze het niet langer kon uithouden. Dus was ze opgestaan, haar ochtendjas en pantoffels aangetrokken – als je een B&B had, leerde je wel dat je nooit in je nachtjapon uit je kamer moest komen – en naar beneden gegaan naar Cora's deur.

Ze legde haar oor tegen het hout. Geen geluid. Niets. Ze hief haar hand op en klopte zacht aan. Binnen klonk vaag geritsel, en toen was het weer stil.

'Cora,' fluisterde Betty.

Stilte.

'Cora,' zei Betty iets luider. 'Is alles in orde?'

Weer geritsel, en toen ging de deur open. Daar stond Cora, nog steeds in haar oranje jurk, en op blote voeten.

'O, Cora,' zei Betty. 'Het is al na middernacht.'

'O ja?'

'Zal ik wat warme melk voor je halen...'

'Nee, dank je,' zei Cora. 'Ik ben niet ziek. Ik heb gewoon geen slaap.'

Betty liep langs haar zus de kamer in. Die was netjes, alsof Cora er niet was geweest, alsof ze alleen zonder te bewegen op de vloerbedekking had gestaan.

'Heeft ze je van streek gemaakt?'

'Nee,' zei Cora.

Betty keek haar onderzoekend aan.

'Weet je het zeker? Je ziet er helemaal uitgeput uit.'

'Ik voel me best,' zei Cora.

'Hou me niet voor de gek,' zei Betty. 'Zeg niet dat ze je niet van streek heeft gemaakt.'

Cora zuchtte even.

'Dat heeft ze niet. Ik heb mezelf van streek gemaakt.'

'Wat?'

'Ik was niet wat ze verwachtte. Ik ben haar moeder, maar mij verwachtte ze niet. En ik verwachtte haar niet.'

'Toe nou,' zei Betty. Ze liet zich in Cora's kleine, oncomfortabele stoel vallen. 'Je hebt haar foto toch gezien?'

'Dat was niet wat ik in gedachten had,' zei Cora. 'Ze was mooi, begrijp me niet verkeerd, mooi om naar te kijken, aangename manieren, lief. Maar ze is nu anders.'

'Anders?'

'Ze is mijn Samantha niet...'
'Ik zei het toch,' zei Betty triomfantelijk. 'Ik zei het toch? Ik heb je gezegd dat het je alleen maar pijn zou doen om haar te zien.'
'Ik heb geen pijn,' zei Cora.
'Waarom sta je dan helemaal gekleed in het niets te staren terwijl het al na middernacht is?'
'Ik ben aan het nadenken. Maar ik heb geen pijn. Ik ben van streek, maar niet gekwetst.'
'En ik neem aan dat mevrouw op hoge poten is teruggegaan naar het zuiden.'
'Nee,' zei Cora. 'Ze is in het pension waar ik een kamer voor haar heb geboekt. Ik heb haar daar even na tienen gebracht. Ze was doodmoe.'
'En ze heeft jou doodmoe gemaakt.'
'Natuurlijk,' zei Cora. 'Wat had je dan verwacht? Grote emoties zijn uitputtend.' Ze keek naar haar zus. 'Ga jij maar weer terug naar bed.'
'Ik wil weten of alles goed is met je.'
'Ja.'
'Maar je bent van streek. Dat heb je zelf gezegd.'
'Ik ben aan het wennen,' zei Cora. 'Aan... Nathalie. Ik ben eraan het wennen dat alles wat ik zo lang gevoeld heb... nou ja, voorbij is.'
Betty hees zich overeind.
'Soms,' zei ze, 'ben je moeilijk te volgen.'
'Dat kan.'
'Ik doe mijn best,' zei Betty. 'Ik doe mijn uiterste best om te voorkomen dat je nog meer te verduren krijgt, en jij gaat juist achter de dingen aan waardoor je steeds weer een klap krijgt.'
Cora plukte aan de voorkant van haar oranje jurk.
'Dit is niet echt een klap. Meer een andere versie van een verhaal waarmee ik bijna mijn hele leven heb geleefd.'
'Geen raadsels meer,' zei Betty terwijl ze naar de deur ging. 'Daar is het te laat voor. Was ze vriendelijk tegen je?'
Cora keek verbaasd.
'O, ja...'
'Niet alleen beleefd. Vriendelijk.'

'Ja,' zei Cora. 'Ze was heel vriendelijk tegen me.'
Betty legde een hand op Cora's schouder.
'Ik wist het wel,' zei ze. 'Ik wist het. Vríéndelijk. Wat voor een dochter is dat?'

17

De studio baadde in het vroege avondlicht. Steve had zich dat niet gerealiseerd toen hij het gebouw kocht, maar de scheve daklijnen buiten het raam op het westen waren zo geplaatst dat lange bundels van het late zonlicht in de lente en de zomer naar binnen konden vallen, regelrecht, zo leek het, van de horizon van de wereld. Het gaf hem hetzelfde gevoel als kijken naar de balken, hetzelfde vreemde, wonderbaarlijke gevoel dat hij, toevallig, deel uitmaakte van iets tijdloos en eindeloos, waarbij uiteindelijk kleine menselijke dingen er niet meer toe deden.

Hij zat nu net buiten een van de grote, met stof doorspikkelde stralenbundels met zijn kruk naar de muur gekeerd. Zijn computer stond nog aan – het verlichte scherm viel in het niet bij de natuurlijke helderheid die binnenviel – omdat hij zichzelf had voorgenomen zijn facturen van deze maand af te maken zodat Meera ze in haar nauwgezet gedetailleerde boekhouding kon opnemen.

'Het is niets voor jou om er zo laat mee te zijn,' had ze gezegd terwijl ze naast zijn bureau stond met haar rechte houding, waardoor haar haren als een blauwzwarte rechte waterval over haar rug hingen. 'Helemaal niets voor jou.'

'Sorry,' had hij gezegd zonder naar haar te kijken.

'Is er iets?'

Hij glimlachte berouwvol naar zijn toetsenbord.

'Jou ontgaat ook niet veel...'

'Nee,' zei ze. 'Vooral geen dingen die me niet aanstaan.'

Hij zuchtte. Het was een goed moment om iets te zeggen, een moment om alles wat in de knoop zat onder een objectieve en praktische blik te leggen en raad te vragen om het te ontwarren. Maar hij liet het moment voorbijgaan. Hij zuchtte weer en keek naar haar op. Er lag een uitdrukking van verrassend medeleven op haar gezicht.

'Ik zal de facturen morgen voor je klaar hebben, dat beloof ik.'

Hij had meer dan de helft af. Het was slechts een kwestie van nalopen, een taak waarvan hij wist dat hij die niet alleen goed kon maar ook leuk vond, maar tegelijkertijd weigerde zijn brein zich te concentreren en glipte steeds weg als een rauw ei op een bord, naar het onderwerp Nathalie, dan Sasha, Nathalies bezoek aan Northsea, dan weer Sasha, en Polly, en Polly's komende opname in het ziekenhuis, en dan weer Sasha. Facturen nalopen had respijt en opluchting kunnen brengen, maar hij kon zich er niet op concentreren, hij kon het wegglippen en de zware last van ongerustheid en liefde en wroeging niet tegenhouden.

Sasha had hem die middag willen zien. Ze had erop gestaan, het geëist, op een manier die hij een paar weken geleden misschien vleiend zou hebben gevonden, vooral van iemand die uit principe mensen vrij wilde laten, vooral zichzelf. Maar ze had vier keer naar zijn mobiele telefoon gebeld – haar naam kwam bijna dreigend op het schermpje – en vervolgens naar zijn kantoortoestel, tot hij was gedwongen nee te zeggen op een vastberaden toon die hij nooit eerder had hoeven gebruiken.

'Hoe bedoel je, nee?'

'Ik bedoel dat ik moet werken. Ik bedoel dat ik om zes uur vanavond werk af moet hebben.'

'Dan zie ik je om zes uur.'

'Om zes uur ga ik naar huis.'

'Om,' zei Sasha met een duidelijk hoorbare scherpe klank in haar stem, 'je kind naar bed te brengen.'

'Ja.'

'Kom dan nu koffie met me drinken. Een halfuurtje. Dan heb je nog drie uur om af te maken waar je mee bezig bent.'

'Nee.'

'Het gaat weer om die toestand van Nathalie, hè?'

Steve deed zijn ogen dicht.

Hij zei: 'Het was heel belangrijk voor haar.'

'Weer dat geijkte gedrag.'

'Genoeg...'

'Weer dat kijk-mij-eens-ik-ben-geadopteerd.'
'Genoeg, zei ik.'
'Je bent gek,' zei Sasha.
'Misschien.'
'De kansen die je weggooit...'
'Dat misschien ook.'
'Ik wil je zien!'
Steve hield zijn ogen gesloten.
'Vandaag niet.'
Er viel even een stilte, een beladen korte stilte, en toen had Sasha heel achteloos gezegd: 'Dag,' en opgehangen.

Sindsdien had hij hier zitten prutsen op het scherm, zich ervan bewust dat Titus en Justine hun telefoontjes beantwoordden, weggingen voor diverse boodschappen, dat Meera aan de overkant vastberaden haar doel nastreefde, en dat hij zin had om Nathalie te bellen terwijl hij niet wist waarvoor. Op dit moment liep niets zoals het moest, dacht hij terwijl hij doelloos de cursor over het scherm bewoog, niemand leek opgewekt of zonder problemen. Zelfs Titus, die gewoonlijk zo doelbewust levendig was, leek niets te putten uit zijn nieuwe relatie met Justine, een relatie die Steve – het had geen zin om te doen of het niet zo was – de illusie had gegeven dat hij toestemming en een excuus had om Sasha te zien. Titus keek gemelijk, Justine ellendig, Meera afkeurend. En Nathalie... o, nee, dacht Steve terwijl hij zijn kruk terugdraaide, hoe had alles zo de mist in kunnen gaan? En hoe had hij zo kunnen afdwalen van alle gedragscodes waar hij zich zijn hele leven aan had gehouden, dat hij zich nu midden in een afschuwelijk soort doolhof bevond zonder ook maar enig benul te hebben hoe hij de uitgang moest vinden?

Hij keek op zijn horloge. Het was tien over zes. Meera was om half zes weggegaan, Justine tien minuten later, en Titus was twee uur geleden vertrokken zonder iets te zeggen en zou waarschijnlijk pas de volgende ochtend terugkomen. Hij had Steve moeten zeggen waar hij naartoe ging en Steve had toestemming moeten geven en weten hoe lang hij zou wegblijven en de gewone opmerkingen over de toestand van zijn bureau moeten maken. Maar geen van beiden had iets van dat alles gedaan. Titus had na een telefoontje alleen opgehangen, geroepen: 'Ik ben even weg' en was vertrokken, gevolgd door Meera's donkere, veelzeggende blik. Justine had niet opgekeken. Ze was doorgegaan met werken, met gebogen hoofd en schouders, terwijl haar hele houding uitstraalde hoe bewust ze zich was van zijn vertrek.

Hij keek naar het scherm. Van de vier weken had hij er drie af. Misschien kon hij nu beter naar huis gaan om Polly nog te zien, en om Nathalie te laten zeggen wat ze wilde zeggen, en dan morgenochtend vroeg teruggaan naar kantoor om het werk af te maken, zodat de diskette op Meera's bureau klaarlag voor ze binnenkwam. Zoals hij maar al te graag klaar wilde zijn voor als alles weer normaal werd, voor de grappen en de drukke werkzaamheden en de treiterende opmerkingen.

De deur naar de trap ging open. Titus verscheen en bleef staan terwijl hij de deur vasthield, alsof hij steun zocht. Hij keek door het kantoor naar Steve, en stak zijn kin in de lucht.

'Vuile rotzak,' zei hij luid.

Om de een of andere reden stond Steve op. Hij stak zijn handen in zijn zakken.

'Waar ben jij geweest?'

'Wat denk je, verdorie?'

'Dit is werktijd, Titus. Ik betaal je om overdag te werken. Wat je buiten die uren doet is jouw zaak, maar tussen negen en half zes...'

'Hou je mond,' zei Titus.

Hij liet de deur los en liep door de studio naar Steve.

'Je bent een rat,' zei Titus. 'Een schijnheilige, leugenachtige smeerlap.'

Steve likte langs zijn lippen.

'Je bent bij Sasha geweest.'

'Ze heeft me gebeld.'

'Aha. Natuurlijk.'

'Praat niet op die toon!' riep Titus.

'Ik wist niet...'

'Je hebt je vrouw belazerd, mijn vriendin afgepikt...'

'Ik heb niet...'

'Ik wist het,' zei Titus. Hij kwam dichterbij en bleef vlak voor Steve staan. 'Ik wist dat jullie elkaar zagen. Ik wist van al dat gerotzooi in wijnbars onder het mom van praten over Nathalie. Dat wist ik allemaal. Dat kon ik nog accepteren. Maar ik wist niet, tot twee uur geleden, dat je haar hebt genaaid.'

Steve voelde zijn handen tot vuisten ballen in zijn zakken.

'Één keer.'

'O!' riep Titus. 'Één keer, hè? Klein foutje, heel onschuldig, stoute jongen geweest. Met iemand naar bed gaan is met iemand naar bed gaan, Steve, en dat weet je donders goed.'

Steve wendde zijn blik af. Hij voelde een vreselijke, diepe schaamte in zijn keel branden.

'Ja.'

'Ik zou je het liefst door dat raam gooien. Ik zou dat pretentieuze bordje buiten kapot willen hakken en de stukken door al je lichaamsopeningen naar binnen rammen.'

'Titus...'

'Kom niet met verklaringen. Probeer jezelf niet goed te praten. Hou die vervloekte heerszuchtige rotzooi voor je. Je wíst wat Sasha voor me betekende. Dat wíst je.'

Steve knikte.

'En nu,' zei Titus, 'heb ik alles verziekt voor die arme Justine.'

'Ja.'

'Ja,' deed Titus hem sarcastisch na. 'Ja, ja, sorry, was niet de bedoeling, sorry, Titus, sorry, Sasha, sorry, Justine, sorry, Nathalie...' Hij brak af en zei toen: 'En Nathalie?'

Steve zei zacht: 'Ze weet het niet.'

'Dat je het met Sasha hebt gedaan? Dat je met haar naar bed bent geweest?'

'Nee...'

'Ga je het haar vertellen?'

Steve keek naar de zoldering.

'Ik weet het niet.'

'Je gaat het doen,' zei Titus.

'Titus...'

Titus strekte zich uit op zijn tenen tot zijn gezicht bijna op dezelfde hoogte was als dat van Steve.

Hij zei: 'Je gaat het haar vertellen, vuile slapjanus, anders doe ik het.'

Toen Ellen wakker werd, wist ze dat het nog geen ochtend was. Niet alleen omdat de vogels nog stil waren en de lentelucht nog donker was, maar ook omdat dat gevoel er was, die sfeer die het huis altijd had als het leven erin een paar uur stillag. Ze draaide zich om en keek op haar wekkerradio. De vierkante groene cijfers gaven 12.40 aan. Ze had anderhalf uur geslapen. Waardoor was ze in hemelsnaam al na anderhalf uur wakker geworden? Waarom was ze wakker geworden en leek het of het al ochtend was?

Ze ging zitten en keek naar haar dichte slaapkamerdeur. Er was geen licht onder te zien, dus dat betekende dat iedereen naar bed was, dat het licht op de overloop uit was, dat de enige lichten in huis de rode stand-by lampjes van de televisie en het beeldscherm van de computer waren. Zelfs Petey sliep in volslagen duisternis. Toen zij en Daniel klein waren, hadden ze een nachtlampje in de vorm van een groene paddestoel gehad, met plastic konijntjes langs de onderkant, die ze tijdens een tussenstop op het vliegveld van Montreal had gezien en per se had willen hebben, maar Petey wilde de paddestoel niet en sliep als een volwassene in het donker. Dat was ongeveer het enige aan hem, dacht Ellen soms, dat volwassen was.

Ze stapte uit bed. Ze kwam opeens op het idee om iets te doen wat ze nooit eerder had gedaan, iets wat mensen in boeken deden als ze een probleem hadden of midden in een spannende situatie zaten: naar de keuken gaan. Misschien zou ze cornflakes eten of warme chocola maken, en dan zou ze misschien de computer aanzetten en het een en ander opzoeken over haar huidige obsessie, tenniszomerkampen in Canada. Ze had al tegen Zadie en Fizz gezegd, niet naar waarheid, dat ze was ingeschreven voor zo'n kamp – ze had er een in Brits-Columbia gevonden die heel leuk leek – en nu speelde ze met de gedachte om het aan haar ouders te vragen nu ze nog van slag waren door die vrouw, Carole.

Ellen liep op haar tenen door haar kamer en legde haar hand op de deurknop. Ze had Carole niet ontmoet, maar ze wist dat ze in huis was geweest. Ze had een koffiekopje met een lipstickafdruk achtergelaten en een verstoorde sfeer. Marnie had niet veel gezegd over Caroles bezoek en Ellen, nu ze meer wist dan ze ooit had willen weten, vroeg er niet naar. Er leek een soort verdrag tussen hen allemaal te zijn gesloten, een stilzwijgende overeenkomst om geen plaats in het gezin te maken voor een nieuwe persoon, voor welke verandering dan ook. Ellen vond het best, prima zelfs. Ze had gezien dat Marnie het kussen omdraaide van de stoel waar Carole had gezeten, en voelde een enorme opluchting door dat gebaar.

Op de overloop keek ze in de duisternis of alle deuren dicht waren. Alleen Peteys deur stond op een kier met ertussen een kleine, zachte neushoorn met een lange, roze vilten tong. Ze deed een paar stappen en zag toen dat beneden licht brandde, een lamp die iemand aan had gelaten, waarschijnlijk de lamp net binnen de keukendeur. Ze tuurde over de leuning. De deur van Davids werkkamer stond open, en Ellen zag dat haar vaders computer aanstond, dat haar vader er schuin voor zat en dat op het bureau tussen hem en het beeldscherm zijn schaakspel stond, het oude, dat opa Ralph hem had gegeven toen hij een jaar of acht was en dat, door de manier waarop alles was opgesteld, het licht van de computer de schaduwen van de schaakstukken op de muur naast het bureau wierp en waardoor ze veel groter, langer en vreemder leken, en op een bepaalde manier buitenaards, net als die beelden op Paaseiland met monsterogen en monden. Ellen slikte. Ze zag hoe haar vaders enorme hand een gekroond stuk pakte en het vasthield, gevangen, verlicht door de harde groenige gloed van de computer. Het was vreselijk om hem zo te zien, bijna griezelig, alsof hij een macht uitoefende die bovennatuurlijk was en waardoor het leek of hij iemand anders was en niet haar vader. Ze boog zich iets verder voorover terwijl ze de leuning vastgreep en deed net haar mond open om hem te roepen, om hem naar haar terug te brengen, toen ze zag hoe hij zijn linkerarm ophief en alle schaakstukken van het bord veegde, over het bureau en tegen de vloer. En toen, terwijl haar mond nog openhing en haar stem in haar keel bleef steken, drukte hij op een knop op het beeldscherm en het licht ging uit, zodat alles in duisternis werd gehuld.

'Waar is papa?' vroeg Polly.

Ze was op de thee geweest bij haar vriendinnetje Zoe, en had daardoor geen enkele belangstelling voor haar avondeten. Dat stond voor haar op het bord dat ze het mooiste vond, aanlokkelijk en onaangeroerd.

'Op zijn werk,' zei Nathalie.
Polly pakte haar vork en stak die in de hals van haar T-shirt.
'Waarom?'
'Omdat het druk is, denk ik.'
Polly klopte op de bobbelige voorkant van haar shirt.
'Kijk.'
'Ik zou liever zien dat je at.'
Polly zuchtte.
'Ik heb toch thee gehad bij Zoe.'
'Op een dag,' zei Nathalie, 'zul je merken hoe het is om lekker voor iemand te koken die het vervolgens niets kan schelen.'
'Mijn vork zit vast...'
Nathalie legde even een hand tegen haar voorhoofd.
'Ga dan staan en schud hem eruit.'
'En dan hoef ik niet meer te zitten?'
'Polly,' zei Nathalie, 'als je nu niet eet dan krijg je niets meer tot morgen. Heb je me gehoord? Helemaal niets meer.'
Polly keek alsof dat haar totaal niets kon schelen. Ze boog zich zijwaarts en trok de vork uit een pijp van haar short.
'Kom je met me spelen?'
'Nee,' zei Nathalie.
'Waarom niet?'
'Omdat ik wil nadenken.'
'Waarom?'
'Omdat mijn hoofd vol dingen zit die ik op orde moet brengen.'
Polly keek naar haar.
'Jij bent saai.'
'Dat zal wel.'
Polly wierp de vork in de lucht zodat die kletterend over de tafel vloog.
'Ik ga in mijn kamer op papa wachten,' zei ze hooghartig.
Nathalie liep om de tafel en pakte Polly's bord. Ze dacht aan vroeger, aan de tijd vóór Polly, toen de enige kinderen die ze kende Ellen en Daniel waren, en hoe ze had gedacht dat alle kinderen zoals zij waren omdat ze geen andere had meegemaakt, net zoals ze liefde en moederschap en ouderschap had beschouwd zoals die binnen de familiekring waren. Als ze Ellen en Daniel hun gezonde

avondeten zag opeten, was dat symbolisch voor het gezinsleven, en wanneer ze Lynne en Ralph samen in hun auto zag stappen, was dat symbolisch voor bepaalde gewoonten als je getrouwd was. Het verbaasde haar, als ze eraan terugdacht, hoeveel ze had geaccepteerd zonder er ooit over na te denken of er vragen over te stellen of te proberen er doorheen te prikken. Nu vond ze het vreselijk dat ze zo laf was geweest.

Nou, nu was er geen gelegenheid meer om laf te zijn. Ze was naar Northsea gegaan, ze had een uur of zes, zeven doorgebracht met haar moeder, ze had die nacht geslapen – nee, niet geslapen maar doorgebracht – in een vreemd pension, en ze had een nieuwe en breekbare lading reacties en emoties mee teruggebracht die meer moed vereiste om uit te pakken dan ze ooit had kunnen denken.

'Ik weet niet wat ik moet denken,' had ze door de telefoon tegen David gezegd. 'Ik bedoel, ik ben weleens eerder van slag geweest, maar dit is anders. Ik weet gewoon niet wat ik moet denken.'

'Ja,' zei hij. 'Ja.' Hij had afwezig geklonken, vond ze, bijna alsof hij niet luisterde.

'Ik wil niet teleurgesteld worden,' had Nathalie gezegd. 'Ik wil niet tot de conclusie komen dat dat telefoontje het hoogtepunt was.'

'Welk telefoontje?'

'Dat eerste,' zei Nathalie, 'dat eerste, toen ze huilde.'

'Nee,' zei hij. 'Natuurlijk niet.'

Nathalie schraapte Polly's bord leeg boven de afvalemmer. Sindsdien had ze David niet meer gebeld. Ze had de behoefte niet gevoeld. Het was verbazingwekkend, verontrustend, maar ze had niet het idee gehad dat ze het kon, dat, als ze zou bellen, hij zou luisteren. En ook al zou hij luisteren, dan nog wist ze niet of ze kon beschrijven wat ze nu voelde, of ze op hem kon overbrengen welke verwarring en genegenheid en schuldgevoel en schaamte door haar hoofd en haar hart speelden sinds ze uit die trein was gestapt en in zichzelf met een stilzwijgende kreet van ontzetting had gezegd: 'Dit is mijn móéder.'

Ze zette Polly's bord neer en boog zich over haar gebalde vuisten op het aanrecht. Cora was aardig geweest, heel lief. Nathalie was er absoluut zeker van dat ze tot haar dood van Cora's lieve karakter overtuigd zou zijn. Cora was lief en hartelijk en bescheiden en innemend. Maar – en waarom moest dit het 'maar' zijn waar Nathalie nooit aan had gedacht? – ze was niet zoals je een moeder zou beschouwen. Ze was te onzeker voor het moederschap, te kinderlijk, te onderdanig en koppig tegelijk, te simpel, te... te excentriek. Toen ze Nathalie vertelde over het feest, over de zeeman, over het tehuis voor ongehuwde moeders van het Leger des Heils, over de vrouw van de Kinderbescherming die de baby weghaalde, kon Nathalie dat allemaal begrijpen. Ze kon het schoolmeisje zien, de angst en de onderdrukking, de intimiderende moeder, de wanhoop dat je niets te zeggen had. Maar ze kon zich Cora niet indenken als moeder. Ze zag alleen hoe ze zelf op dat perron had gestaan, aan die tafel in de cafetaria had gezeten, in dat ongastvrije bed had gelegen, en steeds had gedacht: ze is het niet. Dat kan niet.

En wat nog erger was, wat haar niet losliet, was dat Cora had kunnen zien wat ze dacht.

'Sorry,' fluisterde Nathalie in haar vuisten. 'Sorry.'

Ze duwde een vuist tegen haar oog. En toen de andere tegen haar andere oog. Als ze hard genoeg duwde, kon ze de beelden uitwissen met felgekleurde cirkels. Toen voelde ze een behoefte opkomen, zoals vaker sinds ze terug was, om Steve te vertellen hoe ze zich voelde, een behoefte om al die ingewikkelde, tegenstrijdige dingen waar ze niet echt trots op was, voor te leggen aan de jongen van de Royal Oak, de jongen die ook niet vond dat hij thuishoorde waar hij was opgegroeid. Ze wilde dat hij haar zou zeggen dat hij het begreep, dat als je iets wilde worden, dat geen verraad hoefde te zijn aan wat eraan vooraf was gegaan, dat liefde aanvaarding betekende maar geen rivaliteit uit verplichting. Ze haalde haar vuisten weg van haar ogen. Ze wilde dat Steve haar toestemming gaf – de toestemming die hij zichzelf met zoveel pijn had toegestaan, helemaal alleen, zonder haar hulp – om de persoon te zijn die ze werkelijk was, met of zonder moeder.

'Hoe laat is het?' vroeg Polly vanaf de deuropening.

'Zeg jij het maar.'

Polly leunde tegen de deurpost en keek naar de klok.

'Half negen.'

'Zeven. Tijd om in bad te gaan.'

Polly richtte haar blik op haar moeder.
'Waar is papa?'

Er moesten dertig jonge eiken geplant worden, dertig hoge, slanke, dure jonge eiken die waren geïmporteerd uit Nederland, met hun grote wortelkluiten zorgvuldig gewikkeld in noppenfolie. David had aan de eigenaar van dit terrein, dat geleidelijk werd omgevormd tot een park, uitgelegd dat eiken het beste geplant konden worden tijdens de winterslaap. Maar de eigenaar, die geneigd was advies in de wind te slaan als het niet overeenstemde met zijn wensen, in dit geval om voor het midden van de zomer een laan aan te leggen, had opdracht gegeven dat het planten moest doorgaan. Dus was David bezig, met nog twee mannen en een graafmachine, een dubbele rij diepe gaten te maken. Hij vroeg zich af, niet voor het eerst, of hij nog wel net zoveel plezier in dit werk had als vroeger, of dat hij ervan uit was gegaan dat het zo zou blijven. Je kon natuurlijk belangstelling blijven houden voor bomen, maar misschien was dat juist het probleem, misschien ging je na verloop van tijd de kant van de bomen kiezen, zodat je de mensen die ze wilden planten langs lanen die naar speciaal uitgegraven vijvers leidden, alleen nog als vijand kon zien.

Hij sprong van de graafmachine en liep naar waar hij zijn jasje op het gras had gegooid om een fles water te pakken. Uit de richting van het huis, over het ruwe gras, kwam iemand in zijn richting. Natuurlijk de eigenaar weer, dacht David zuur. Hij was typisch iemand die wachtte tot je dertig gaten had gegraven die zo groot waren dat je er een kleine auto in kon laten vallen, om vervolgens te zeggen dat hij ze nog een halve meter verder uit elkaar wilde hebben. David pakte zijn fles water, deed of hij de naderende gestalte niet had gezien, en ging met zijn rug naar hem toe staan om te drinken, terwijl hij deed of hij peinzend over het terrein naar de vijver keek.

'David,' klonk een stem.

Hij draaide zich om met de plastic fles in zijn hand. Daar stond Martin Latimer, in een spijkerbroek en T-shirt en met een heel donkere zonnebril op.

'Wat doe jij hier?'

'Ze zeiden dat ik je hier kon vinden...'
'Wie?'
'Op je kantoor. Ik ben naar je kantoor gegaan. Ik zei dat ik een nieuwe klant was.'
David schroefde de dop op de fles en wierp die op de grond.
'Het komt nu niet uit, Martin.'
'Het duurt niet lang.'
'Waarom heb je niet gebeld?'
Martin stak zijn handen in de zakken van zijn spijkerbroek. Hij had een soort heuptas om.
'Dit is niet een gewone ontmoeting, iets wat je afspreekt...'
David wierp een blik op de graafmachine. Andy en Mick stonden te wachten.
'Ga maar door!' riep David. 'Ik kom over tien minuten.'
'Vijf,' zei Martin.
'Vijf,' zei David. 'Víjf. Was het dan wel de moeite waard om te komen?'
Martin haalde zijn handen uit zijn zakken en duwde zijn zonnebril over zijn voorhoofd naar achter.
'Ja.'
David begon weg te lopen over het terrein.
'Heeft ze je gestuurd?'
'Wie?'
'Carole.'
'O,' zei Martin, en toen met nadruk: 'mijn móéder. Nee, dat heeft ze niet gedaan.'
'Ze is bij mijn vrouw geweest.'
'Dat weet ik. En dat was de laatste keer.'
David bleef staan.
'Wat?'
Martin duwde zijn zonnebril weer omlaag.
'We willen je niet.'
David zei niets.
'We willen niets meer met je te maken hebben,' zei Martin. 'We willen geen contact meer. Mijn moeder niet, mijn vader en broer niet en ik ook niet.'
David wierp hem een blik toe.

'Wie heeft je gestuurd?'
'Niemand.'
'Wie weet dat je hier naartoe bent gegaan?'
'Dat zijn jouw zaken niet.'
'Waarom,' vroeg David, 'voel je je zo bedreigd?'
'Ik voel me niet bedreigd. Ik wil je gewoon niet. We hebben je niet nodig. We moeten je niet.' Hij deed een stap naar David toe. 'Wat wil je eigenlijk? Je hebt haar gezien, je hebt je zielige verhaaltje gehoord. Wat wil je nog meer?'
'Als ik wegblijf,' zei David, 'zul jij je echt niet beter voelen.'
Martin stak zijn kin naar voren.
'Jawel. Ik voel me nu al beter.'
'Nu al?'
'Ja,' zei Martin.
'Nou, dat is dan fijn voor je...'
'Mijn moeder heeft drie kinderen gekregen,' zei Martin. 'Drie zoons.'
'Ja.'
'Twee wilde ze houden. Wílde ze houden. En jij hoort niet bij die twee.'
David haalde diep adem. De opwelling – waar zijn Canadese zwagers ongetwijfeld aan hadden toegegeven – om Martin tegen de grond te slaan, was bijna onweerstaanbaar.
'Klein, zielig rotventje dat je bent...'
'Ze wil je niet,' zei Martin. 'Toen niet en nu ook niet.'
David begon over het gras naar de graafmachine te rennen. Andy en Mick stonden ertegen geleund. Mick draaide een shagje.
'Opschieten!' riep David.
Ze keken op, langzaam, verbaasd, normaal.
'Opschieten!' schreeuwde David. 'Aan het werk, nu!'

18

'Luister,' zei Meera. 'Het is het niet waard om over te huilen.'

Justine keek op en haalde haar neus op.

'Ik huil niet.'

'Geen enkele man is het waard om jezelf te vernederen.'

'Maar dat heb ik gedaan,' zei Justine. 'Dat heb ik al gedaan. Ja toch? Ik ben al vernederd.'

Meera begon haar bureau te ordenen. Ze pakte paperclips bijeen en zette haar muis netjes op de muismat.

'Dat hoef je niet zo te laten blijken,' zei Meera.

'Je bedoelt dat jij dat niet zou doen.'

'We zijn niet allemaal hetzelfde,' zei Meera. Ze wierp haar haar over haar schouders. 'Misschien zal ik nooit zoveel voor iemand voelen als jij. Misschien ben ik daar gewoon niet voor in de wieg gelegd.'

Justine boog zich over Meera's bureau om een tissue uit haar doos te pakken.

'Dat wilde ik ook niet. Ik had een hekel aan mezelf. En aan hem, zelfs...'

'Ja.'

'Je vindt me een hopeloos geval.'

'Alleen als je je leven erdoor laat beïnvloeden. Je beslissingen, wat goed voor je is.'

Justine snoot haar neus.

'Wat moet ik nu?'

'Je wilt mijn advies niet opvolgen,' zei Meera. 'Dat heb je nooit gewild. Waarom zou ik mijn tijd aan je verspillen?'

'Sorry.'

'Volgens mij is iedereen hier op kantoor gek geworden. Ik vraag me af waarom ik nog blijf.'

Justine sperde haar ogen open.
'Je gaat toch niet weg?!'
De deur naar de trap ging open en Titus kwam binnen.
Meera wierp een blik op hem en zei, iets luider: 'Daar ben ik over aan het nadenken.'
'Waarover?' informeerde Titus, terwijl hij naar hen toe liep.
'Dat gaat jou niet aan,' zei Meera. 'Ik had het tegen Justine.' Ze pakte haar handtas.
Titus keek naar Justine.
Hij zei: 'Ze wil vast niet met me praten.'
Justine zei niets.
'Je ziet er vreselijk uit,' zei Meera. 'Jullie allebei.'
'Nou, dan is er dus niets veranderd,' zei Titus terwijl hij naar Justine bleef kijken.
Meera stak een hand uit en raakte even Justines arm aan.
'Gaat het, denk je?'
Justine knikte.
'Echt waar?'
'Ik ben te afgepeigerd,' zei Titus, 'om iemand tot last te zijn.'
'Wil je met me mee?' vroeg Meera aan Justine.
Justine keek op. Ze wierp een blik op Titus.
Toen zei ze: 'Een ander keertje.'
'Goed,' zei Meera. 'Als je het zeker weet. Nou, dag dan maar.'
Ze keken haar na. De deur naar de trap viel vastberaden achter haar dicht.
Titus zei: 'Ik heb steeds het idee dat ik me niet rotter kan voelen, en dan gebeurt het toch.'
'Ja.'
Titus draaide zich om en liet zich in Meera's bureaustoel vallen.
Hij zei: 'Ze is weg.'
'Wie?'
'Sasha,' zei Titus. 'Ze is gewoon weggegaan.'
'Hoe bedoel je, weggegaan...'
'Ik ging naar Della,' zei Titus, 'en Della zei dat ze dinsdag was vertrokken. Dinsdagavond. Nadat ik haar had gesproken.'
Justine leunde op Meera's bureau.

'Onzin. Dat doen mensen niet, alleen in soapseries. Ze kunnen niet zomaar weggaan, ze moeten dingen regelen...'

'Ze is weg,' zei Titus. 'Haar kamer is leeg, op die prent van dat Japanse meisje na. Ze heeft Della betaald en ze is weggegaan.'

'Nou, dan ga je haar toch zoeken.'

Titus boog zijn hoofd achterover en sloot zijn ogen.

'Ze wil me niet.'

'Misschien wel, als ze wat tot rust is gekomen.'

'Nee.'

Justine ging weer staan.

Ze zei, te vlug: 'Dan weet je ook eens hoe het voelt.'

Het bleef even stil. Titus hief zijn hoofd op en deed zijn ogen open.

'Sorry.'

Ze haalde haar schouders op. Hij ging rechter zitten.

Hij zei: 'Misschien dat...' en zweeg.

'Nee,' zei Justine.

'Misschien, over een poos, als er geen Sasha meer is...'

'Nee.'

'Lieverd...'

'Ik ga ook weg,' zei Justine.

'Wat?'

'Ik heb mijn besluit genomen,' zei Justine. Ze bracht haar hand naar haar nek en plukte aan de piekjes. 'Ik ga weg.'

'Weet Steve dat?'

'Nog niet.'

Titus stond op.

'Waar ga je naartoe?'

'Dat weet ik nog niet.'

'Lieverd, ga niet weg tot je een andere baan hebt, ga niet zomaar weg vanwege mij...'

Ze wendde haar blik af.

'Het heeft niets met jou te maken.'

'Daar,' zei Titus, 'word ik helemáál depressief van.'

'Laat me niet lachen,' zei Justine wanhopig. 'Ik wil je niet aardig vinden.'

Hij legde een hand op haar arm.

'Blijf...'

Ze trok haar arm met een ruk weg.

'Laat dat.'

'Sorry. Ik voel me alleen zo ellendig.'

Ze keek hem strak aan. Haar ogen stonden vol tranen.

'Ja,' zei ze fel. 'Já.'

Toen Marnie klein was en haar ouders niet goed met elkaar konden opschieten, ging haar vader vaak de kelder opruimen. Het zag er niet veel anders uit als hij klaar was, alleen was alle rommel dan opgestapeld in een andere hoek, waren de dozen van de biljarttafel van de jongens verwijderd, en het dikke glazen raampje waardoorheen je het waakvlammetje van het fornuis kon zien, was schoongemaakt. Als haar vader daar een paar uur tekeer was gegaan, kwam hij naar boven om te douchen, en daarna legde hij een geweer achter in zijn open bestelwagen en scheurde weg naar het huisje. Dan keek Marnies moeder op van waar ze mee bezig was – ze was altijd met iets bezig – en vroeg of iemand haar een beker koffie wilde geven. Pas jaren later, lang nadat Marnies ouders waren gescheiden en haar moeder met Lal was getrouwd, een professor in de filosofie en meer dan haar intellectuele evenknie, en toen Marnie ruzie had gehad met haar moeder over haar carrière en haar besluit om naar Engeland te gaan, stond Marnie zelf in de kelder met kapotte lampenkappen te smijten en dozen verjaarde academische tijdschriften op te stapelen om weg te gooien.

Toen was ze op het idee gekomen om haar vader te bellen. Hij woonde in de buurt van Halifax en leidde het buitenleven dat hem beviel met een vrouw die Sandie heette en die vond dat je zelf in je levensonderhoud moest voorzien. Toen hij eenmaal daar woonde, kwam het nooit in hem op om weer naar het westen te gaan, zelfs niet om zijn kinderen te zien, maar als ze hem belden klonk hij altijd verheugd en belangstellend. Marnie zag hem dan in gedachten in een geruit overhemd en een overall in zijn landelijke keuken staan en vol genegenheid in de telefoon glimlachen. Ze had zo'n levendig beeld van hem waarin hij zei: 'Je moet doen wat je vindt dat je moet doen, schat', dat ze hem inderdaad belde. Hij antwoordde via een van de eerste mobiele telefoons – hij was altijd geïnteresseerd in technologie – in zijn auto en had gezegd: 'Als je dat echt graag wilt, schat, en je dat in Engeland wilt doen, dan moet je naar Engeland gaan.'

Nu, twintig jaar later, zat ze op de keukenvloer, met als vervanging van de kelderschoonmaak de inhoud van de pannenkasten om haar heen, en moest ze weer aan haar vader denken. Hij had een heupoperatie gehad maar was weer thuis, verpleegd door Sandie, en dus had ze een goed excuus om hem te bellen en te vragen hoe het met hem ging. Daarna kon ze er geleidelijk naartoe werken om hem te vertellen dat ze het allemaal niet meer wist, dat alle doelbewustheid en voornemens waar ze zich bijna veertig jaar lang door had laten leiden, in de afgelopen maanden vervaagd waren en dat ze zich nog nooit zo verloren had gevoeld in dit land dat inmiddels al bijna haar halve leven haar thuis was.

Ze kon zich niet goed voorstellen wat haar vader zou zeggen. Alles wat te filosofisch of te abstract klonk, maakte hem van streek, gespannen en onrustig, net als het leven met haar moeder vroeger. Maar ze wist dat hij niet alleen haar welzijn voor ogen had, maar ook niet wilde oordelen. Dat lag niet in zijn karakter. Als ze haar moeder zou bellen – zoveel milder geworden, zo ontspannen door het leven met Lal, die niets zag in een bestaan dat alleen maar door het verstand werd geregeerd – zou die meelevend reageren, misschien raad geven, maar altijd met de ondertoon dat Marnie zelf had gekozen voor dat leven in Engeland en een huwelijk met een Engelsman en dat ze de gevolgen daarvan maar moest accepteren.

Marnie zuchtte. Ze pakte een bakblik en schudde de verdroogde overblijfselen van twee langpootmuggen eruit. Uit de woonkamer kwamen de klanken van de herkenningsmelodie van *Thomas de locomotief*, hetgeen inhield dat Petey zijn middagslaapje had overgeslagen – en ze was er nog wel zo van overtuigd geweest dat hij zou slapen na het peuterzwemmen – en naar beneden was gekomen om een video te zien. Marnie begreep er niets van dat hij niet bang was om betrapt te worden en op zijn kop te krijgen. Hij ging altijd zo recht op zijn doel af dat, als hij iets deed wat verboden was en waarvan hij de gevolgen kende – waarvan hij wíst dat die zouden komen – het hem gewoonweg niet interesseerde. Je kon praten over kinderpsychologie wat je wilde en je troosten met de gedachte dat het gedrag van een kind van twee heus niet zou duren tot het twintig was, maar niets hielp haar in de uitputtende en soms beangstigende strijd om dag in, dag uit nú met Petey om te gaan.

Marnie legde vermoeid het bakblik neer en stond op. Op hetzelfde ogenblik ging de voordeur open en viel weer dicht, gevolgd door het geluid van Peteys voeten die door de gang renden.

'Hallo,' zei David tegen hem. 'Hoe is het?'

Hij verscheen in de deuropening met Petey in zijn armen. Hij keek naar de vloer.

'Ga je een cake bakken?'

Marnie keek naar de rommel om haar heen.

'Ik zat eraan te denken om mijn vader te bellen.'

David zette Petey neer.

'Ik begrijp het verband niet...'

'Nee,' zei Marnie. 'dat zal niet. Ik ben de enige die het verband kan zien.' Ze keek op. 'Wat ben je vroeg thuis.'

'Ja.'

'Is er iets?'

David woelde door Peteys haar.

'Ik had er gewoon genoeg van.'

'Ja,' zei Marnie. 'En dat is een heel vervelend gevoel.'

Petey leunde tegen zijn vaders been.

'Film?'

'Nee, dat mag hij niet,' zei Marnie. 'Hij is niet in zijn bed gebleven.'

'Geklommen,' zei Petey eerlijk.

'En nu,' zei Marnie terwijl ze aanstalten maakte om naar de deur te gaan, 'zet ik die televisie uit.'

David probeerde haar bij de arm te pakken.

'Mag hij niet kijken?'

'Nee.'

'Tien minuutjes?' zei David. 'Ik wil je iets vertellen.'

'O, toe...'

'Nee,' zei David. 'Geen onverwacht nieuws.'

Marnie slikte. Ze keek naar Petey. Hij keek terug, kalm en onbezorgd.

'Tot deze video is afgelopen.'

Ze keken hem na toen hij terugdraafde naar de televisie.

'De anderen zijn nooit zo... zo opzettelijk ongehoorzaam geweest. Ze wilden me altijd een plezier doen. Ze wilden het goed doen.'

'Misschien,' zei David, 'was je toen anders.'

'We gaan toch niet de schuld van iets anders op mij schuiven?'

'Dat bedoelde ik niet.'

Marnie gaf een schop tegen een bakblik.

'Wat doen we dan met de mogelijke theorie dat ik een betere moeder was toen ik werkte?'

David liep tussen de bakblikken en pannen door naar haar toe en sloeg zijn armen om haar heen. Ze verstijfde.

Hij zei: 'Ik ben naar huis gekomen om met je te praten.'

Ze deed haar ogen dicht. Het was bijna niet te verdragen dat hij dacht dat hij haar volledige aandacht kon krijgen door alleen maar zijn armen om haar heen te slaan, terwijl ze wel andere dingen aan haar hoofd had. Het was nog erger omdat het waar was.

Hij drukte haar steviger tegen zich aan.

'Ik wil een paar dingen zeggen,' zei hij tegen de zijkant van haar hoofd, 'die ik tegen niemand anders kan zeggen.'

Ze hield haar adem in. Als ze dat niet deed, wist ze dat ze zou opmerken: 'Ook niet tegen Nathalie?' op een toon waarvan ze de neutraliteit niet kon garanderen.

'Zelfs niet tegen Nathalie,' zei David. 'Niet nu.'

Marnie ademde uit.

Ze zei: 'Zal ik koffie maken? Wil je niet gaan zitten?'

'Nee.'

Ze ontspande zich een beetje. Ze voelde hoe hij zijn armen verplaatste tot ze achter haar schouders lagen.

Hij zei: 'Marnie, ik ben het zo moe om steeds terug te gaan naar het verleden.'

Ze bewoog zich niet. Ze deed haar ogen open en keek naar de ruwe binnenkant van zijn opgerolde mouw. Toen keek ze langs zijn arm naar dat fijne kantwerk van littekens, als de nerven op een blad, littekens waar ze altijd van had geweten maar er om de een of andere reden nooit over had gerept. Ze legde een vinger op zijn huid.

'Niet terug naar dit,' zei ze.

Hij hield even zijn adem in.
'Nooit meer.'
Ze haalde haar vinger weg.
Hij zei: 'Je wist het.'
'Ja.'
Ze voelde hoe hij een zucht slaakte.
Ze vervolgde: 'Het maakt niet uit dat ik het weet.'
Hij zei: 'Het is een opluchting. Net zoals het een opluchting is dat ik niet steeds terug hoef te gaan naar het verleden. Het lijkt net of... of ik ben bevrijd van iets omdat ik dat niet alleen de afgelopen maanden heb gedaan. Zo leek het misschien voor jou, maar ik weet nu dat ik het altijd heb gedaan. Ik ben me altijd bewust geweest van de vragen en de leemtes, in mijn achterhoofd heb ik me altijd afgevraagd waar ik eigenlijk vandaan kwam. Nu ik een paar antwoorden heb, besef ik hoe ik die nodig had. Misschien vind ik ze niet allemaal even leuk, maar ik ken ze in elk geval.'
'Goed,' fluisterde Marnie.
Hij hief zijn hoofd op.
Hij zei: 'Weet je dat ik me nooit heb gerealiseerd dat gewoon doorgaan met leven het verleden niet zou uitwissen? Ik dacht van wel, ik dacht dat het moest, dat de tijd het na een poos zou verdoezelen. Maar dat was niet zo. Ik bleef maar teruggaan naar mijn jeugd, terug naar alle dingen die ik niet wist. En juist die jeugd was het enige waar ik niet naar terug wilde.'
Hij boog zijn hoofd.
Hij zei zacht: 'Begrijp je me?'
Ze knikte. Hij verschoof een hand en pakte haar vlecht.
Hij zei: 'Ik heb er geen spijt van dat ik Carole heb gezocht. Ik heb eigenlijk medelijden met haar. Ik vind het blijkbaar niet eens erg dat ze niet van me kon houden omdat ik niet degene was die ze wilde. Misschien zou ik het erg moeten vinden, maar dat is niet zo.'
Marnie hief haar hoofd op.
Ze zei duidelijk: 'Lynne hield van je.'
'Ja,' zei David. En even later, zonder enige ongerustheid of vragende klank in zijn stem: 'En jij ook.'
Ze knikte weer, en trok haar vlecht uit zijn greep.
Hij zei: 'Misschien, als je moeder niet van je kan houden, ben je

er niet zeker van dat iemand anders dat wel kan. Misschien weet je dan ook niet goed hoe je van iemand moet houden, ook al zou je het graag willen.'

Marnie deed een stapje achteruit en maakte haar armen los. Ze hief ze op en liet ze op Davids schouders rusten.

'Ik denk dat je moeder nu wel graag van je zou willen houden,' zei ze. 'Maar het is te laat. Ze zit helemaal in de knoop.'

'En Martin ook.'

'Martin?'

'Hij is naar mijn werk gekomen. Om te zeggen dat ze geen van allen nog iets met me te maken willen hebben.'

'O, David...'

'Hij zei dat ze drie zoons had en dat ze alleen voor twee had gekozen.'

'Hoe durft hij...'

'Omdat hij ongelukkig is. Hij is niet zeker van haar. Hij wilde me laten geloven dat hij als afgevaardigde van de familie kwam, maar ik denk dat hij alleen is gekomen omdat hij het niet kon uitstaan als hij het niet zou hebben gedaan.'

'Wat een triest figuur.'

'Ja.'

Marnie keek naar hem op. Ze raakte met een wijsvinger zijn hals aan.

'David...'

'Ja?'

'Nathalie...'

'Ze heeft het moeilijk gehad,' zei David. 'Ik heb eigenlijk het idee dat de antwoorden die zij heeft gekregen nog moeilijker waren dan die van mij, minder rechtstreeks.'

'Dat bedoelde ik niet.'

'Nee.'

'Ik bedoelde...' Ze zweeg en haalde haar handen van Davids schouders. Toen legde ze die tegen zijn borst en keek er streng naar, alsof er iets heel belangrijks op stond geschreven. Ze zei: 'Waarom heb je mij dit alles verteld en haar niet?'

'Omdat jij de juiste persoon bent.'

'Ook al ben ik dat bijna nooit eerder geweest?'

'Dat was een deel van het probleem,' zei David. 'Dat ik in het vroegere probleem was blijven steken. En zij met mij.'

Marnie vroeg aarzelend: 'Is er iets bijzonders aan het gebeuren?'

'Dat weet ik niet. Of het zo bijzonder is, bedoel ik. Ik hoop van wel. Maar ik weet wel dat er iets gebeurt.'

De tuindeur ging open. Daniel, net uit school, stond op de drempel met zijn fietshelm op en zijn boekentas in zijn armen. Hij keek naar zijn ouders.

'Wat is er aan de hand?'

Ze zeiden niets. Hij liet zijn tas vallen en kwam de keuken in. Hij keek naar de bakblikken op de vloer.

Hij vroeg: 'Is er iemand jarig of zo?'

Vijftig meter voor hen was Polly driftig aan het fietsen op haar barbiefiets. Ze wilde niet dat Steve de zijwieltjes verwijderde, net zoals ze tijdens haar zwemlessen had geweigerd haar opblaasbare armbandjes af te doen. Steve zag hoe ze met wapperende krullen doelbewust over het midden van het geasfalteerde pad in Westerham Park fietste. Jongens op skateboards en steppen reden respectvol om haar heen op een manier die, dacht Steve, als ze ouder en kwetsbaarder was, alleen maar kon eindigen in tranen of triomf.

Hij vond het makkelijker om zijn aandacht op Polly te richten dan op Nathalie. Nathalie, die nooit erg demonstratief was, liep gearmd met hem, waarbij ze af en toe haar hoofd naar hem omdraaide zodat haar haren langs zijn schouder streken. Ze had zijn arm gepakt zodra ze in het park kwamen, en ze praatte tegen hem zoals ze de afgelopen dagen had gepraat, ernstig en vertrouwelijk, alsof hij, de man met wie ze samenwoonde en aan wie toevallig de vereiste graad van emotionele intelligentie ontbrak, opeens was veranderd in een boezemvriend, de persoon die het ingewikkelde en tegenstrijdige van haar emoties die ze op dat moment beleefde, zonder enige moeite zou begrijpen.

Steve vond het vreselijk. Hij voelde de druk van haar arm door het katoen van zijn mouw. Hij voelde zich afschuwelijk, minderwaardig. Hij hoorde haar praten over Cora, over het moederschap, over de lange, pijnlijke tocht naar berusting, hoe teleurstellend ook, en hij kon voelen door de manier waarop ze praatte dat ze niet alleen wilde dat hij haar begreep en zou troosten, maar ook dat ze wist dat hij dat zou kunnen omdat hij een dergelijke teleurstelling had meegemaakt, zich ook niet goed had kunnen vinden in zijn jeugd. Ze praatte eigenlijk op een manier waar hij een paar weken geleden alles voor zou hebben gegeven, zo lang naar had verlangd, een manier waarop hij al die jaren dat ze samen waren jaloers was geweest omdat hij bang was dat ze die uitsluitend aan David gunde. En nu stortte ze vol vertrouwen haar hart uit en was hij gewoonweg te bezoedeld om dat vertrouwen waard te zijn. Hij keek naar Polly op haar roze fietsje, en hij wenste heel kinderlijk dat hij met haar kon ruilen.

'Zal ik je iets vertellen?' zei Nathalie. 'Iets wat je totaal niet zou verwachten? Ik heb een les in nederigheid gekregen. Ik weet nu dat ik me zonder reden heb gedragen als een tragische heldin. Ik zag mezelf als het middelpunt om wie alles draaide. Wat vreselijk om dat te moeten toegeven. Ik vond er zelfs iets aantrekkelijks aan, iets dramatisch. En nu ik Cora's verhaal ken voel ik me vreselijk. Wat zij heeft doorgemaakt wat eenzaamheid en afwijzing betreft is tien keer erger dan wat mij ooit is overkomen. En ik voel me nog afschuwelijker omdat ik haar niet als mijn moeder kan zien. Ik zie haar als een lief mens die in iets verzeild is geraakt wat nooit haar bedoeling is geweest en waarvoor ze altijd heeft moeten boeten, en ik vind het vreselijk voor haar. Maar ik kan de band niet voelen die ik had verwacht, de band die ik met Polly heb...'

'Kijk Polly eens,' onderbrak Steve haar.

Nathalie keek. Toen keek ze naar Steve.

'Luister je niet?'

'Jawel...'

'Interesseert het je niet? Ik dacht dat je het wel zou willen horen.'

'Ja. Ja, natuurlijk wel.'

'Ik verval zeker in herhaling. Dat gebeurt nu eenmaal als je dingen op een rijtje probeert te zetten.'

'Nathalie...'

'Ja?'

Steve bleef staan. Hij keek naar de lucht.

Hij zei: 'Dat is het niet.'

'Wat dan wel?'

'Ik wil heel graag horen wat je zegt. Ik vind het heerlijk dat je zo tegen me praat, ik heb er zo naar verlangd dat je op deze manier tegen me zou praten...' Hij zweeg.

Nathalie trok haar arm weg en pakte zijn hand.

'Wat is er?'

Steve voelde de tranen achter zijn ogen prikken.

Hij bracht met moeite uit: 'Ik kan het niet. Ik kan je niet zo laten praten. Ik kan het niet verdragen dat je zo... zo vol vertrouwen bent.'

'Waarom niet? Wat is er?'

Steve trok zijn hand los en wendde zich af. Hij boog zijn hoofd.

Hij zei, zo onhoorbaar mogelijk: 'Ik ben vreemdgegaan.'

'Wat?'

Hij hief zijn hoofd iets op.

Hij zei weer, zonder zich om te draaien: 'Ik ben vreemdgegaan.'

Er viel een stilte, een schijnbaar oneindige en volslagen stilte. Toen liep Nathalie om hem heen tot ze zijn gezicht kon zien.

'Vreemdgegaan?'

'Ja.'

Hij kon haar niet aankijken. Hij kon haar gezicht zien, zo dicht bij dat van hem, en hij keek erlangs, langs haar oor en een donkere haarlok.

'Waarom?' zei Nathalie met een soort gefluisterde kreet.

Hij schudde zijn hoofd.

'Ik was eenzaam.'

'Eenzaam?'

'Ik dacht dat je mij niet meer belangrijk vond. Ik dacht dat ik niet meer genoeg voor je was...'

'Je bent vreemdgegaan,' zei Nathalie vol afschuw.

'Het spijt me, het spijt me zo vreselijk...'

'Wie was het?'

'Dat weet je wel.'

'Nee, dat weet ik niet. Wie... o, nee,' zei Nathalie. 'Niet zij, hè, niet dat vriendinnetje van Titus, niet die pseudo...'

'Ja,' zei Steve.

Nathalie deed een stap achteruit en sloeg haar handen voor haar gezicht.

'Waarom nú...'
'Daar kwam het juist door. En het is voorbij.'
Nathalie zei niets.
'Het is voorbij,' zei Steve. 'Ik ben één keer met haar naar bed geweest en het is voorbij. Ik heb er een eind aan gemaakt en ze is weg.'
Nathalie haalde haar handen van haar gezicht. Ze keek hem recht in zijn gezicht.
'Het is voorbij?'
'Ja. Dat garandeer ik je. En het heeft nooit iets te maken gehad met liefde, nooit.'
'Voorbij...'
'Ja.'
'Voor jou,' zei Nathalie. Haar ogen waren heel groot. 'Voor jou misschien. Maar zie je dan niet dat het voor mij nog maar het begin is?' Toen draaide ze zich om en rende weg over het pad naar Polly en haar fietsje.

19

'Wil je een whisky of zo?' vroeg David.
Steve schudde zijn hoofd.
'Het maakt niets uit. Maar bedankt.'
'Een biertje dan.'
'Ja...'
'Ik zal het halen,' zei David. 'Blijf zitten. Ik ga het halen.'
Steve keek hem na toen hij door de pub liep en vervolgens, wat lange mannen zo goed leek af te gaan, zich een weg door de menigte voor de bar baande tot hij recht voor de barman stond. Hij bedacht beschaamd dat, al was hij op het idee gekomen om aan te bieden om drankjes te gaan halen, hij niet eens de bar gehaald zou hebben, niet door de pub had kunnen lopen in de wetenschap dat David hem nakeek, dat David wist wat hij had gedaan en vervolgens iets deed wat hij bijna nooit had gedaan in al die jaren dat ze elkaar kenden: David had hem opgebeld en uitgenodigd om ergens iets te gaan drinken.
'Iets drinken,' had Steve gezegd, alsof David een reis naar de maan had voorgesteld. 'Met... met jou?'
'Waarom niet?'
Steve had zijn mobiele telefoon tegen zijn andere oor gelegd. Nathalie was de vorige avond naar David en Marnie gegaan en ze was uren weggebleven. Toen ze terugkwam, had ze voor de derde achtereenvolgende avond gezegd dat Steve beter op de bank in de woonkamer kon slapen.
'Omdat...'
'Wat?'
'Nathalie is gisteren bij jullie geweest...'
'Het gaat niet om Nathalie. Of alleen maar zijdelings. Het gaat

om iets wat ik eigenlijk liever aan jou wil vertellen dan aan Nathalie. Ik heb liever dat jíj het aan Nathalie vertelt.'

'Goed,' zei Steve aarzelend.

'Mooi,' had David gezegd. 'Mooi. Met lunchtijd in de Seven Tuns.'

En nu zat hij hier op een gecapitonneerde bank met precies dezelfde grove velours bekleding die zijn vader altijd wilde in de Royal Oak, terwijl David een biertje voor hem haalde.

'Alsjeblieft,' zei David terwijl hij het glas voor hem neerzette.

'Dank je.'

David ging op een stoel tegenover Steve zitten en trok die dichter naar de tafel.

'Even orde op zaken stellen,' zei David. 'Over Nathalie, toen ze gisteravond kwam. We vinden het heel erg, maar we staan erbuiten. Jullie moeten het zelf zien op te lossen.'

'Ik dacht,' zei Steve, 'dat je me wilde uitmaken voor alles waar ik mezelf voor wilde uitmaken.'

'Nee.'

'Heeft ze...'

'Zij heeft je ook niet uitgescholden. Ze is geschokt, maar ze heeft je niet uitgescholden.'

Steve verschoof zijn glas.

Hij zei: 'Ik ben wel geschokt.'

'Dat geloof ik.'

'En ik schaam me.'

David zei niets. Hij boog zich voorover en zette zijn ellebogen op zijn knieën.

'En nu,' zei Steve, 'sinds vanmorgen, lijkt het erop dat al mijn personeel vertrekt.'

David keek op.

'Wat mankeert ze? Van Titus kun je het begrijpen...'

'Justine vanwege Titus, en Meera omdat ze zegt dat ik me niet op het werk concentreer, en dat van haar vind ik het ergste omdat ze gelijk heeft.'

'Ze lijkt me een meisje dat meestal gelijk heeft.'

'Ze is briljant. Onvervangbaar. Maar wil ik haar wel vervangen? Wil ik een van hen vervangen? Wil ik...'

'Hoor eens,' zei David, 'ik wil niet vervelend zijn, maar dat is precies waarover ik het met je wilde hebben.'

'Mijn bedrijf?'

'Dat van mij,' zei David.

Steve pakte zijn glas op en zette het weer neer.

'Je zit toch niet in de problemen...'

'De zaken gaan uitstekend,' zei David. 'Niet zo goed als voorheen, maar goed. Ik vind het leuk, maar niet meer zo leuk als vroeger. Ik ga de boel verkopen.'

Steve schrok.

'Verkopen!'

'Ja,' zei David. 'Omdat we naar Canada gaan.'

'Jullie gaan zo vaak naar Canada...'

'Ik bedoel voorgoed.'

Steve leunde achterover en haalde diep adem.

'Allemachtig.'

'Door al dat familiegedoe,' zei David, 'hoe alles is gelopen, die zoektocht naar mijn moeder, en vervolgens een broer die me wel kan vermoorden, en het besef dat mijn naam niet mijn naam is, en dat ik Marnie dit alles heb laten doormaken... daardoor heb ik het idee gekregen dat ik ergens opnieuw moet beginnen. Ik heb nu de antwoorden, ik weet wat ik moet weten. Daar kan ik mee beginnen, ik kan ergens gaan wonen waar de mensen me alleen daarvan kennen.'

Steve vroeg: 'Ga je je naam veranderen?'

'Misschien.'

'Ga je de naam van je biologische vader aannemen?'

David haalde zijn schouders op. 'Misschien. Of het kan te laat zijn...'

'Ga je proberen je vader te zoeken?'

'Dat misschien ook.'

'Ik denk... ik denk dat ik begrijp wat je gaat doen.'

'Geen vaagheden meer,' zei David. 'Geen gissen. Ik hoef niet meer door een straat te lopen en me af te vragen of mijn moeder daar ook ooit heeft gelopen. Dat heeft ze niet gedaan. Ze heet Carole Latimer en ze is nooit eerder in Westerham geweest.'

'Maar waarom Canada?'

'Probeer je eens in te denken,' zei David, 'om in Winnipeg te wonen en gewoon geaccepteerd te worden zoals ik bén, zonder al die adoptieproblemen. Mijn ouders hebben namen. Ik heb een naam. Ik heb fantastische adoptiefouders maar die wonen in Engeland, dus al die toestanden kunnen gelukkig in Engeland blijven. Het wordt eindelijk eenvoudig, eindelijk ongecompliceerd, eindelijk dúídelijk.'

'Ja.'

'En Marnie komt weer thuis.'

'Ja.'

'En misschien zal ik op een bepaalde manier vinden dat ik ook thuis ben gekomen.'

Steve keek naar hem.

'En als het niet werkt?'

'Hoe bedoel je?'

'Als het je niet bevalt,' zei Steve. 'Als je je niet gelukkig voelt?'

David keek terug.

Hij zei: 'Heb je wel geluisterd?'

'Dat dacht ik wel...'

'Naar wat ik net over mijn leven tot nu toe heb gezegd? Hoe kan Canada niet beter zijn dan dat?'

Steve sloeg zijn ogen neer.

'De kinderen zullen het wel prachtig vinden.'

'Ze weten het nog niet.'

'En... en je wil dat ik het aan Nathalie vertel.'

'Ja.'

'Waarom doe je dat zelf niet?'

'Waarom denk je?'

'Omdat jij niet degene wilt zijn die haar nog meer van streek maakt...'

'Nee,' zei David. Hij pakte zijn glas. 'Omdat ik er niet meer voor haar kan zijn. En jij wel.'

Steve zei niets. Toen keek hij naar de vertrouwde drukte bij de bar.

'En als ik het niet kan?' vroeg hij. 'Als ik het heb verknald bij haar?'

David nam een slok. Toen hield hij zijn glas vast en keek erin.

'Dan moet je bij jezelf te rade gaan. Net als ik heb gedaan.'

Over een minuut of tien zou Betty op Cora's deur kloppen en zeggen dat het eten klaar was. Vroeger, als Cora geen les hoefde te geven, kwam ze vaak in de keuken om te helpen met uien snijden en wortels schrappen, ook al deed ze het nooit precies zoals Betty graag wilde. Dan kreeg ze een schort en een hakbord en een mes alsof, dacht ze, ze een braaf kind was en een taak kreeg toebedeeld terwijl Betty toekeek en zoals altijd teleurgesteld werd in Cora's werkwijze. Maar sinds Nathalies bezoek had Cora geen zin om lang in de keuken te zijn, te lang alleen met Betty, die net zomin als hun moeder in staat was om ook maar iets van wat haar dwarszat, voor zichzelf te houden. En omdat geen van Betty's huidige meningen overeenkwam met die van Cora, was het beter om uit haar buurt te blijven tenzij Don erbij was om de boel te sussen door te zeggen: 'Laat haar met rust, Betty, laat haar met rust.'

Goed, ze was alleen. Maar in tegenstelling tot Betty's bewering dat ze wanhopig was in haar eenzaamheid, was ze dat volgens haarzelf niet, in elk geval niet eenzamer dan voorheen. Ze vermoedde dat sommige mensen gewoon zo waren, hun hele leven alleen, met dat vreemde gevoel dat ze er niet helemaal bij hoorden, niet bij de anderen pasten. Het was niet erg pijnlijk als je er eenmaal aan gewend was; alleen een manier van leven die andere mensen, die behoefte hadden aan nauw contact met anderen, nooit zouden begrijpen. Cora vroeg zich zelfs af en toe af of ze, als ze ooit de gelegenheid had gehad voor nauw contact met anderen, als ze ooit had ingestemd met de voorstellen van Betty's gasten, dat wel zo prettig zou hebben gevonden. Voor zichzelf wist ze wie ze was, bevond ze zich in een vertrouwde situatie die ze beheerste. Hoe zou het voelen om zich op onbekend terrein te begeven, risico's te nemen en akkoorden en compromissen te sluiten? Hoe zou het voelen om de ultieme vrijheid van je eigen ik op te geven, op te móéten geven?

Trouwens, als ze eerlijk was had ze niet verwacht dat het alleenzijn zou veranderen nadat ze Nathalie had ontmoet. Ze had dan wel haar kleine altaar en ze keek gefascineerd naar de foto's, maar ze had zichzelf nooit wijsgemaakt dat ze een legendarische periode van het gelukkige gezinnetje tegemoet zou gaan. De ontmoeting met Nathalie ging over iets heel anders, over de onuitsprekelijke opluchting en troost nu ze wist dat Nathalie niet kwaad was om het verleden, dat ze iets had weten te maken van een leven dat zo ellendig begonnen was. Het was zo moeilijk om haar te laten inzien dat ze nooit van plan was geweest om moeder en dochter te spelen, niet wilde terughalen wat verloren was en voorgoed verdwenen.

Het probleem was – en Betty had dat natuurlijk meteen aangegrepen – dat de ontmoeting niet makkelijk was geweest. Niet echt moeilijk, maar ontegenzeggelijk lastig. Het was bij nader inzien natuurlijk onvermijdelijk dat er spanning was tussen hen en hun verschillende manier van leven, maar pas toen ze Nathalie zag en haar stem hoorde, besefte ze dat beleefdheden plaats zouden moeten maken voor eerlijkheid. Nathalie had niets verkeerd gedaan, maar ze was ook niet ontspannen. Toen de deur van het pension waar Cora een kamer voor haar had geboekt die avond achter haar was gesloten, wist Cora dat Nathalie opgelucht was om alleen te zijn, en dat was zij ook. Ze was weliswaar gekwetst, zoals je je voelt als je vindt dat je jezelf voor gek heb gezet, maar ze was ook vrij om terug te gaan naar haar kamer waar ze niet alleen met haar gedachten leefde, maar ook met baby Samantha. En daar lag de pijn, wist ze, de pijn die ze onder ogen zou moeten zien. Het lag niet aan Nathalie en haar stadse manieren, of misschien alleen een beetje. Het lag aan het besef dat baby Samantha, geïdealiseerd, kostbaar en verloren, in de harde, kille realiteit niet meer bestond. Zo moest je je voelen als je je geloof had verloren, vermoedde ze. Als je ooit een geloof had gehad, tenminste.

Betty's vuist sloeg tegen de slaapkamerdeur.

'Het eten is klaar!'

Cora bleef waar ze was, zittend op haar bed.

Betty draaide de deurknop om en keek naar binnen.

'Ik vind het vervelend als je zit te piekeren.'

'Ik pieker niet,' zei Cora. 'Ik denk na.'

Betty kwam de kamer in.

'Dat is hetzelfde.'

'Ik voel geen wrok,' zei Cora. 'Ik wens niet dat wat er gebeurd is, beter niet had kunnen gebeuren. Ik denk er alleen over na.'

Betty bleef voor haar staan.

'Wat ga je nu doen?'

Cora haalde even haar schouders op.
'Niets.'
'Heeft ze je gebeld?'
'Één keer,' zei Cora, 'om te zeggen dat ze veilig terug is en dat Polly op de zevenentwintigste wordt geopereerd aan haar oor.'
Betty snoof even.
'Is dat alles?'
Cora wierp haar een nijdige blik toe.
'Wat had je dan gedacht dat ze zou zeggen? Dat ze over het weer zou praten? Over televisieprogramma's?'
'Je weet heel goed wat ik bedoel.'
'Ik verwacht niets,' zei Cora. 'Ik heb gekregen wat ik wilde en ik verwacht verder niets.'
'Mooi,' zei Betty.
'Hoezo?'
'Omdat,' zei Betty, terwijl ze een hand uitstak als teken dat Cora moest opstaan, 'je nu kunt beginnen met accepteren dat het voorbij is.'
Cora keek vol weerzin naar Betty's hand.
'Voorbij...'
'Ja,' zei Betty. Ze zei het op een toon die geen tegenspraak duldde. 'Ja. Het hoofdstuk is gesloten. Eindelijk!'

Lynne stond bij het aanrecht en wachtte tot het water echt koud was. Toen ze door het raam boven het aanrecht naar buiten keek, kon ze zien dat Nathalie nog steeds zat waar ze haar had achtergelaten toen ze zei dat ze iets te drinken ging halen: op de bank bij de seringenstruik, voor zich uit starend.
'Ik hoef niets te drinken,' had Nathalie gezegd.
Lynne legde een hand op haar arm.
'Toch wel, lieverd. Je hebt gehuild.'
Nathalie had flauwtjes geglimlacht.
'Dat zeg je altijd. Dat deed je altijd als we hadden gehuild. Denk je dat door drinken onze traanbuizen weer worden gevuld?'
Lynne had vlierbessensiroop en ijsblokjes in twee glazen gedaan. Ze wist dat het dwaas was om iets te drinken te halen, maar haar gevoel bracht haar er altijd toe om praktische dingen te doen, en

daarbij had ze even een moment in haar eentje nodig om tot zichzelf te komen na Nathalies woeste uitbarsting zonet, toen ze in tranen beweerde dat de twee belangrijkste mannen in haar leven haar in de steek hadden gelaten. Steve door naar bed te gaan met die Sasha, en David door voorgoed naar Canada te vertrekken.

'Hoe kon hij?' had Nathalie gejammerd. 'Hoe kon Steve me dat aandoen? En hoe kan David me in de steek laten?'

Op dat punt overwoog Lynne om te zeggen dat ze net zo van streek was door Davids vertrek als Nathalie, maar ze wist zich met moeite in te houden.

'Ik kan het niet geloven,' zei Nathalie. 'Ik kan niet geloven dat ze me dit allebei aandoen. En dat ze hebben samengespannen! Dat David tegen Steve heeft gezegd dat *hij* het mij moest vertellen...'

Lynne pakte de glazen beurtelings op en hield ze onder de kraan. Er was zoveel gaande op dit moment, zoveel tegenstrijdige gevoelens, dat ze niet wist wat het belangrijkste was. Haar eigen schrik en ontzetting door Davids nieuws en het feit dat Steve ontrouw was geweest, waren immers vlak na de opluchting over het resultaat van de ontmoeting van Nathalie en David met hun moeders gekomen. Het was, zoals zo vaak, weer eens een bewijs dat het leven je alleen iets gunde waar je naar verlangde, als het je tegelijkertijd als compensatie iets net zo belangrijks ontnam. Ze zette de glazen op een dienblad en keek naar een zakje zoute amandelen. Als ze die ook op het dienblad legde, zou Nathalie zeggen dat eten je verdriet niet kon doen verdwijnen. Ze aarzelde even, maar liet het zakje liggen.

Ze droeg het dienblad naar buiten en zette het op de tafel die Ralph jaren geleden had gemaakt, toen buiten eten van een picknick op het strand was geëvolueerd tot iets wat je op elke mooie dag van het jaar kon doen.

'Hij kende haar amper,' zei Nathalie, terwijl ze haar hoofd omdraaide en door de tuin keek. 'Ik bedoel, wat houdt dat in? Wat voor man gaat naar bed met iemand die hij amper kent?'

Lynne haalde diep adem. Ze schoof een glas naar Nathalie.

Ze zei, met een stem die zo vastberaden klonk dat ze zelf verbaasd was: 'In het geval van Steve, een man die verbijsterd en ongelukkig is.'

Nathalie draaide vlug haar hoofd om.
'Wat bedoel je?'
'Hij kon je niet bereiken. Dat konden we geen van allen. Jij ging op die zoektocht, en wat voor effect het ook zou hebben op je omgeving, je liet je er niet door weerhouden.'
Nathalie keek haar moeder als met stomheid geslagen aan.
'Bedoel je dat het mijn schuld was dat Steve met een ander de koffer in is gedoken?'
Lynne pakte haar glas op.
'Het is nergens voor nodig om dat soort taal tegen mij te gebruiken.'
'O, alsjeblieft, zeg...'
'Maar als je mijn mening wilt horen, lieverd, dan heb je hem er natuurlijk niet toe gedreven, maar je hebt hem heel sterk de indruk gegeven dat je hem niet wilde, dat je hem niet nodig had. Jij had David en je zoektocht, en verder had je niets of niemand nodig.'
'Dus volgens jou is dat een excuus om met een ander de koffer in te duiken?'
Lynne zette haar glas neer. Ze draaide zich om en keek Nathalie recht in haar gezicht.
'Omdat hij blijkbaar één keer met dat meisje naar bed is geweest en er vreselijk spijt van heeft, zou ik ja zeggen.'
'En wat weet jij van dat soort dingen?'
'Genoeg,' zei Lynne gepikeerd, 'om jou een toontje lager te laten zingen.'
Nathalie hield haar adem in van verontwaardiging.
'Hou op...'
'Ik ben niet bang voor je, lieverd,' zei Lynne. 'Dat was ik vroeger wel, maar nu niet meer. Er zijn jou vreselijke dingen overkomen, maar ook heel mooie. Ik weet dat je in het verleden weinig aan me hebt gehad omdat ik over veel dingen zo onzeker was, maar door alles van de afgelopen maanden kan ik het leven in het algemeen beter waarderen. Ik weet dat ik je nu niet meer kwijt kan raken, al ben je nog zo kwaad op me, en als ik je niet kwijt kan raken ook al wil je niet meer met me praten, dan kan ik zonder zorgen van je blijven houden.'
Nathalie staarde haar aan.
'Natuurlijk,' zei Lynne, 'kan ik Steve wel wat dóén voor wat hij

heeft uitgehaald. Net zoals ik liever had gehad dat David niet met een Canadese was getrouwd omdat hij dan nu niet zou weggaan. Maar het liefste zou ik zien dat je eens nagaat wat je allemaal hebt, en dat leert waarderen.'

Nathalie staarde haar nog steeds aan.

Bijna zonder haar lippen te bewegen zei ze: 'Zoals?'

Lynne ging verzitten. Ze streek de voorkant van haar bloes glad.

'Om te beginnen,' zei ze, 'kun je leren inzien dat wat Steve heeft gedaan verkeerd was, maar wat jij hebt gedaan ook, gedeeltelijk. Je bedriegt mensen niet alleen door met een ander naar bed te gaan, je kunt ze ook bedriegen door iemand anders dan hen in vertrouwen te nemen over iets heel belangrijks.'

Nathalie sloeg haar ogen neer.

'Ik denk,' zei ze, 'dat ik hier meer dan genoeg van heb.'

'Dat zal wel.'

Nathalie ging verzitten op de bank.

'Dan ga ik maar...'

'Goed, lieverd.'

'Ik kan beter gaan voor je tegen me zegt dat dit allemaal niet zou zijn gebeurd als ik gewoon met Steve was getrouwd.'

Lynne wierp haar een blik toe.

'Dat was niet bij me opgekomen.'

'Nee,' zei Nathalie. 'Omdat je al over genoeg andere dingen hebt zitten preken.' Ze stond op. 'Niets is zo simpel als jij het wilt doen lijken.'

'Nee?'

'Nee!'

'Het hoeft alleen maar een drama te zijn,' zei Lynne, 'als jij dat ervan maakt.'

Nathalie wierp het hoofd in de nek.

'Moet je horen wie dat zegt!'

'Dat kan wel zo zijn,' zei Lynne. 'Maar we kunnen allemaal leren.'

'Gemeenplaatsen,' zei Nathalie. 'Clichés. Dat soort dingen zeg je altijd...'

'Waarom ben je dan gekomen? Als je vindt dat je toch niet met me kunt praten, waarom ben je dan gekomen?'

Het bleef even stil. Nathalie balde haar handen tot vuisten, ontspande ze weer en zei toen op een ingehouden, felle, bijna fluisterende toon: 'Omdat je mijn móéder bent!'

Lynne stond ook langzaam op. Ze vouwde haar handen ineen om te voorkomen dat ze haar armen om Nathalie zou slaan.

'En je echte moeder dan? Cora?'

Nathalie wendde haar hoofd af.

'Dat weet ik niet...'

'Laat je haar nu gewoon vallen? Is al die moeite en pijn en ontdekking vergeefs geweest? Ga je tegen haar zeggen dat ze niet meer nodig is nu je hebt gekregen wat je wilde?'

'Mam...'

'Nou,' zei Lynne. 'Ik kan niets meer doen aan Steve en jou. Ik heb alles gezegd wat ik wilde zeggen, en nu is het aan jullie twee. Maar ik laat die arme vrouw niet daar in Northsea wegkwijnen met het idee dat niemand zich om haar bekommert.'

'Mam...'

'Denk eens aan wat zij heeft doorgemaakt. Al die jaren. Denk daar eens aan!'

'Daar denk ik ook aan,' zei Nathalie. 'Maar ik weet niet wat ik moet doen.'

'Dan doe ik het wel,' zei Lynne. Ze maakte haar handen los en sloeg haar armen over elkaar. 'Ik ga haar opbellen.'

Op de salontafel dicht bij de fauteuil in de zitkamer had Connor een brochure van *Elegant Resorts* gelegd. Hij had die daar speciaal laten liggen, er meerdere malen op gewezen, en tegen Carole gezegd dat ze helemaal zelf mocht kiezen, dat het hem niets kon schelen of deze speciale vakantie – hij had niet de woorden 'tweede huwelijksreis' gebruikt, maar het was overduidelijk, alsof ze op zijn voorhoofd gedrukt stonden – zich op Mauritius of in Thailand of op de Malediven zou afspelen. Het ging erom, zei hij terwijl hij Carole veelbetekenend aankeek, dat hij haar ergens mee naartoe zou nemen waar ze het liefste wilde zijn, ergens waar de witte stranden en de blauwe zee zachtjes de afgelopen woelige maanden zouden uitwissen en hen terugbrengen naar al hun vroegere zekerheden.

Carole had de brochure een paar keer opengeslagen. Ze had gekeken naar foto's van uitgestrekte witte stranden en witte bedden en mensen die werden gemasseerd in boudoirs die wel van marsepein leken te zijn gemaakt. Ze herinnerde zich vorige vakanties van dit soort met Connor, vakanties in een cocon van onwaarschijnlijk comfort, bijna benauwend in hun regelmaat en onberispelijke, ondraaglijke service. Ze herinnerde zich dat ze een keer uit de zee kwam, de warme, heldere, blauwgroene tropische zee, en dat er alweer een beleefde jongen in livrei klaarstond met een handdoek en een glas ijswater op een dienblad, compleet met orchidee, en dat ze toen dacht: dit is werkelijk volslagen waanzin.

Dat gold in haar ogen ook voor Connors beoogde doel. Het was belachelijk om te denken dat iets veranderd, teruggedraaid kon worden door ergens anders naartoe te gaan, door twee weken in een luchtbel van blabla-land te leven. Het was belachelijk om te denken dat zij nog dezelfde persoon was, dat hun huwelijk hetzelfde instituut was, dat Connor, door een paar duizend pond uit te geven, weer de plaats kon innemen die hij al die jaren meende te hebben gehad, de plaats die hij zowel acceptabel als onbetwistbaar achtte voor haar. En het meest belachelijke was nog dat zij erin meeging, dat ze zich liet meevoeren door een vliegtuig en als een hulpeloos pakket liet dumpen voor de voeten van een heleboel onverschillige mensen, die haar op aanwijzingen van Connor zouden uitpakken.

Ze pakte de brochure op en bekeek hem. Toen nam ze hem door de gang mee naar Martins dichte slaapkamerdeur. Ze wist dat hij er was. Omdat het zaterdagmiddag was; hij had geweigerd om met zijn vader te gaan tennissen en had luidkeels verkondigd, op die gekwetste toon die hij zich eigen had gemaakt, dat hij zich niet kon veroorloven om in de weekenden zowel overdag als 's avonds uit te gaan, en dat hij daarom overdag gewoon thuis wilde blijven.

Carole klopte op de deur.

Het bleef even stil, en toen zei Martin: 'Binnen.'

Hij lag op zijn onopgemaakte bed op het dekbed, met zijn sportschoenen aan, de *GQ* te lezen. Carole hield de brochure op.

'Heb je dit gezien?'

Martin snoof. Hij hield zijn blik op zijn tijdschrift gevestigd. 'Leuk voor sommige mensen.'

Carole ging op de rand van het andere bed zitten en schoof een slordige stapel kleren van Martin opzij.

'Ik wil niet weg.'

Martins lichaam verstrakte.

Hij zei op overdreven onverschillige toon: 'O?'

'Nee.'

'Dat vond je toch altijd leuk...'

'Nee. Ik ging wel mee, maar ik vond het niet leuk.'

'Nou, dat is dan fijn voor pa.'

'Híj vond het leuk. Híj wilde erheen. Híj boekte die vakanties. Hij wil deze ook boeken.'

Martin wierp haar een zijdelingse blik toe.

'Waarom zeg je dat tegen mij?'

Carole legde de brochure op een stapel truien.

'Ik wil dat je me helpt om het tegen je vader te zeggen.'

'Wát?'

'Ik wil dat je me helpt om tegen je vader te zeggen dat ik deze vakantie niet wil. Dat het geen enkel verschil maakt, dat we niet kunnen doen of wat er gebeurd is, niet is gebeurd en gewoon kunnen teruggaan naar waar we waren gebleven. Of waar we dáchten dat we waren gebleven.'

Martin legde het tijdschrift neer en ging zitten.

Hij zei gemelijk: 'Je hoeft niet zo te slijmen, hoor.'

'Als je het zo wilt beschouwen...'

'Ja. Jij had contact gehouden met David als ik er niet voor had gezorgd dat het niet meer zou gebeuren. Dat wéét ik, dus doe niet of het niet zo is. En probeer me nu niet te belazeren!'

Carole keek naar de vloer.

'Ik weet dat ik hem niet kan blijven zien. '

'Wat?'

'Ik weet dat ik David niet kan blijven zien. Ik weet niet of ik hem wilde zien om hemzelf of omdat hij zo op zijn vader lijkt. Het is misschien een schrale troost, maar ik had niet het gevoel dat hij mijn zoon is, mijn kind. Hij leek iemand die ik heb gemist, iemand die ik niet kan krijgen, dus heeft het geen zin om te doen of het wel zo is. Ik ben blij dat je er een eind aan gemaakt hebt, daar ben ik echt blij om.'

Het bleef even stil en toen zei Martin met tegenzin: 'Je zit behoorlijk met jezelf overhoop, mam.'
'Misschien wel.'
Hij gebaarde naar de vloer.
'Die vakantie...'
'Ik kan het niet.'
'Wat ga je tegen pa zeggen?'
'Dat het geldverspilling is, dat het niets verandert, dat je de klok er niet door kan terugdraaien.'
Martin zei onverwacht: 'Hij zal het niet begrijpen, van jou niet.'
Carole keek op.
'Nee. En dan is er nog iets.'
Martin trok bijna onwillekeurig zijn knieën op en omklemde ze tegen zijn borst.
'Je gaat toch niet bij hem weg...'
'Nee.'
'Maar je hebt er wel aan gedacht.'
'Niet echt.'
'Waarom niet?'
Ze wendde haar blik af.
'Om jou.'
'Kom niet met dat soort praatjes aan!'
'Het is zo,' zei ze. 'Ik mag dan een slechte moeder zijn geweest, maar ik ben best in staat om te proberen iets goed te maken.'
Martin liet zijn knieën los.
'Je hoeft van mij niet te verwachten dat ik dankbaar ben...'
'Dat verwacht ik ook niet. Ik doe het net zo goed voor mezelf als voor jou.'
'Dus dat wil je tegen pa zeggen...'
Carole stond op en liep naar het raam.
'Hier zal ik het niet eens over hebben.'
'Waarom zou hij dan accepteren dat je niet op vakantie wil?' vroeg Martin.
Carole speelde met het koord van het rolgordijn.
'Omdat ik het geld wil hebben.'
'Jij durft!'
'Ik wil het geld dat hij anders aan die vakantie zou uitgeven,' zei

Carole, 'om daarmee, samen met mijn eigen geld, een nieuw bedrijf te beginnen.'
Martin snoof minachtend.
'Dat zal hij nooit goedvinden. Een bedrijf beginnen zonder hem? Dat had je gedroomd.'
Carole pakte het houten uiteinde van het koord en bekeek het.
'Zonder hem, absoluut. Maar ik denk dat hij het wel goedvindt als ik zeg dat ik het met jou wil.'
'Zo is het wel genoeg,' zei Martin.
Carole draaide zich om.
'Ik meen het.'
'Je vindt me waardeloos,' zei Martin. 'Je denkt dat ik nog geen zuippartij in een café kan organiseren.'
'Maar ik wel.'
'Zit me niet te betuttelen!' riep Martin uit.
'Jij kunt beter overweg met een computer dan ik. Jij kunt de boekhouding doen, al kun je geen bedrijfsplan maken. Dat kan ik weer.'
Martin draaide zich om.
'Ga weg.'
Carole liet het houten uiteinde los.
'Ik kan niets goedmaken op de manieren die jij wilt als je niet toestaat dat ik het probeer.'
Martin zei niets.
'We zullen ruzie krijgen,' zei Carole. 'We zullen elkaar op de zenuwen werken. Misschien verliezen we al het geld.'
'Ruzie hebben we toch wel...'
'Alleen,' zei Carole, 'omdat jij dat lijkt te willen.'
'Je hebt tegen me gelogen!'
'Ik heb tegen iedereen gelogen.'
Martin draaide zich weer terug.
'Hoe kan ik er zeker van zijn dat je het niet meer doet?'
Carole haalde haar schouders op.
'Er is niets persoonlijks meer om over te liegen. Je weet alles. En als het niet persoonlijk is, kan het je ook niet raken. Ik denk ook dat ik kan zeggen dat ik in zaken nog nooit heb gelogen.'
'Gelul.'
'Nou, nooit een persoonlijke zakenleugen dan.'

Martin stond langzaam op van het bed. Hij bukte zich en raapte de brochure op van de vloer.

Hij bladerde erdoor en zei toen, half met zijn rug naar haar toe: 'Hoe laat komt pa terug?'

20

Polly, dacht Steve, had het wel leuk gevonden in het ziekenhuis. Van de ingenieuze operatie was uiterlijk niets te zien en ze had er verrassend weinig last van.

'Au,' zei Polly zodra iemand in de buurt van haar hoofd kwam. 'Au, au, áú.'

'Wijs eens aan waar het pijn doet,' zei de chirurg terwijl hij op Polly's bed ging zitten.

'Hier,' wees Polly. 'En hier en hier en hier.'

De chirurg legde een hand op haar knie.

'En hier?'

Ze keek heel lelijk naar hem.

'Soms.'

Hij glimlachte.

'Misschien zul je een poosje oorbeschermers moeten dragen omdat alles zo hard zal klinken.'

'Niet waar,' zei Polly. 'Alles is precies hetzelfde.'

Hij klopte even op haar knie en stond op.

'Doe maar wat je het beste lijkt, Polly.' Hij keek naar Steve en Nathalie. 'Het geneest goed.'

'Au,' zei Polly.

Evie was gekomen met een nieuwe pyjama voor Polly, Lynne had bloemen gestuurd en Marnie had chocolade brownies ter grootte van dobbelstenen gemaakt. Iedereen was op bezoek gekomen bij Polly. Ze dromden het ziekenhuis binnen met die ietwat angstige schuchterheid die mensen altijd beving als ze in een ziekenhuis kwamen. Ze hadden druiven bij zich en snoep en plastic puzzels. In het bed naast Polly lag een zielige, magere jongen die nooit zijn honkbalpetje afdeed en met openlijke wrok naar haar bezoek en cadeautjes keek.

'Hoe heet hij?' vroeg Nathalie aan Polly.
Polly wierp een blik op hem. Ze had de zonnebril op die Ellen haar had gegeven, met een montuur van glinsterende, roze madeliefjes.
'Gewoon, een jongen.'
'Hij heeft toch wel een naam?'
'Nee,' zei Polly. 'Sommigen niet.'
Nathalie ging naar het bed van de jongen.
'Wil je ook een brownie?'
Hij keek haar even aan. Toen tilde hij een hand op en trok langzaam de klep van zijn honkbalpetje omlaag tot die zijn gezicht verborg.
'Een ander keertje dan,' zei Nathalie.
Ze ging weer op de blauwe plastic stoel bij Polly's bed zitten. Ze keek niet naar Steve, maar dat had ze toch al bijna niet gedaan. Ze had eigenlijk naar niemand gekeken, dacht hij, niet naar haar ouders of die van hem, niet naar David en Marnie en de kinderen toen die kwamen. Hij had gewild dat ze vooral naar David en Marnie zou kijken opdat hij kon zien of ze vond dat ze op de een of andere manier veranderd waren, dat ze iets van hun zelfvertrouwen hadden verloren, dat ze, nu ze gearmd aan Polly's bed stonden, voor het eerst sinds Steve zich kon herinneren kwetsbaar leken, bijna onzeker.
Marnie had ook iets met haar haar gedaan. Het leek korter, en in plaats van in een vlecht hing het nu los over haar schouders als een vreemd, golvend gordijn. Haar gezicht leek er jonger door maar ook onzekerder, alsof ze iets van haar zelfverzekerdheid kwijt was en er nog geen vervanging voor had gevonden. En de manier waarop ze David een arm gaf was ook niets voor haar. Ze leek afhankelijker dan Steve haar ooit had meegemaakt, en David klemde haar arm tegen zijn zij. Toen ze naar Polly keken, deden ze dat op een heel intense manier, alsof ze elk detail van haar in zich probeerden op te nemen.
'We gaan naar Canada,' zei Daniel tegen Polly. Hij hing op het voeteneind van haar bed. Ze keek niet op.
'Je gaat toch altijd naar Canada.'
'Nee, om te wonen, suffie. We gaan er naar school en zo. En we gaan er skiën.'

Polly zei niets. Ellen had haar de zonnebril in de roze plastic hoes aangereikt.

'Jullie komen toch logeren?'

'Ja,' zei Nathalie.

Polly pakte de zonnebril aan.

'Ik kom wel,' zei ze, 'als ik het niet druk heb.'

'Polly!'

'In de vakantie,' zei Ellen. 'In de zomer.'

'Het is bijna zomer...'

'Nou,' zei Ellen. 'Als je vrij bent van school.'

Polly zette de zonnebril op.

Nathalie zei, te vlug: 'Polly moet eerst hier kennismaken met iemand die heel belangrijk is. Ze komt van heel ver om Polly te ontmoeten.'

Steve legde een hand op Nathalies arm. Ze schudde hem af.

'Ze heet Cora,' zei Nathalie.

Daniel keek op.

'Wie is dat dan?'

'Ze is... nog een oma. Nog een oma voor Polly.'

Polly zuchtte. Ze zette de zonnebril af.

Ze zei luid: 'Ik heb al genoeg oma's.'

David begon te lachen. Hij maakte zijn arm los van die van Marnie en sloeg zijn handen voor zijn gezicht terwijl hij maar bleef lachen.

'O, Polly...'

Ze keek naar hem. Steve bukte zich en gaf een kus op Polly's hoofd.

'Bedankt, Pol.'

'Au,' zei Polly.

Hij wierp een blik op Nathalie. Haar gezicht was uitdrukkingloos.

'Toe, Nat...'

David haalde zijn handen van zijn gezicht.

Hij zei, op de toon waarmee hij zijn kinderen altijd tot de orde riep: 'Doe niet zo humeurig, Nathalie.'

Marnie hield hoorbaar haar adem in.

'Het geeft niet,' zei Nathalie strak. Ze wierp David een verzengende blik toe. 'Het is alleen wel heel veel tegelijk om aan te moeten wennen, nietwaar?'

Marnie knikte.

'Je vraagt je af wat goed zal gaan en wat niet...'

Ellen hief met een ruk haar hoofd op.

'Wat bedoel je?'

Marnie slikte. 'Ik bedoel dat Canada een prachtig avontuur is, maar dat alles heel anders zal worden. Voor mij ook.'

'Sst,' zei David.

'Ik zal je missen,' zei Marnie. Ze liet zich opeens op haar knieën vallen naast Polly's bed. 'Ik zal je zo missen, Polly.'

Polly keek opgelaten. Marnie keek naar Steve en Nathalie.

Ze zei: 'Ik zal jullie ook missen, jullie allemaal, echt waar, ik heb niet beseft dat...' Ze stopte haar gezicht in het blauwe katoen van Polly's deken en zei met gesmoorde stem: 'Ik dacht dat ik dit wilde, ik dacht dat ik...'

David bukte zich en legde zijn handen onder haar armen om haar op te trekken.

'Toe, Marnie...'

Nu huilde Marnie.

'Ik meen het, ik meen het. Het was niet mijn bedoeling om jullie uiteen te drijven, het...'

Nathalie boog zich over Polly's bed en legde een hand op Marnies arm.

'Dat is niet meer zo, echt waar. Dat is allemaal voorbij...'

'Maar alles is anders geworden!'

'Dat kon niet anders,' zei David. 'Bepaalde dingen moesten wel veranderen.' Hij hielp Marnie onhandig overeind.

'We waren er allemaal bij betrokken,' zei Nathalie. 'Allemaal.'

'Wat?' zei Ellen.

Er viel een stilte.

Ellen vroeg op scherpe toon: 'Gaat het weer over dat adoptiegedoe?'

'Nou,' zei Daniel terwijl hij weer een van Polly's druiven pakte. 'Ik ga in elk geval naar Canada.'

David hield Marnie vast.

'Wij gaan met je mee, jongen.'

Marnie stak een hand uit naar Polly.

'Beloof me dat je gauw komt. Beloof het.'

Polly zei hooghartig: 'Als mijn oor helemaal beter is.'

'Natuurlijk.'
'Dat kan nog héél lang duren.'
Marnie bukte zich en gaf een kus op Polly's hoofd.
'Breng iedereen mee.'
Polly knikte. Steve wierp een blik op Nathalie. Nathalie keek naar David en David keek over de hoofden van iedereen heen naar de roomkleurig geschilderde ziekenhuismuur.
'Neem spul mee tegen de muggen,' zei Ellen tegen Polly. 'Die zijn vreselijk gemeen!'
Nu, een week later, was Polly weer thuis en ze was niet te genieten. Nathalie had Steve weer in de slaapkamer toegelaten, maar ze droeg een pyjama. Hij had zelf het gevoel dat hij een soort gedetineerde was die elektronisch werd gecontroleerd, die spijt moest tonen en de wens om zich te beteren. Maar tegelijkertijd was hij sterk en mannelijk, kwaliteiten waar Nathalie in haar huidige toestand niet buiten kon. Om die reden had Steve Nathalie niets verteld over het bedrijf. Hij had gezegd dat Titus ontslag had genomen – ze had trouwens tijdens een van haar eerste uitbarstingen na de onthulling van zijn slippertje met Sasha gevraagd hoe Titus het kon verdragen om nog met hem samen te werken – maar hij had niet gezegd dat Justine en Meera ook zouden opstappen, dat Justine eigenlijk al weg was, en haar bureau had achtergelaten in een staat die van kinderlijke wrok zou getuigen als Steve zich niet zo verantwoordelijk had gevoeld voor haar gemoedstoestand. Hij had met geen woord over Meera gerept omdat hij haar vertrek het ergste vond, omdat daardoor zijn eigen zwakheid, zijn eigen onvermogen om onderscheid te maken tussen werk en privé, zijn eigen dwaasheid en destructieve risico's, werden benadrukt. Om in Meera's ogen te falen was iets waar hij niet aan kon denken zonder ineen te krimpen. En toen ze aanbood om te blijven tot hij een vervanger had gevonden, als die periode tenminste niet langer dan een maand zou duren, en hij haar aanbod met meelijwekkende gretigheid had aangenomen, wist hij dat hij in haar ogen niet lager had kunnen zinken.
'Eén maand dan,' had ze gezegd. 'Vanaf deze vrijdag. Zonder overwerk.'
Hij wierp een blik op de klok aan de muur boven haar bureau.

Het was tien voor zes. Ze was klokslag half zes weggegaan, en aan niets was te merken dat dit vertrek anders was dan anders. Haar bureau was keurig opgeruimd, haar prullenbak leeg, en er hing nog een zweem l'Eau d'Issey in de lucht als een soort verwijt. Steve ging op haar stoel zitten en keek op naar de balken. Deze avond konden ze hem geen voldoening geven. Ze leken gewoon oude, interessante stukken van bomen die alle menselijke dwaasheden al hadden gezien en volslagen onverschillig waren voor zijn stommiteiten. Hij bedacht dat binnenkort misschien iemand anders onder die balken zou werken, dat hij misschien alles zou moeten verkopen waar hij voor had gewerkt omdat hij te veel op zijn beloop had gelaten, omdat hij er een rotzooi van had gemaakt, omdat hij precies had gedaan wat zijn boze, teleurgestelde vader had voorspeld dat hij zou doen als hij de Royal Oak links liet liggen ten gunste van de kunstacademie.

Iemand klopte op de deur naar de trap. Steve schoot overeind.

'Binnen.'

De deur ging langzaam open.

'Ik zag dat het licht aan was,' zei Titus. 'Ik vroeg me af of je nog aan het werk was...'

'Heb jij ooit eerder op een deur geklopt?'

'Niet sinds school.'

'Nee.'

'Ik wist niet zeker,' zei Titus, 'wat je aan het doen was. Als je begrijpt wat ik bedoel.'

Steve vouwde zijn handen ineen achter zijn hoofd.

'Ik was aan het nadenken over de toekomst.'

'O.'

'En die staat me niet aan.'

Titus kwam het vertrek in en bleef bij Meera's bureau staan.

'Helemaal niet?'

Steve keek naar hem.

'Waarom vraag je dat?'

Titus sloeg zijn ogen neer. Hij schraapte zijn keel.

Hij zei onhandig: 'Ik... het spijt me van Nathalie.'

'Wat?'

'Het spijt me,' zei Titus, 'dat ik heb aangedrongen dat je het aan Nathalie zou vertellen.'

'Je was kwaad...'
'Ja. Woedend. Ik had je wel kunnen vermoorden. Maar niet Nathalie. Haar wilde ik geen pijn doen.'
'Titus,' zei Steve, 'waarom ben je hier eigenlijk?'
Titus maakte een gebaar. Hij droeg een spijkerjasje en de kraag zat voor de helft opgevouwen.
'Ik, eh... ik wilde vragen of alles goed is met haar. Met Polly in het ziekenhuis en zo.'
'Nathalie?'
'Ja.'
'Je bedoelt of ze het me heeft vergeven?'
'Ja.'
'Dat weet ik niet,' zei Steve.
Titus stak zijn handen in zijn zakken.
'Praten jullie wel met elkaar?'
'Zo'n beetje.'
'En haar broer gaat naar Canada, hè?'
'Ja.'
'Dus ze voelt zich... in de steek gelaten?'
'Ja,' zei Steve. Hij haalde zijn handen uit elkaar en boog zich voorover. Hij zei: 'Het komt niet door jou. Ik moest het haar toch vertellen.'
'Ik weet het niet,' zei Titus. 'Ik heb het niet zo op al dat opbiechten. Zo ben ik niet opgevoed. Ik denk dat mijn ouders het nog nooit met elkaar over liefde hebben gehad.'
'Zijn ze elkaar altijd trouw gebleven?'
Titus haalde zijn schouders op.
'Geen idee. Daar wil ik niet aan denken.'
'Nou, Nathalie is iemand die dat wel wil. En ik ook.'
Titus wierp hem even een blik toe.
'Dan heb je nog heel wat voor de boeg.'
'Ja.'
Titus haalde zijn handen uit zijn zakken en gebaarde naar de rest van het kantoor.
'En dit allemaal?'
Steve stond langzaam op.
Hij zei: 'Misschien moet ik het van de hand doen.' Hij haalde

diep adem, denkend aan Meera, en toen zei hij: 'Ik heb het verwaarloosd.'

Titus liep een paar stappen van hem vandaan en zei toen, met zijn rug naar Steve toe: 'Ik kan blijven.'

'Wat?'

'Ik kan blijven. Als je dat zou willen.'

'Tja...'

'Je bent vreselijk om voor te werken,' zei Titus, 'maar wat je doet bevalt me wel.'

'Dank je.'

'En eerlijk gezegd ben ik niet in de stemming om iets anders te zoeken. Ik heb geen zin om naar Londen te gaan en het erop te wagen.'

'Titus,' zei Steve. 'Misschien werkt het niet. Misschien is het te ver gegaan om nog te kunnen redden.'

'We kunnen opnieuw beginnen. We kunnen zelfs compagnons worden.'

'Ik weet het niet. Ik kan je niets beloven. Ik kan niet eens iets plannen tot ik precies weet waar ik aan toe ben...'

Titus draaide zich om.

'Is dat een nee?'

'Dat denk ik wel.'

'Lijd je soms aan zelfvernietigingsdrang of zo?'

'Misschien,' zei Steve bedachtzaam, 'moet ik me eerst bezighouden met Nathalie. Misschien, als zij het ook wil, moeten we alles eens goed overdenken, ook de manier waarop het geld moet binnenkomen.'

'Vind je niet,' zei Titus nijdig, 'dat je me iets verschuldigd bent?'

'Een excuus, ja. Maar niet een baan.'

'Verdorie!' zei Titus.

Steve liep naar Titus toe. Hij legde een hand op zijn arm.

Hij zei: 'Ik kan je er nu niet bij hebben. Ik zou het graag willen, maar ik kan het niet.'

Titus keek hem even aan.

'Dat is in elk geval eerlijk.'

Steve zei niets. Titus trok zijn arm weg en liep naar de deur.

'Dus alle wegen liggen voor me open.'

'Ja.'

'Geef je me een goed getuigschrift mee?'

'Natuurlijk.'

Titus bleef even in de deuropening staan. Hij wierp een blik op de foto's aan de muur achter Steves bureau.

Hij zei: 'Je bent een bofkont. Altijd al geweest.' Toen liep hij naar de trap en sloeg de deur achter zich dicht.

Steve liep door de studio en keek naar de straat beneden. Hij zag dat Titus even op het trottoir bleef staan om zijn zelfbeheersing terug te krijgen. Toen rechtte hij zijn rug en stak zijn kin in de lucht. Steve zag hem doelbewust de straat uit lopen zonder om te kijken, en met opzet oversteken zodat een auto om hem heen moest rijden om hem niet te raken. Toen stak hij de straat aan het eind over en verdween in een steeg die naar het centrum leidde.

Steve draaide zich om en ging terug naar zijn bureau. Dat was bedekt met papieren, papieren die hij had verwaarloosd, verzoeken, klachten, prijsopgaven, facturen, papieren die op dit moment een aspect van zijn leven voorstelden dat hem totaal niet aantrok. Hij zou ze laten liggen, besloot hij. Net zoals Titus ze zou laten liggen, en net als Titus zou hij de telefoon pakken en contact maken met wezenlijke zaken.

Hij keek naar de telefoon in zijn hand. Toen belde hij naar het appartement.

'Hallo,' klonk Polly's stem gebiedend.

'Hallo, schat...'

'O,' zei Polly. 'Jij bent het.'

'Ja.'

'Het is papa,' zei Polly over haar schouder, en toen weer gebiedend, vlug, voordat Nathalie de telefoon uit haar handen kon nemen: 'Ben je klaar met je werk?'

Steve keek om zich heen, door de studio, omhoog naar de geheimzinnige oude balken boven zijn hoofd.

'Ja,' zei hij. 'Ja, volgens mij wel.'

Het bleef even stil. Toen zei Polly kordaat: 'Nou, kom dan maar naar huis,' en ze hing op.